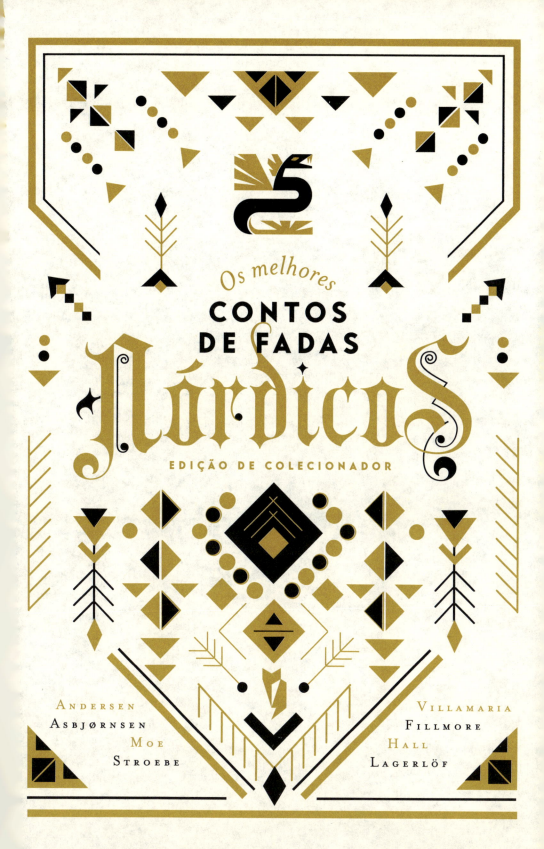

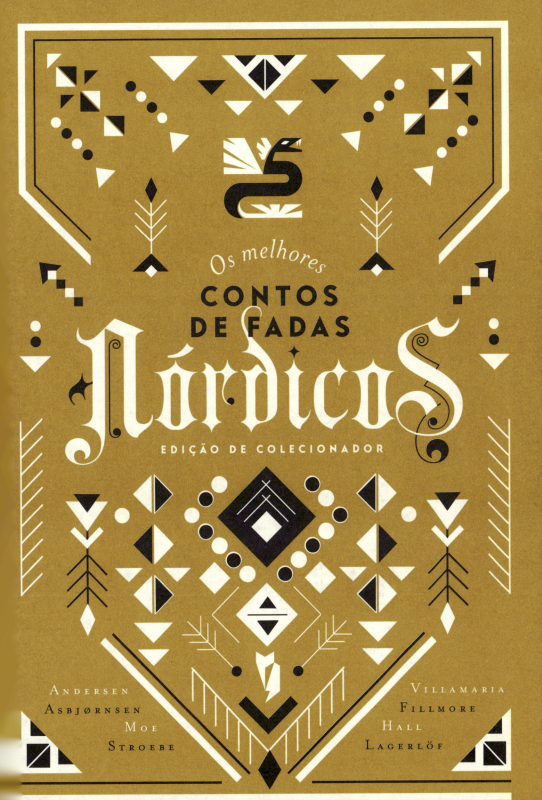

Organização
Marina Avila

Capa e Projeto Gráfico
Marina Avila

Preparação
Valquíria Vlad e Karine Ribeiro

Tradução
Cláudia Mello Belhassof,
Camila Fernandes, Felipe Lemos,
Carlos Rabelo (sueco), e Yuri Fabri
Venancio (norueguês)

Revisão
Clara Madrigano e Karine Ribeiro

4ª edição, 2ª reimpressão | Leograf | 2023

Dados Internacionais de Catalogação na Publicação (CIP)
Catalogação na fonte Bibliotecária responsável: Ana Lúcia Merege - CRB-7 4667

M 521

Os melhores contos de fadas nórdicos / curadoria de Marina Avila; tradução de Claudia Melo Belhassof, Camila Fernandes, Carlos Rabelo; prefácio de Lícia Dalcin. – São Caetano do Sul, SP: Wish, 2019.

320 p. : il.

Vários autores.
ISBN 978-85-67566-17-7 (Capa dura; edição de luxo)

1. Contos de fadas 2. Literatura nórdica 3. Antologia (Contos de fadas) I. Avila, Marina II. Belhassof, Claudia Melo III. Fernandes, Camila IV. Rabelo, Carlos V. Dalcin, Lícia

CDD 398.2

Índice para catálogo sistemático:
1. Contos de fadas 398.2
2. Literatura escandinava 839.5

EDITORA WISH
www.editorawish.com.br
Redes Sociais: @editorawish
São Caetano do Sul - SP - Brasil

© **Copyright 2023.** Este livro possui direitos de tradução e projeto gráfico e não pode ser distribuído, de forma comercial ou gratuita, ao todo ou parcialmente, sem a prévia autorização da editora.

DA MESMA COLEÇÃO:

Contos de Fadas em suas Versões Originais | *Os Melhores Contos de Fadas Celtas*
Os Melhores Contos de Fadas Asiáticos | *Os Melhores Contos de Fadas Sombrios*

"A vida é o mais belo dos contos de fadas"

HANS CHRISTIAN ANDERSEN

SUMÁRIO

CONTOS POPULARES

24 **A LESTE DO SOL E OESTE DA LUA**
Peter Christen Asbjørnsen e Jørgen Moe

42 **PEER GYNT**
Clara Stroebe

50 **POR QUE O MAR É SALGADO**
Peter Christen Asbjørnsen e Jørgen Moe

58 **A NOIVA DA FLORESTA**
Parker Fillmore

70 **KARI CAPA DURA**
Peter Christen Asbjørnsen e Jørgen Moe

84 **A CRIANÇA TROCADA**
Selma Lagerlöf

100 **O REI DRAGÃO**
Svend Grundtvig

110 **O CASTELO DE SORIA MORIA**
Peter Christen Asbjørnsen e Jørgen Moe

124 **A GIGANTA E O BARCO DE GRANITO**
Angus W. Hall

134 **O GATO EM DOVREFJELL**
Peter Christen Asbjørnsen e Jørgen Moe

140 **PODEROSO MIKKO**
Parker Fillmore

152 **REI VALEMON, O URSO BRANCO**
Peter Christen Asbjørnsen e Jørgen Moe

CONTOS RAROS

166   **A FLOR DA ISLÂNDIA**
Marie Jeserich Timme

190   **LINDAURA E O VELHO REI**
Anna Wahlenberg

198   **LASSE, MEU VASSALO**
G. Djurklou

212   **O ANEL**
Helena Nyblom

226   **NOIVA GALHUDA**
Peter Christen Asbjørnsen e Jørgen Moe

234   **O HOMEM DE NEVE**
Hans Christian Andersen

240   **HEIEMO E O NØKK**
Anônimo

244   **A SAGA DO ALCE E DA PRINCESA TUVSTARR**
Helge Kjellin

256   **PERNACURTA E OS TROLLS**
Peter Christen Asbjørnsen e Jørgen Moe

274   **O MONTE ÉLFICO**
Hans Christian Andersen

282   **O VIZINHO SUBTERRÂNEO**
Peter Christen Asbjørnsen e Jørgen Moe

286   **TEMPESTADE MÁGICA**
Clara Stroebe

292   **A ÚLTIMA MORADA DOS GIGANTES**
Marie Jeserich Timme

Os diversos
segredos dos
contos nórdicos

PREFÁCIO

por Lícia Dalcin

OS ENCANTOS DA NARRATIVA NÓRDICA

Há muitos e muitos anos... tempos remotos, brumosos, incrivelmente distantes... terras de ímpar beleza, descritas com a minúcia dos que sentem o maior dos apegos à terra natal... são recorrentes tais fórmulas na narrativa que compõe a atmosfera de mistérios e maravilhas dos contos nórdicos. Hoje eles aí estão, neste belo volume-coletânea, trazendo a nós as brumas e os raios de sol de outras eras e a fantasia de lugares que sempre nos parecerão infinitamente distantes, como se apenas à dimensão fantástica pertencessem.

O povo nórdico, lido também escandinavo (hoje identificado aventura, armados e equipados para render outros povos e saquear aldeias e vilas por onde quer que passassem. Para o leitor ocidental da atualidade, os viquingues (ou "bárbaros" escandinavos) bebiam hidromel em chifres, avistavam sereias e travavam incríveis batalhas contra titânicos monstros marinhos. No entanto, a respeito dos viquingues, o que podemos afirmar hoje é que se tratava de um povo guerreiro e amigo da navegação. De fato os viquingues praticavam a pilhagem, mas isso não lhes pode traçar o perfil, pois nessa medida não eram eles diferentes de outros guerreiros chamados de bárbaros em leituras

> "De um modo ou de outro, o povo nórdico tem o perfil sonhador e se caracteriza essencialmente pelo desejo de viajar e conhecer as belezas do mundo, ver todas as culturas possíveis e trazê-las para junto de si à terra natal."

e localizado em países como Islândia, Suécia, Noruega e Dinamarca) é conhecido em todo o Ocidente como o representante das antigas expedições viquingues, formadas por homens que saíam pelos oceanos em busca de mais simplistas da cultura de povos conquistadores (dentre os quais estão os hunos, os eslavos, os teutônicos, os anglo-saxões, os burgúndios...). De um modo ou de outro, o povo nórdico, à maneira dos irmãos bretões e celtas, com cujas culturas a nórdica muito se identifica, tem o perfil sonhador e se caracteriza essencialmente pelo desejo de viajar e conhecer as belezas do mundo, ver todas as culturas possíveis e trazê-las para junto de si à terra natal na forma de memórias, saudade e mesmo objetos curiosos. Todavia, se os viquingues eram conquistadores, não tinham, e nisso se diferenciavam nitidamente de muitos povos irmãos, perfil de colonizadores, pois gostavam de, após as conquistas, voltar para casa e sonhar com as lembranças do belo mundo que viram, mundo esse muito diferente das terras geladas da velha Escandinávia.

Por isso mesmo, a recorrente menção de objetos preciosos (inclusive aqueles de chifre ou marfim) nos velhos contos nórdicos nem sempre indica que se trata de utensílios, armas ou adornos da cultura autóctone dos viquingues. Muitas vezes, tais objetos representam o que esses guerreiros levavam para casa, junto com histórias de quem percorreu grande extensão da Europa e trouxe figuras simbólicas e mitológicas de muitos povos na lembrança e nas mãos: anéis, espadas, cálices e pratos de ouro ou de prata incrustados com pedras preciosas, além da memória do bestiário fantástico comum em contos nórdicos, como dragões, sereias, gigantes, *trolls*, etc.

O HOMEM E A MULHER
AS ARMAS, A CONQUISTA E O LAR

Ao lado de toda essa atmosfera sonhadora e nostálgica de conquista que fez dos viquingues (para além de conquistadores) grandes contadores de histórias, há traços nesses belos contos que potencializam os sintomas da velha cultura nórdica em nossa imaginação, de modo a distingui-la com mais clareza. Um deles é o trabalho nas minas, particularmente voltado para a extração do ferro, essencial para a produção de armas, escudos, peitorais e capacetes - o que caracteriza em boa medida os povos conquistadores, que prezavam e cultuavam as próprias armas. A força do homem nórdico se estendia para além do braço, indo tomar a dimensão das espadas e das clavas recobertas de ferro e bronze.

Outro traço peculiar da cultura nórdica está na associação da coragem e do espírito de aventura como marco identitário da virilidade nórdica, direcionado, evidentemente, aos homens (varões). Nesse aspecto vale lembrar que o povo nórdico acreditava que a força capaz de correr mundo, intimidar, lutar e conquistar estava somente na figura masculina. A mulher, diante dessa crença, assumia um papel de guardiã do lar, ou seja, permanecia em casa para receber homens que deveriam, pela própria cultura, voltar. Dessa forma, a mulher nórdica conhecia as aventuras e conquistas por terra e mar apenas através das belas narrativas dos homens. Quando a mulher era estrangeira, deveria permanecer na Escandinávia sem jamais retornar à própria terra natal, pois a Escandinávia precisava permanecer com ares de um "eterno lar" para o retorno dos homens.

Como, portanto, as esposas dos viquingues deveriam, independente da própria origem, guardar o lar por todas as suas vidas, tornaram-se ouvintes por excelência das grandes aventuras narradas pelos homens. E como ouviam, por muitas e repetidas vezes, narrativas dos pais, irmãos e maridos, acabavam se tornando, ao menos em conformidade com a tradição nórdica que chegou até nós, figuras sonhadoras e melancólicas - o que terá resultado na imagem da sábia anciã a qual conhece muitos segredos do coração dos homens e sabe, como ninguém, contar histórias de reinos distantes e de aventuras. A anciã, no conto de fadas nórdico, acabou se tornando uma figura mística recorrente, cuja sabedoria se converte em conselhos mirabolantes, mas infalíveis. Tal figura, que confere uma espécie de sabedoria acolhedora ao parco poder feminino no mundo nórdico, está também associada a lendas estrangeiras, como podemos observar no conto *Pernacurta*, em que há clara reprodução da fórmula do encontro do herói mitológico grego Perseu com as Greias, em um dos muitos momentos de diálogo cultural do povo nórdico com o restante da Europa.

De modo geral, percebemos que os viquingues consideravam a permanência no lar (sem viagens e sem conquistas) como algo estritamente feminino, e quando algum homem (geralmente o estrangeiro) assim procedia, a exemplo dos camponeses das férteis e ensolaradas terras ao redor do Mar Mediterrâneo, era considerado fraco e "afeminado"[1], em que fraco e "afeminado" são termos que, nos contos aqui apresentados, têm relação com não mais que as convicções culturais do varão nórdico antigo e medieval.

[1] O personagem Olaffson faz uma referência desse modelo aos povos mediterrâneos, em diálogo com a jovem Helga, no conto *A flor da Islândia*.

ESTE LIVRO

Esta coletânea nos traz a reabilitação cultural do universo das narrativas antigas, que sonhariam com um renascimento no século XIX, quando a revolução do Romantismo trouxe ao mundo das artes o anseio pelo poder subjetivo, que engloba memória, saudade, família e uma liberdade estética que, acreditavam, só a cultura popular poderia proporcionar. Nesse sentido, o século XIX foi essencial para trazer à dimensão do fechado circuito literário da época a narrativa popular maravilhosa – que antes era restrita à oralidade e às cozinhas ou fogueiras de camponeses.

Porém, o mesmo século XIX, com o desespero científico e industrial que lhe foi peculiar, acabaria criando uma atmosfera voltada ao saber formal e às conquistas

científicas, a qual afastaria conceitualmente o público e o conto popular, com o consequente aparecimento de fórmulas modernizadas da narrativa fantástica (filhas do casamento das fadas com a eletricidade), como o terror e a ficção científica, através de nomes como Edgar Allan Poe, H. G. Wells, Jules Verne e Mary Shelley, por exemplo. As fadas, devido à potência literária considerável de tais narrativas novas, ficariam um tanto obscurecidas e aprisionadas no universo da narrativa infantil até o fim do séc. XX. , quando deixariam de parecer obsoletas e voltadas para crianças - e passariam a figurar, em importância, ao lado dessas mesmas narrativas que as esconderam.

Ou seja, nos dias de hoje, o fantástico popular, com seus duendes, príncipes, guerreiros e anciãs, é o clássico que se redescobre e busca novos horizontes no mundo literário. É o antigo que se percebe também novo, em meio a tantos escombros culturais. É o diálogo entre culturas que se desnuda diante de nossos olhos. É a raposa que também é gato, e mostra o quanto os nórdicos e os gauleses dialogavam. É o sapato de Cinderela e de Katie Capadura, em histórias trocadas durante inúmeras viagens e aventuras. É o anel jogado no cálice, para que identidades sejam reveladas. Este livro, enfim… traz de volta o diálogo - que escritores do séc. XIX despertaram - do antigo povo nórdico com países visitados em conquistas.

O leitor encontrará aqui o belo e melancólico *O homem de Neve* de Andersen (1805-1875), o mesmo autor dos conhecidos e celebrados *O patinho feio* e *A pequena sereia* - e o mais notório escritor nórdico de narrativa fantástica do séc. XIX. Também neste volume não faltarão belas e sedutoras aventuras de outros autores que, em tempos de combate entre o mundo científico e a fantasia, dedicaram-se ao resgate do velho conto nórdico. Entremos neste mundo maravilhoso pela mão da pequena Lindaura, pelos olhos sonhadores da única flor da Islândia e vamos conhecer a derradeira morada dos gigantes que povoavam a terra há muitos e muitos anos… Boa leitura!

LÍCIA DALCIN

Minha ligação com as fadas é densa, permanente e bastante complexa, mas a raiz desta paixão está nos livros que meu avô comprava para minha mãe e meus tios, quando todos eram pequenos. Hoje sou professora universitária e pesquisadora especializada em conto de fadas. Doutora em Letras, escrevi sobre o sombrio e o encantador nos contos de Grimm.

CONHEÇA OS AUTORES

Vida e obras de mentes criativas

HANS CHRISTIAN ANDERSEN

Um dos mais famosos autores de contos de fadas, Hans Christian Andersen nasceu em Odense, na Dinamarca, em 2 de abril de 1805. Seu pai era um sapateiro e a mãe auxiliava na pouca renda da casa como lavadeira. Sendo filho único, seus pais o ajudaram a desenvolver sua imaginação ao criar os próprios brinquedos. Cresceu apaixonado por dança e música. É sabido que tinha uma figura alta e ossuda, fazendo-o parecer bastante diferente à vista. Atingiu fama internacional por escrever contos inovadores, poéticos e influentes até hoje.

Ele deixou Copenhagen, aos quatorze anos, com a ambição de entrar no Royal Theatre e se tornar ator. Sem conseguir referências, recebeu auxílio apenas para completar a educação básica. É sabido que Andersen não conseguiu se tornar um bom aluno durante o período escolar. Provavelmente, por causa desta dificuldade, seus contos são bem recebidos até hoje por possuir poucos floreios, diferente de outros autores da mesma época.

Andersen começou a escrever durante o período que esteve fora de Odense e só atingiu reconhecimento em 1829, viajando pela Europa para desenvolver seu trabalho. Em 1835, começou a produzir contos de fadas, em sua maioria demonstrando um mundo cruel e difícil em torno dos personagens até que, enfim, possam atingir o final feliz.

Andersen se apaixonou diversas vezes, mas nunca se casou. Teoricamente, com estudos de sua biografia e contos de fadas, muitos estudiosos acreditam que Andersen fosse bissexual.

Seu trabalho foi muito influenciado pela religião cristã, que norteou dezenas de suas histórias. A redenção pelos pecados carnais indicam, muitas vezes, punições severas durante os enredos.

Próximo a 1872, ele começou a ter sinais de um câncer no fígado que mais tarde tiraria sua vida, em 4 de agosto de 1875, em Copenhagen.

Em 1913, foi erguida uma icônica estátua de uma de suas principais personagens, A Pequena Sereia, feita em bronze por Edvard Eriksen.

PETER CHRISTEN ASBJØRNSEN E JØRGEN MOE

Nascido na Noruega em 15 de janeiro de 1812 em Christiania (agora renomeado para Oslo), Peter Christen Asbjørnsen foi um compilador de contos de fadas nórdicos, junto com Jørgen Engebretsen Moe. Muitos de seus trabalhos não são contos originais, mas recontações de histórias antigas.

Estudou na Universidade de Oslo em 1833, mas começou a coletar e reescrever contos de fadas e lendas em 1832, aos vinte anos.

Jørgen Moe, nascido em 22 de abril de 1813 em Ringerike, conheceu Peter no ensino médio, onde se tornaram amigos por toda a vida. Jørgen viajou pelo sul da

Noruega coletando histórias tradicionais dos povos das montanhas.

Os dois, tendo as vidas profissionais e pessoais tão conectadas, raramente são citados de forma separada.

Asbjørnsen foi um zoologista por profissão e fez diversas viagens investigativas pela costa da Noruega. Em 1842, sob o título de "Norske Folkeeventyr" (Contos Folclóricos Noruegueses), publicou dezenas de histórias que mesclavam mitologia e literatura tradicional. Estudou métodos para preservação das florestas norueguesas, sendo muito conectado com a flora e fauna de seu país.

Com a ajuda de Jørgen Moe, publicou em 1845 a coleção de contos de fadas Huldre-Eventyr og Folkesagn, que os tornou mundialmente famosos por histórias como "A Leste do Sol e Oeste da Lua".

Moe se tornou bispo na diocese de Agder em 1875.

Asbjørnsen faleceu em 1885, e Moe em 1882, deixando um legado importantíssimo para a cultura nórdica até hoje.

CLARA STROEBE

Editora e compiladora de diversos livros como "The Swedish Fairy Book" (O Livro de Contos de Fadas Suecos), "The Norwegian Fairy Book" (O Livro de Contos de Fadas Noruegueses) e "The Danish Fairy Book" (O Livro de Contos de Fadas Dinamarqueses), pouco se sabe sobre a vida de Clara Stroebe - por vezes conhecida como Klara Stroebe -, apenas que é de origem alemã e

nasceu no século XIX. Todos seus livros foram publicados pela Frederick A. Stokes Company.

MARIE JESERICH TIMME (VILLAMARIA)

Villamaria é o pseudônimo de Marie Jeserich Timme, autora do livro "Elfenreigen. Deutsche und nordische Märchen aus dem Reiche der Riesen und Zwerge, der Elfen, Nixen und Kobolde" (Círculos das Fadas. Lendas de Gigantes, Anões, Fadas, Espíritos das águas e Hobgoblins). Com um estilo de escrita encantador, Marie Timme nasceu em Berlim em 1830. Tinha cinco irmãos e irmãs, e viveu parte de sua infância em reclusão do mundo exterior, sem relacionamentos com outras crianças. Seus pais aderiram aos princípios puritanos mas, mesmo assim, Marie era conhecida por ser cheia de alegria.

Por este motivo foi enviada para um internato, e suas experiências são contadas em seu livro "Rheinklänge", sem tradução no Brasil. Após sua graduação, com dezenove anos, Marie se casou com o Reverendo Karl Timme, um clérigo protestante.

Quando seu marido faleceu, Marie retornou para Berlim com seus filhos, onde viveu e lecionou por mais de três décadas e pôde dedicar tempo para a escrita de ficção.

Marie Timme faleceu em Berlim, em 24 de outubro de 1895.

PARKER FILLMORE

Compilador, editor e escritor de contos de fadas, Parker Fillmore nasceu em 21 de setembro de 1878, em Cincinnati. Publicou dezenas de histórias inspiradas no folclore de países como Finlândia, Tchecoslováquia, Bósnia, Rússia e Polônia. Publicou "Mighty Mikko, a book of Finnish Fairy Tales and Folk Tales" (O Poderoso Mikko,

um livro de contos de fadas e folclore finlandês) em 1922.

Recebeu educação básica de seus benfeitores e graduou-se em Artes na Universidade de Cincinnati. Coletou contos icônicos encontrados nos países que visitou e afirmava que sua escrita era única, criando novas histórias a partir de contos populares, e não apenas traduções. Em seu livro, descreveu que fez excursões próprias para a Finlândia com o auxílio de uma amiga nativa, que conhecia os enredos tradicionais. "No presente volume, trouxe para casa um pacote de viajante recheado de tesouros estranhos que eu espero parecerem tão encantadores para outros quanto pareceram para mim quando os conheci pela primeira vez".

Fillmore faleceu em 1944.

SVEND GRUNDTVIG

Nascido em 9 de setembro de 1824 em Copenhagen, na Dinamarca, Grundtvig foi um historiador literário, professor e etnógrafo (estudioso de culturas e sociedade). Foi um dos primeiros compiladores de música tradicional dinamarquesa.

Seu pai, Nikolaj Frederik Severin Grundtvig, um famoso pastor, autor, poeta, filósofo e político da Dinamarca, direcionou sua educação e contratou diversos professores particulares para instruirem islandês, latim, dinamarquês e o idioma anglo-saxão, enquanto, pessoalmente, lhe ensinou mitologia nórdica e músicas folclóricas. Quando tinha quatorze anos, seu pai lhe trouxe um manuscrito de 1656 contendo uma canção tradicional, o que o fez se interessar em explorar mais o folclore dinamarquês.

Em 1876, publicou o "Danske folkeæventyr" (Contos Populares Dinamarqueses) em três volumes.

No prefácio de uma das traduções de seu trabalho, afirma-se que "O Professor Grundtvig percebeu que homens e mulheres de cada distrito estavam contando histórias e recitando baladas que conheceram através de seus avós que, por sua vez, as ouviram de cantores e bardos e canções antigas, e contadores de histórias tradicionais. Compreendeu então que esses ecos de tempos anteriores eram preciosos e que, se não fossem perpetuados em forma escrita, estariam perdidos".

Grundtvig faleceu em 14 de julho de 1883.

SELMA LAGERLÖF

Nascida em uma bela casa senhorial na Suécia chamada Mårbacka, na província de Varmlândia, em 20 de novembro de 1858, Selma foi uma escritora sueca vencedora do prêmio Nobel de Literatura em 1909. Foi também a primeira mulher a ser membro da Academia Sueca. A região em que estava situada a casa senhorial era repleta de mitos, lendas e histórias de fantasmas. Em 1882, entrou para a Kungliga höga lärarinneseminariet, escola que formava professoras e que se preocupava com a causa feminista, incentivando a independência e o progresso social da mulher.

Selma venceu o prêmio Nobel "pelo idealismo nobre, riqueza de imaginação e equilíbrio dos seus textos". Faleceu em 1940, na mesma casa onde nasceu.

ANNA WAHLENBERG

Pouco se sabe sobre a vida de Anna, nascida em 23 de maio de 1858, em Kungsholmen. Foi autora dos livros "En mesallians", "Kungens nattmössa", "Länge, länge, sedan... Sagor" (Há muito, muito tempo, repleto de contos de fadas), "Löndörren", "Sagoteatern", "Stackars flicka" e "Två valspråk". Publicou histórias nos livros anuais de contos de fadas suecos conhecidos como "Bland Tomtar Och Troll" (Entre Gnomos e Trolls).

HELENA NYBLOM

Autora de diversas histórias infantis, Helena Nyblom nasceu em 07 de dezembro de 1843, na Dinamarca, mas ficou conhecida por seus textos em idioma sueco. Ela se mudou para a Suécia após se casar com um professor e morar em Uppsala. Publicou seus primeiros contos de fadas em 1897 e escreveu mais de 80 histórias, algumas delas publicadas nos livros anuais de contos de fadas suecos conhecidos como "Bland Tomtar Och Troll" (Entre Gnomos e Trolls).

Parte de seus contos foi ilustrada pelo talentoso John Bauer. Helena faleceu em 1926, em Estocolmo.

HELGE KJELLIN

Nascido 24 de abril de 1885 em Stora Kils, na Suécia, foi um historiador de arte sueca e escritor. Completou um doutorado em filosofia e foi curador de museus. Kjellin publicou numerosos trabalhos sobre a história da arte medieval, especialmente de Värmland.

G. DJURKLOU

Nils Gabriel Friherre Djurklou foi um arqueólogo e escritor nascido em 24 de julho de 1829, em Norrbyås, na Suécia. Foi autor de livros de contos de fadas suecos amplamente traduzidos e editados, inclusive por Clara Stroebe.

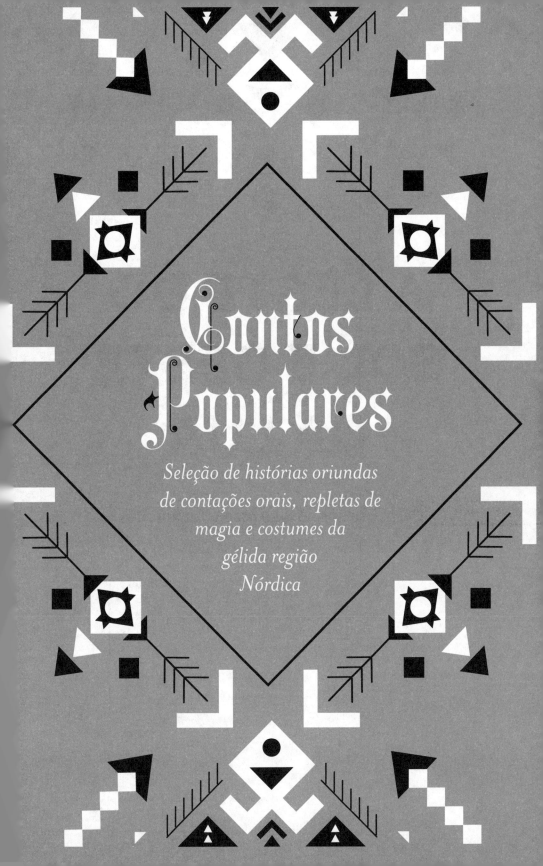

Contos Populares

Seleção de histórias oriundas de contações orais, repletas de magia e costumes da gélida região Nórdica

A LESTE DO SOL E OESTE DA LUA

Peter Christen Asbjørnsen e Jørgen Moe
Østenfor sol og vestenfor måne, Noruega, 1844

Contos de transformação em animais são muito comuns na literatura nórdica de contos de fadas. A história mais conhecida é "A Leste do Sol e Oeste da Lua", em um encantador enredo de conquista, magia e busca pelo amor.

Era uma vez um pobre marido que tinha muitos filhos e não havia mais como alimentá-los e nem vesti-los. Todos eram crianças bonitas, mas a mais bonita era a caçula, que era tão amável que sua amabilidade não tinha fim.

Uma vez, numa alta noite de uma quinta-feira de outono, o clima estava tão selvagem e violento lá fora, e estava tão cruelmente escuro, que a chuva caía e o vento soprava, fazendo as paredes da cabana balançarem. Ali, toda a família sentava ao redor da fogueira, ocupada com uma coisa ou outra. Mas, naquele momento, de repente, algo deu três toques no vidro da janela. O pai saiu para ver qual era o problema e, quando atravessou o limiar da entrada, deparou-se com um grande *Urso Branco*!

— Boa noite para você! — cumprimentou o *Urso Branco*.

— O mesmo a você! — rebateu o homem.

— Você poderia me dar a sua filha mais nova? Se o fizer, eu o tornarei tão rico quanto agora você é pobre — pediu o *Urso*.

Bem, o homem não ficaria triste de ser tão rico; mas, mesmo assim, pensou que deveria ter uma conversa com a filha primeiro. Então, ele entrou e falou aos seus filhos que havia um grande *Urso Branco* esperando do lado de fora, que dera a palavra de fazê-los muito ricos se ele apenas pudesse ter a filha mais nova.

A menina respondeu *"não!"* de forma direta. Nada poderia fazê-la dizer outra coisa; por isso o homem saiu e combinou com o *Urso Branco* que ele deveria voltar na tarde da quinta-feira seguinte para obter uma resposta. Enquanto isso, o pai tentava convencer a filha, falando-lhe de todas as riquezas que eles teriam e como ela própria estaria bem de vida. Finalmente, ela considerou a proposta. Lavou e remendou seus farrapos, arrumando-se o melhor que podia, e estava pronta para partir. Eu não diria que deu trabalho arrumar as malas.

Na tarde da quinta-feira seguinte, o *Urso Branco* veio buscá-la. Ela subiu nas suas costas com sua trouxa e os dois foram embora. Quando eles já tinham andado uma parte do caminho, o *Urso Branco* perguntou:

— Você está com medo?

— Não estou.

— Bem, preste atenção e segure firme na minha pelagem, e então não haverá nada a temer.

Eles seguiram por um longo, longo caminho, até chegarem a uma grande e íngreme colina. Ali, no pé da colina, o *Urso Branco* deu uma batida e uma porta abriu. Os dois entraram em um castelo onde havia muitas salas iluminadas, salões brilhando com prata e ouro; lá, também, havia uma mesa já posta, tão grandiosa como se esperaria. O *Urso Branco* deu-lhe um sino de prata – quando ela quisesse algo, só precisaria tocá-lo.

Depois de comer e beber, quando a noite se aproximou, a menina ficou com sono e pensou que gostaria de ir para a cama, o que a fez tocar o sino. Ela quase não percebeu quando chegou a um aposento onde havia uma cama feita, tão clara e branca quanto qualquer um gostaria, com travesseiros de seda e cortinas e franjas douradas. Tudo o que havia no quarto era de ouro ou prata. Quando ela foi para a cama e apagou a luz, um homem veio e deitou-se ao seu lado. Era o *Urso Branco*, que tirava sua forma bestial à noite; mas ela nunca o via, pois ele sempre vinha depois que as luzes eram apagadas e levantava antes do dia amanhecer.

As coisas foram felizes por um tempo mas, eventualmente, a jovem começou a ficar calada e tristonha, pois ficava por lá o dia todo sozinha e ansiava por ir para casa e rever seu pai, sua mãe, irmãos e irmãs. Um dia, quando o *Urso Branco* perguntou o que ela queria, a menina explicou que estava muito entediante e solitário ali, e que desejava ir para casa, ver sua família. Por essa razão, andava tão triste e pesarosa.

— Bem, bem! – disse o *Urso*. — Talvez exista uma cura para tudo isso. Mas você deve prometer-me uma coisa: não fale sozinha com sua mãe, apenas quando os outros estiverem perto para ouvir, pois ela a tomará pela mão e tentará levá-la para um quarto sozinha para conversar. Você não deve dar atenção e não deve ir, ou trará má sorte a nós dois.

Então, em um domingo, o *Urso Branco* veio e disse que eles podiam sair para ver o pai e a mãe dela. Eles foram, com ela sentada em suas costas, e seguiram para muito longe. Chegaram a uma grandiosa casa; lá estavam seus irmãos e irmãs correndo para fora das portas, brincando, e tudo estava tão bonito que dava alegria de ver.

KAY NIELSEN

— Aqui é onde seu pai e sua mãe moram agora — explicou o *Urso Branco*. — Mas não se esqueça do que eu disse, ou nos trará má sorte.
— Não!
Quando ela alcançou a casa, o *Urso Branco* deu meia volta e a deixou.
No instante em que a menina entrou para ver seu pai e sua mãe, houve tanta alegria que parecia não ter fim! Nenhum deles achou que

a agradecera o bastante por tudo o que ela fizera por eles. Agora, a família tinha tudo o que desejava, tão bem quanto podia, e eles todos queriam saber como ela estava lá onde morava.

Bem, a caçula disse que era muito bom onde morava; tinha tudo o que desejava. À tarde, depois do jantar, tudo aconteceu como o *Urso Branco* previra. A mãe quis falar com a filha a sós em seu quarto; mas ela prestou atenção ao que o *Urso Branco* dissera e não subiu as escadas.

— Oh, o que temos para conversar pode esperar! – disse, despistando a mãe. Todavia, de uma forma ou de outra, sua mãe a encurralou, afinal, e ela teve de contar-lhe toda a história. Então, contou como toda noite, quando estava na cama, um homem vinha e deitava ao seu lado tão logo apagava a luz. Falou também que nunca o vira, porque ele sempre ia embora antes do amanhecer, e como ficava aflita e tristonha porque pensava que queria muito vê-lo. Descreveu que andava pela casa o dia todo, sozinha, e como era chato, melancólico e solitário.

— Deus! – disse sua mãe. — Pode ser um troll[1], esse com quem você dorme! Mas agora vou ensiná-la como finalmente vê-lo. Vou lhe dar um pedaço de vela, que você pode levar para casa no seio; acenda apenas quando ele estiver dormindo, mas cuidado para não derrubar cera[2] nele.

— Sim! — Ela tomou a vela e a escondeu no seio. Conforme a noite se aproximou, o *Urso Branco* veio e a levou.

Os dois já haviam andado uma parte do caminho quando o *Urso Branco* perguntou se tudo acontecera como ele havia dito.

Bem, ela não podia dizer que não tinha sido.

— Agora ouça — ele disse —, se você ouviu o conselho de sua mãe, trouxe má sorte a nós dois, e então tudo o que se passou entre nós será o mesmo que nada.

— Não! — exclamou; ela não ouvira nada do que a mãe dissera.

....

[1] Trolls eram criaturas míticas da mitologia nórdica; no folclore escandinavo, especialmente depois da expansão do cristianismo, os trolls começaram a ser retratados como desenvolvendo aversão a sinos de igreja e odiando tudo o que era cristão. Assim, em alguns textos, eles são usados para simbolizar algo anticristão em um período religioso da Escandinávia. [N.T.]

[2] Do original, "sebo" ou "gordura", pois era do que as velas eram feitas à época. Tomamos a liberdade de alterar para "cera" a fim aproximar a imagem do leitor. [N.T.]

Ao chegarem em casa, a menina foi para a cama e a mesma velha história se repetiu: veio um homem e deitou-se a seu lado. Porém, na calada da noite, quando ouviu que ele dormira, ela levantou e acendeu um fogo, depois a vela, e deixou-a brilhar sobre ele. Então, ela viu o mais amável príncipe que já se vira e se apaixonou tão perdidamente por ele naquele instante que achou que não poderia viver se não lhe desse um beijo ali mesmo. E assim ela fez; mas, conforme o beijava, derramou três gotas quentes de cera em sua camisa, acordando-o.

— O que você fez? — ele gritou. — Agora você nos tornou desgraçados, pois se tivesse aguentado apenas mais esse ano, eu estaria livre! Tenho uma madrasta que me enfeitiçou, de modo que sou um *Urso Branco* de dia, e um *Homem* à noite. Agora, todos os vínculos estão cortados entre nós, e eu devo ir até ela. Ela vive em um castelo que fica a *Leste do Sol* e *Oeste da Lua*, e lá também há uma *Princesa*, com um nariz de um metro e meio, que é a esposa que devo ter agora.

A menina chorou e adoeceu, mas de nada adiantou; ele tinha de partir.

Então, ela perguntou se não poderia ir com ele.

Não, não poderia.

— Diga-me o caminho — pediu. — E eu vou procurá-lo; *isso* eu certamente tenho permissão de fazer.

— Sim, você poderia fazer isso — ele disse. — Mas não há caminho para aquele lugar. Ele fica a *Leste do Sol e Oeste da Lua*, e para lá você jamais encontrará o caminho.

Na manhã seguinte, quando ela acordou, tanto o *Príncipe* como o castelo tinham desaparecido, e a menina pousou um pequeno remendo verde no meio da sombria madeira grossa. Ao seu lado, pôs a mesma trouxa de farrapos que tinha trazido consigo de sua antiga casa.

Depois de esfregar o sono dos olhos e de ter chorado até cansar, partiu em seu caminho e andou por muitos, muitos dias, até chegar a um alto penhasco. Abaixo dele, sentava-se uma velha feia, que brincava com uma maçã dourada, jogando-a de um lado para o outro. A menina perguntou se ela conhecia o caminho até o *Príncipe*, que vivia com sua madrasta em um castelo a *Leste do Sol* e *Oeste da Lua*, e que deveria casar com a *Princesa* de um nariz de um metro e meio.

KAY NIELSEN

— Como você chegou a conhecê-lo? — perguntou a velha feia. — Talvez você seja a mocinha que deveria tê-lo tido?

— Sim.

— Ora, ora; é você, é? – disse a velha feia. — Bem, tudo o que sei é que ele vive em um castelo que fica a *Leste do Sol* e *Oeste da Lua*, e para lá você irá, tarde ou nunca. Ainda assim, você terá meu cavalo emprestado, e nele poderá cavalgar até a minha próxima vizinha. Talvez ela seja capaz de lhe dizer o caminho. Quando chegar lá, só dê um tapinha abaixo da orelha esquerda do cavalo e peça que ele volte para casa. E, olhe, esta maçã dourada você pode levar consigo.

Então ela subiu no cavalo e cavalgou por muito, muito tempo, até chegar a outro penhasco, abaixo do qual sentava outra velha feia, com uma escova dourada para desembaraçar cabelos. Aqui, a menina perguntou se ela conhecia o caminho até o castelo que ficava a *Leste do Sol* e *Oeste da Lua*, e ela respondeu, como a primeira velha feia, que não sabia nada a respeito, exceto a vaga localização.

— E para lá você irá, tarde ou nunca, mas você terá meu cavalo emprestado até minha próxima vizinha. Talvez ela lhe diga tudo sobre isso. Quando chegar lá, só dê um tapinha no cavalo abaixo da orelha esquerda e peça para que venha para casa.

E essa velha feia lhe deu a escova dourada de desembaraçar cabelos; poderia ser que houvesse algum uso para ela. A menina subiu no cavalo e cavalgou um longo, longo caminho, até se cansar muito. Ela chegou a outro grande penhasco, abaixo do qual estava mais uma velha feia, girando uma roca dourada. A ela, também, a menina perguntou se conhecia o caminho até o *Príncipe* e onde estava o castelo que ficava a *Leste do Sol* e *Oeste da Lua*. Foi a mesma coisa novamente.

— Talvez você seja a mocinha que deveria ter tido o *Príncipe*? – perguntou a velha feia.

— Sim.

Mas a velha, também, não sabia o caminho melhor que as outras. "*A Leste do Sol e Oeste da Lua ele fica*", era só o que sabia.

— E para lá você irá, tarde ou nunca; mas vou emprestar-lhe meu cavalo, e então acho melhor você cavalgar para o Vento do Leste e perguntar a ele. Talvez ele conheça essas partes e possa soprá-la para lá. Porém, quando encontrá-lo, você só precisa dar um tapinha no cavalo, abaixo da orelha esquerda, e ele virá trotando pra casa sozinho.

A LESTE DO SOL E OESTE DA LUA 33

R. & H. J. KNOWLES, 1910

KAY NIELSEN

E, então, a velha deu-lhe a roca dourada e disse:
— Talvez você encontre uma função para ela.

A menina cavalgou por muitos, muitos dias, e cansou-se bastante antes de chegar à casa do Vento do Leste. Quando enfim a alcançou, perguntou ao Vento do Leste se ele poderia dizer-lhe o caminho para o *Príncipe* que residia a *Leste do Sol* e *Oeste da Lua*. Sim, o Vento do Leste havia frequentemente ouvido falar disso, do *Príncipe* e do castelo, mas não podia dizer o caminho, pois nunca tinha soprado tão longe.

— Se quiser, vou com você ao meu irmão, o Vento do Oeste. Talvez ele saiba, pois é muito mais forte do que eu. Se você subir nas minhas costas, eu a levo para lá.

Sim, ela subiu em suas costas, e eles seguiram velozmente.

Ao chegarem lá, entraram na casa do Vento do Oeste, e o Vento do Leste disse que a mocinha que ele trouxera era a que deveria ter tido o *Príncipe* que vivia no castelo a *Leste do Sol* e *Oeste da Lua*. Eles partiram a procurá-lo e, como ele tinha vindo com ela, gostaria de saber se o Vento do Oeste sabia como chegar ao castelo.

— Não — disse o Vento do Oeste. — Tão longe eu nunca soprei; mas, se quiser, vou com você até nosso irmão, o Vento do Sul, pois ele é muito mais forte do que qualquer um de nós e já bateu asas por todos os cantos. Talvez ele lhe diga. Você pode subir nas minhas costas, e eu a levarei.

Ela subiu nas suas costas e eles viajaram até o Vento do Sul, e não demoraram tanto no caminho.

Quando chegaram lá, o Vento do Oeste perguntou se seu irmão poderia indicar o caminho até o castelo que ficava a *Leste do Sol* e *Oeste da Lua*, pois era ela quem deveria ter tido o *Príncipe* que lá vivia.

— Não diga! É ela, mesmo? — perguntou o Vento do Sul. — Bem, eu soprei vigorosamente por muitos lugares nessa vida, mas nunca tão longe. Se você quiser, posso levá-la ao meu irmão, o Vento do Norte; ele é o mais velho e mais forte de todos nós. Se ele não souber onde fica, você nunca encontrará ninguém no mundo que possa lhe dizer. Suba nas minhas costas, e eu a carregarei até lá.

Ela subiu nas suas costas e eles saíram de sua casa a uma velocidade ainda maior. Dessa vez, também, ela não demorou na viagem.

Então, quando chegaram à casa do Vento do Norte, encontraram-no muito bravo e contrariado, e lufadas frias saíam dele a longas distâncias.

— Malditos sejam, o que querem? — rugiu para eles, de cada vez mais longe, e os atingiu com um calafrio gélido.

— Bem — disse o Vento do Sul —, você não precisa ser tão boca-suja, pois aqui estou eu, seu irmão, o Vento do Sul, e aqui está a mocinha que deveria ter tido o *Príncipe* que reside no castelo que fica a *Leste do Sol* e *Oeste da Lua*. Ela quer perguntar-lhe se você já esteve lá e se pode dizer-lhe o caminho, pois ficaria muito alegre de encontrá-lo novamente.

— Sim, eu sei muito bem onde está — disse o Vento do Norte. — Certa vez, em minha vida, soprei uma folha de álamo para lá, mas estava tão cansado que, depois, não consegui soprar uma lufada por muitos dias. Se você realmente deseja ir até lá e não tem medo de vir comigo, eu a levarei em minhas costas e verei se consigo soprá-la.

— Sim! — De todo o coração, ela precisava e iria até lá, não importava como fosse possível. Quanto ao medo, não importava quão perigosamente ele fosse, ela nada temeria.

— Muito bem, então — disse o Vento do Norte. — Você deve dormir aqui esta noite, pois teremos um dia inteiro à nossa frente se quisermos ao menos chegar lá.

Na manhã seguinte, bem cedo, o Vento do Norte a acordou e lufou e soprou a si mesmo, até ficar tão forte e grande que era medonho olhar para ele. Então, eles partiram pelo alto dos céus, como se fossem parar até o fim do mundo.

Enquanto isso, na terra, estava acontecendo uma tempestade muito forte, que derrubou vastos hectares de madeira e muitas casas. Ao atingir o grande oceano, navios afundaram às centenas.

Eles seguiram e seguiram — ninguém acreditaria no quão longe eles foram — e, durante todo o tempo em que estiveram sobre o mar, o Vento do Norte ficava cada vez mais cansado e ofegante, a ponto de mal produzir uma lufada. Suas asas desciam e desciam, até que ele passou a voar tão baixo a ponto das cristas das ondas borrifarem seus calcanhares.

— Está com medo? — perguntou o Vento do Norte.

— Não! — Ela não estava.

Mas eles não estavam tão longe da terra; e o Vento do Norte ainda tinha força para arremessá-la à costa, abaixo das janelas do castelo

EDNA COOKE, 1921

PETER CHRISTEN ASBJØRNSEN E JØRGEN MOE

R. & H. J. KNOWLES, 1910

que ficava a *Leste do Sol* e *Oeste da Lua*. Ele ficou tão fraco e exaurido do esforço que teve de ficar lá e descansar por muitos dias antes que pudesse voltar para casa.

Na manhã seguinte, a menina sentou-se embaixo da janela do castelo e começou a brincar com a maçã dourada. A primeira pessoa que ela viu foi a *Nariguda* que deveria ter o *Príncipe*.

— O que quer pela sua maçã dourada, mocinha? — perguntou a *Nariguda*, abrindo a janela.

— Não está à venda, por ouro ou dinheiro — disse a menina.

— Se não está à venda por ouro ou dinheiro, pelo que você quer vendê-la? Diga seu preço — quis saber a *Princesa*.

— Bem, se eu puder chegar até o *Príncipe* que vive aqui e ficar com ele esta noite, você a terá.

— Sim! — Isso podia ser arranjado. Assim, a *Princesa* ficou com a maçã dourada; mas quando a menina subiu para o quarto do *Príncipe* à noite, encontrou-o em um sono profundo. Ela o chamou e o balançou, chorando muito; mas nada podia acordá-lo. Na manhã seguinte, tão logo o dia surgiu, veio a *Princesa* com o narigão e expulsou-a.

Durante o dia, ela sentou-se abaixo das janelas do castelo e começou a desembaraçar os cabelos com a escova dourada, e a mesma coisa aconteceu. A *Princesa* perguntou o que ela queria pela escova; e ela disse que não estava à venda por ouro ou dinheiro, mas, se tivesse a permissão de subir até o *Príncipe* e ficar com ele aquela noite, a *Princesa* a teria. Ao subir, encontrou-o em sono profundo de novo e, por mais que chamasse, por mais que balançasse, chorasse e rezasse, ela não obtinha qualquer sinal de vida. Tão logo o primeiro raiar cinzento do dia surgiu, apareceu a *Princesa* nariguda e enxotou-a novamente.

Então, de dia, a menina sentou-se do lado de fora, abaixo das janelas do castelo, e começou a fiar com sua roca dourada. Isso, também, a *Princesa* nariguda queria ter. Então, ela abriu a janela e perguntou o que ela queria pela roca. A menina disse, como dissera duas vezes antes, que não estava à venda por ouro ou dinheiro; mas, se pudesse subir até o *Príncipe* que estava lá, e ficar com ele a sós aquela noite, a *Princesa* poderia tê-la.

— Sim! — Ela poderia fazê-lo e seria bem-vinda. Mas agora você deve saber que havia alguns cristãos que foram levados até lá. Enquanto eles sentavam em seus aposentos, que eram próximos aos do *Príncipe*, ouviram que uma mulher estivera lá e chorara, rezara e chamara por ele por duas noites seguidas. Eles contaram isso ao *Príncipe*.

Naquela noite, quando a *Princesa* veio com sua bebida sonífera, o *Príncipe* fingiu que bebeu, mas jogou-a por sobre o ombro. Por isso, quando a menina entrou, ela o encontrou bem acordado, e então lhe contou como havia parado lá.

— Ah! – disse o *Príncipe*. — Você veio bem a tempo, pois amanhã é o dia de nosso casamento. Mas, agora, eu não casarei com a *Nariguda*, e você é a única mulher no mundo que pode me libertar. Eu direi que quero ver do que minha futura esposa é capaz, e pedirei que lave a camisa que tem três manchas de cera. Ela dirá que sim, pois não sabe que foi você quem as pôs lá. Como isso é um trabalho para cristãos, e não para um bando de trolls, direi que não quero ninguém como mulher senão aquela que puder lavar essas manchas, e pedirei a você para fazê-lo.

Então, houve muita alegria e amor entre eles naquela noite. No dia seguinte, quando o casamento estava para acontecer, o *Príncipe* anunciou:

— Primeiramente, eu gostaria de ver do que minha noiva é capaz.

— Sim! – disse sua madrasta, de todo coração.

— Bem – continuou o *Príncipe* –, tenho uma bela camisa que gostaria de usar no casamento, mas, por alguma razão, ela possui três manchas de cera que quero ver lavadas. Jurei nunca aceitar como noiva uma mulher que não consiga fazê-lo. Se ela não puder, não vale a pena tê-la.

— Bem, isso não é grande coisa – eles disseram e concordaram. A *Nariguda* começou a lavar o melhor que podia, mas quanto mais esfregava, mais as manchas cresciam.

— Ah! – exclamou a velha madrasta. — Você não consegue, deixe-me tentar.

Mas ela mal pegou a camisa e ficou pior que nunca. Com toda a fricção, apertos, e esfregação, as manchas aumentaram e ficaram pretas. Quanto mais escuras, mais feia ficava a camisa.

Todos os outros trolls começaram a lavar, porém, quanto mais o faziam, mais escura e feia a camisa ficava, até ficar tão preta como se tivesse saído de dentro de uma chaminé.

—Ah! – falou o *Príncipe*. — Nenhum de vocês vale uma palha, vocês não sabem lavar. Ali fora há uma moça mendiga que eu aposto que sabe lavar melhor do que todos vocês. Entre, mocinha! – ele gritou.

E ela entrou.

—Você consegue limpar essa camisa, mocinha? – perguntou.

—Eu não tenho certeza – ela respondeu. — Mas acho que sim.

E pouco depois de ela a pegar e molhar na água, a camisa estava tão branca quanto neve, e até mais alva.

—Sim; você é a donzela para mim – disse o *Príncipe*.

Diante disso, a velha madrasta ficou tão furiosa que estourou ali mesmo, e a *Princesa* nariguda depois dela, assim como todo o bando de trolls em seguida – ao menos, jamais ouvi uma palavra sobre eles desde então.

Quanto ao *Príncipe* e à *Princesa*, eles libertaram todos os pobres cristãos que foram levados e presos lá. Juntos, levaram consigo todo a prata e ouro e partiram para o mais longe que podiam do Castelo que ficava a *Leste do Sol e Oeste da Lua*.

PEER GYNT

Clara Stroebe

Peer Gynt/Rensdyrjakt ved Rondane, Noruega, 1845/1922

Conto tradicional com toques de nonsense, como "Alice no País das Maravilhas", "Peer Gynt" inspirou uma peça teatral por Henrik Ibsen, musicada em 1876 por Edvard Grieg. Duas de suas composições são amplamente conhecidas: "No Salão do Rei da Montanha" e "Amanhecer". Reeditado por Clara Stroebe após original de Asbjørnsen e Moe.

Antigamente vivia em Kvam um caçador chamado Peer Gynt, que estava sempre perambulando pelas montanhas atrás de ursos e alces. Naquele tempo havia mais florestas nas montanhas do que há hoje e, portanto, muitos animais selvagens. Uma noite, no final do outono, muito depois de o gado ter descido das pastagens nas montanhas, Peer saiu numa de suas expedições. Todas as leiteiras também haviam partido, a não ser as três moças que ficavam numa cabana em Val.

Quando Peer subiu em direção a Hövring, onde pretendia passar a noite numa cabana de pastor, estava tão escuro que mal conseguia ver um passo à frente. Seus cães de caça começaram a latir furiosamente. O lugar todo era desagradável e sinistro. De repente, ele esbarrou em alguma coisa e, quando ergueu a mão, sentiu que era fria, escorregadia e grande. Como achava que não tinha saído da estrada, não fazia ideia do que poderia ser aquilo, mas não era nem um pouco agradável.

— Quem está aí? — perguntou Peer, pois agora percebia que a coisa estava se mexendo.

— Ah, é o Corcunda — foi a resposta.

Peer não entendeu o que isso queria dizer, mas andou para o lado por algum tempo, imaginando que assim conseguiria dar a volta e passar longe da misteriosa presença. Mas esbarrou novamente em alguma coisa, e, quando estendeu a mão, sentiu que era muito grande, fria e escorregadia.

— E agora, quem está aí? — repetiu Peer Gynt.

— Ah, é o Corcunda — foi a resposta, mais uma vez.

— Bem, Corcunda ou não, você vai ter que me deixar passar — disse Peer, pois agora acreditava que andava em torno de um círculo, e que o monstro havia se enrolado ao redor da casa.

Nessa hora o monstro se remexeu um pouco, e Peer conseguiu passar por ele e encontrar a casa. Quando entrou, viu que lá dentro estava tão escuro quanto do lado de fora. Começou a tatear a parede para encontrar um lugar onde guardar sua arma e pendurar sua bolsa, mas, enquanto fazia isso, mais uma vez tocou numa coisa fria, grande e escorregadia.

— Quem está aí? — gritou Peer.

— Ah, é o grande Corcunda — foi a resposta.

Para onde quer que Peer esticasse as mãos ou tentasse passar, esbarrava no monstro.

Não será muito agradável ficar aqui, tenho certeza, pensou Peer. *Já que esse Corcunda está tanto lá fora quanto aqui dentro, vou tentar tirar o intruso do meu caminho.*

Ele então pegou uma arma e saiu, tateando o caminho com cuidado até encontrar o que achava ser a cabeça do monstro — certamente tratava-se de um troll monstruoso.

— O que e quem é você? — perguntou Peer.

— Ah, eu sou o grande Corcunda de Etnedal — disse o troll. Peer não perdeu tempo, disparando três tiros bem na cabeça do troll.

— Atire outra vez — disse o troll. Mas Peer sabia que era melhor não fazer isso, pois se tivesse disparado novamente, a bala teria ricocheteado contra ele.

Peer e os cães começaram a arrastar o troll para fora da casa, para que pudessem entrar e se acomodar. Ao fazer isso, ouviu gracejos e risadas nas montanhas ao redor.

— Peer só arrastou um pouco, o cachorro é que trabalha como louco! — disse uma voz.

Na manhã seguinte, ele saiu para caçar. Quando chegou à área entre as montanhas, viu uma moça que chamava suas ovelhas até a encosta. Mas quando se aproximou, ela havia desaparecido, e as ovelhas também. Não viu nada além de um bando de ursos.

— Bem, nunca vi ursos formarem bando — disse Peer para si mesmo. Quando chegou mais perto, todos haviam desaparecido, menos um.

— Cuide bem do seu javali! Peer Gynt veio caçar com a maior arma que já vi — gritou uma voz na montanha.

— Ah, ele não vai atirar. Hoje, não quis nem se lavar — respondeu outra voz na montanha. Peer lavou as mãos com um pouco de água que havia trazido. Atirou e acertou o urso. Então, ouviu mais gracejos e risadas na montanha.

— Não há mais javali, resta a mágoa! — gritou uma voz.

— Esqueci-me de que ele tinha água! — respondeu outra.

Peer esfolou o urso e enterrou a carcaça. A caminho de casa, encontrou uma raposa.

— Olhe só o meu cordeiro! A carne é barata! — disse uma voz na montanha.

— Olhe só o Peer, com a arma ele mata! — disse outra voz no momento em que Peer levantou a arma e atirou na raposa. Também a esfolou e levou a pele consigo.

Quando chegou à cabana, pendurou as cabeças da raposa e do urso na parede externa, com as mandíbulas escancaradas. Então, acendeu o fogo e pegou uma panela para preparar um cozido, mas espalhou-se uma fumaça tão terrível que ele mal conseguia manter os olhos abertos. Teve que abrir uma janelinha.

Algum tempo depois, um troll apareceu e transpassou o nariz pela janela; o nariz era tão comprido que atravessou a sala até a lareira.

— Eis aqui um belo nariz, do tipo elegante — disse o troll.

— E eis aqui uma bela sopa! Temperada e fumegante! — E com isso Peer derramou a sopa fervendo no nariz do troll. Este fugiu, gemendo e chorando, mas de todas as montanhas ao redor vieram gracejos e risadas, e as vozes gritavam: *Sopa de nariz! Sopa de nariz!*

Depois disso, houve um silêncio. Mas logo Peer ouviu uma barulheira e um rebuliço. Olhou para fora e viu uma grande carruagem puxada por ursos. Estavam carregando o monstro para as montanhas.

De repente, um balde de água caiu pela chaminé; o fogo se apagou e Peer ficou na escuridão. Então, risos e gargalhadas vieram de todos os cantos da sala, e uma voz disse:

— Agora, Peer está tão mal quanto as moças em Val.

Peer acendeu o fogo novamente, fechou a casa e seguiu para a fazenda em Val, levando os cães consigo. Depois de uma breve caminhada, viu um clarão no lugar onde ficava a fazenda, fazendo-o pensar que a casa estava em chamas. Nesse momento, se deparou com alguns lobos. Em alguns, atirou; outros, seus cães mataram. Mas quando chegou à fazenda, estava tudo escuro. Não havia o menor sinal de fogo.

Havia três estranhos na sala se divertindo com as leiteiras e um lá fora, ao lado da porta. Eram quatro trolls das montanhas, e seus nomes eram Gust, Tron, Tjöstöl e Rolf. Gust estava do lado de fora montando guarda, enquanto os outros cortejavam as moças lá dentro. Peer atirou em Gust, mas errou. O troll fugiu amedrontado, e, quando Peer entrou, viu os trolls insistindo em flertar com as moças. Duas delas rezavam, apavoradas, mas a terceira, conhecida como Kari Maluca, não estava nem um pouco assustada. Não se importava que os trolls viessem. Pelo contrário, queria ver que espécie de gente eles eram.

Mas, quando os trolls viram que Peer estava na sala, começaram a choramingar e mandaram Rolf acender um lampião. Então os cães avançaram para Tjöstöl e o derrubaram por cima das brasas da lareira, lançando faíscas em torno dele.

— Você viu uma das minhas cobras por aí, Peer? — perguntou Tron, referindo-se aos lobos.

— Vou mandá-lo para o mesmo lugar aonde elas foram — respondeu Peer, e atirou. Depois bateu em Tjöstöl com a coronha da espingarda e o matou. Rolf havia escapado pela chaminé.

Depois que Peer se livrou de todos os trolls, as moças juntaram suas coisas e ele as acompanhou até em casa. Não se atreviam a ficar mais nas montanhas.

Pouco antes do Natal, Peer saiu em outra expedição. Tinha ouvido falar de uma fazenda em Dovrefjell, que era invadida por um número tão grande de trolls a cada véspera de Natal que as pessoas do local tinham que sair e pedir abrigo na casa dos vizinhos. Estava ansioso para ir até lá, pois tinha muita vontade de se deparar com os trolls mais uma vez. Vestiu roupas velhas e esfarrapadas, e levou seu urso-polar domesticado, bem como uma sovela, um pouco de breu e barbante.

Quando chegou à fazenda, entrou e pediu hospedagem.

— Que Deus nos ajude! — disse o fazendeiro. — Não podemos hospedá-lo. Temos que nos retirar da casa em breve e procurar um lugar onde ficar, pois a cada véspera de Natal os trolls vêm para cá.

Mas Peer achava que seria capaz de expulsar os trolls como já havia feito. Sendo assim, conseguiu permissão para ficar, e comprou ali um

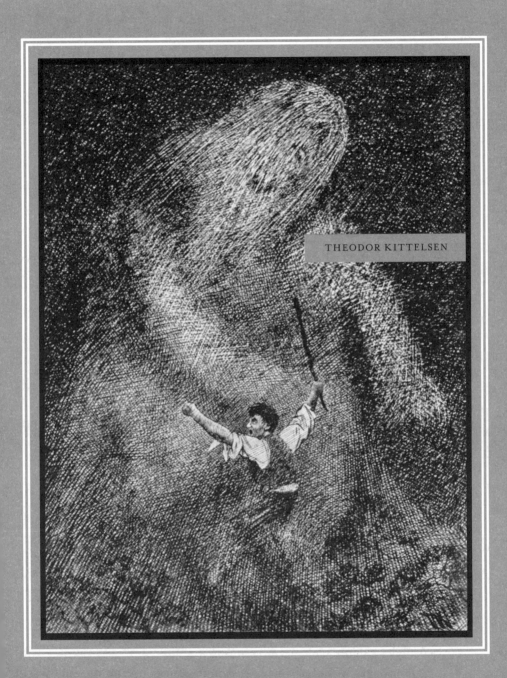

HANS PETER HANSEN, 1879

couro de porco. O urso se deitou atrás da lareira. Peer tirou a sovela, o breu e o barbante, e começou a fazer um sapato muito, muito grande, para o qual precisou usar todo o couro.

Usou uma corda resistente como cadarço, para poder fechar bem o sapato e, finalmente, armou-se com um par de estacas de metal.

Logo ouviu os trolls chegarem. Traziam consigo um violinista, e alguns começaram a dançar, enquanto outros passaram a comer a ceia de Natal na sala de jantar. Alguns fritavam toucinho, e outros fritavam rãs e sapos, e todo tipo de coisas asquerosas que traziam consigo.

Enquanto isso, alguns trolls encontraram o sapato que Peer havia feito. Acharam que devia pertencer a um pé muito grande. Todos queriam experimentá-lo ao mesmo tempo, por isso cada um colocou um pé dentro dele. Peer se apressou a apertar a corda que era o cadarço. Pegou uma das estacas e prendeu a corda em volta dela, e finalmente deixou os pés de todos amarrados no sapato.

Nesse momento, o urso espichou o nariz por trás da lareira, onde estava deitado, e sentiu o cheiro das frituras.

— Quer uma salsicha, gatinho? — perguntou um dos trolls, e jogou uma rã quente bem nas mandíbulas do urso.

— Arranha, gatinho! — disse Peer. O urso ficou tão furioso que avançou e arranhou os trolls de cima a baixo, enquanto Peer pegava a outra estaca e com ela os martelava como se quisesse esmagá-los.

Os trolls tiveram que fugir, mas Peer ficou e aproveitou a ceia de Natal a semana inteira.

Depois disso, muito tempo se passou sem que ninguém ouvisse falar dos trolls.

Alguns anos depois, na época do Natal, o fazendeiro estava na floresta cortando lenha para as festas, quando um troll se aproximou e gritou:

— Você ainda tem aquele gato grandalhão?

— Ah, sim, é uma gata e está em casa atrás da lareira — respondeu o fazendeiro. — E teve sete gatinhos, todos bem maiores que ela.

— Então nunca mais vamos visitá-lo — disse o troll.

POR QUE O MAR É SALGADO

Peter Christen Asbjørnsen e Jørgen Moe
Kvernen som maler på havsens bunn, Noruega, 1844

Tradicional pelos países nórdicos e semelhante ao poema antigo "Grottasöngr", do "Edda Poético", o conto é uma aventura envolvendo o Inferno, um moinho que jamais para de moer e o motivo folclórico pelo qual o mar é salgado.

Era uma vez, muito tempo atrás, dois irmãos, um rico e um pobre. Numa véspera de Natal, o pobre não tinha sequer uma migalha na casa — nem de carne, nem de pão —, por isso foi pedir ao irmão, pelo amor de Deus, alguma coisa para comer no Natal.

Não era a primeira vez que o irmão era obrigado a ajudá-lo, e você pode imaginar que ele não ficou muito feliz ao vê-lo, mas respondeu:

— Se fizer o que peço, dou a você uma manta de toucinho inteira.

O irmão pobre respondeu que faria qualquer coisa e ficou imensamente agradecido.

— Bom, aqui está o toucinho – disse o irmão rico. — Agora, vá direto para o Inferno.

— O que prometi, devo cumprir – disse o outro.

Assim, pegou o toucinho e foi embora. Andou o dia inteiro, e ao anoitecer chegou a um lugar onde viu uma luz muito forte.

Talvez seja aqui, pensou consigo. Aproximou-se e a primeira coisa que viu foi um homem muito, muito velho, com uma longa barba branca, num alpendre, cortando lenha para o Natal.

— Boa noite – disse o homem com o toucinho.

— Para você também. Aonde vai tão tarde? – perguntou o velho.

— Ah! Estou indo para o Inferno, se conseguir encontrar o caminho certo – respondeu o homem pobre.

— Bom, então já acertou, pois é aqui mesmo – disse o velho. — Quando você entrar, todos vão querer comprar seu toucinho, pois a carne é escassa no Inferno; mas preste atenção, só o venda se oferecerem o moinho de mão que está atrás da porta. Quando sair, vou ensiná-lo a usar o moinho, pois é bom para produzir quase tudo.

Então, o homem com o toucinho agradeceu pelo bom conselho e bateu com força na porta do Diabo.

Quando entrou, foi exatamente como o velho havia dito. Todos os demônios, grandes e pequenos, o rodearam como formigas em torno de um doce, e uns tentaram superar as ofertas dos outros pelo toucinho.

HENRY J. FORD

— Ora! – disse o homem. — Minha esposa e eu pretendíamos comer este toucinho na ceia de Natal; mas, já que todos querem tanto ficar com ele, acho que devo cedê-lo. Porém, em troca, quero aquele moinho que está atrás da porta.

A princípio, o Diabo não quis saber dessa barganha. Negociou e pechinchou com o homem, mas este insistiu no que dizia, e por fim o Diabo teve de entregar o moinho. Quando o homem voltou ao quintal, perguntou ao velho lenhador como deveria usar o moinho. Depois de aprender a usá-lo, agradeceu e foi para casa o mais rápido que pôde, mas mesmo assim o relógio deu as doze badaladas do Natal antes que ele chegasse à porta.

— Onde é que você esteve? — perguntou a esposa. — Fiquei aqui por horas e horas, esperando e olhando, sem nem mesmo um par de gravetos para fazer o fogo do mingau.

— Ah! — respondeu o homem. — Não pude voltar antes, pois tive de ir a um lugar distante para buscar uma coisa e depois outra; mas você já vai ver.

Então, colocou o moinho na mesa e lhe pediu que produzisse primeiro as luzes, depois uma toalha de mesa, depois carne, depois cerveja, e assim por diante, até que tivessem tudo o que queriam para comer no Natal. Só precisava pronunciar a palavra e o moinho produzia o que ele desejasse. A esposa olhou para tudo agradecendo aos céus, e não parava de perguntar onde o marido havia conseguido aquele moinho maravilhoso, mas ele não quis contar.

— Não importa onde o consegui. Você está vendo que o moinho é bom, e a roda nunca para de girar, e isso basta.

Então, produziu carne e bebida e guloseimas suficientes para durar até o Dia de Reis, e no terceiro dia convidou todos os amigos e parentes para vir à sua casa e ofereceu um grande banquete. Agora, quando o irmão rico viu tudo o que havia na mesa e na despensa, ficou louco de inveja, pois não suportava que o irmão tivesse tanto.

— Na véspera de Natal — disse ele aos outros —, ele estava em tamanho apuro que veio me pedir um bocadinho de comida pelo amor de Deus, e agora oferece um banquete como se fosse um conde ou rei. — E voltou-se para o irmão: — Mas de onde diabos veio toda essa riqueza?

— De trás da porta — respondeu o proprietário do moinho, pois não queria dar com a língua nos dentes.

Porém, mais tarde, quando já tinha bebido demais, não conseguiu mais guardar o segredo. Pegou o moinho e disse:

— Pronto, eis o que me trouxe toda esta riqueza. — E fez o moinho produzir todo tipo de coisas. Quando o irmão rico viu isso, decidiu que queria o moinho, e, depois de empregar muita lábia, conseguiu; mas teve de pagar trezentas coroas, e o irmão insistiu em ficar com ele até a época da colheita de feno, pois pensou: *Se ficar com ele até lá, posso fazê-lo produzir carne e bebida que vão durar anos.*

Então você pode imaginar que o moinho não enferrujou por falta de uso e, quando chegou a época da colheita, o irmão rico o pegou, mas o outro tratou de não ensinar a ele como usá-lo.

Era noite quando o irmão rico levou o moinho para casa, e, na manhã seguinte, disse à esposa para ir à plantação juntar o feno, enquanto os segadores o cortavam, e ele ficaria em casa para aprontar o jantar. Perto da hora da refeição, colocou o moinho na mesa da cozinha e disse:

— Produza arenque e sopa, faça bem e faça rápido.

O moinho começou a produzir arenque e sopa; primeiro, enchendo todos os pratos, depois, todas as barricas, e assim por diante, até transbordar para o chão da cozinha. Então o homem girou e torceu a manivela do moinho para fazê-lo parar mas, por mais que girasse e torcesse, o moinho continuou produzindo, e dentro em pouco a sopa havia subido tanto que o homem estava a ponto de se afogar. Por isso, abriu a porta da cozinha e correu para a sala, mas logo o moinho tinha enchido também a sala, e ele teve de arriscar a vida para alcançar a maçaneta da porta da casa em meio ao rio de sopa. Quando abriu a porta, correu para fora e pela estrada, com o rio de sopa e arenque a persegui-lo, rugindo como uma cachoeira por toda a fazenda.

Sua esposa, que estava no campo juntando feno, achou que o jantar estava demorando a sair e, por fim, disse:

— Bom! Mesmo que o patrão não venha nos chamar, podemos ir. Talvez ele ache muito difícil fazer sopa e fique feliz com minha ajuda.

Os homens ficaram contentes e saíram logo em direção à casa, mas assim que subiram o morro se depararam com arenques, sopa e pão, correndo, ondulando e espirrando em forma de rio, e o próprio patrão correndo na frente para se salvar. Ao passar, ele berrou:

— Quem dera cada um de vocês tivesse cem estômagos para encher! Mas cuidado para não se afogarem na sopa.

E correu para longe — como se o próprio Maligno estivesse em seu encalço —, até a casa do irmão, e implorou, pelo amor de Deus, que ele aceitasse o moinho de volta imediatamente, pois disse:

— Se produzir por mais uma hora, toda a freguesia será engolida por arenque e sopa.

Mas o irmão não quis saber do moinho até que o outro pagasse mais trezentas coroas.

R. & H. J. KNOWLES, 1910

PETER CHRISTEN ASBJØRNSEN E JØRGEN MOE

GEORGE PEARSON
para o conto "Gróttasöngr" (Edda Poético), que inspirou "Por que o Mar é Salgado"

Assim, o homem pobre recebeu o dinheiro e o moinho, e não demorou até construir uma casa de fazenda muito mais bonita que aquela em que seu irmão tinha morado e, com o moinho, produziu tantas riquezas que a revestiu com folhas de ouro. Como a fazenda ficava à beira-mar, a casa dourada brilhava e cintilava para quem a visse do oceano. Todos os que navegavam por ali aportavam para ver o homem rico na casa dourada, e para ver o moinho maravilhoso, cuja fama se espalhava por toda parte, até não haver ninguém que não tivesse ouvido falar dele.

Um dia, chegou um capitão que queria ver o moinho, e a primeira coisa que perguntou foi se podia produzir sal.

— Produzir sal? — disse o proprietário. — Imagino que sim. Ele produz qualquer coisa.

Quando ouviu isso, o capitão disse que precisava ficar com o moinho, custasse o que custasse; pois, se o tivesse, achava que não precisaria mais fazer aquelas longas viagens por mares revoltos por causa de um carregamento de sal. Quando conseguiu colocar o moinho às costas, o capitão tratou de correr, pois receou que o homem mudasse de ideia. Assim, não teve tempo de perguntar como usar o moinho, mas embarcou no navio o mais rápido possível e zarpou.

Quando já estava longe da costa, deixou o moinho no convés e disse:

— Produza sal, faça bem e faça rápido.

Ora, o moinho começou a produzir e o sal verteu como água. Quando o capitão já havia enchido o navio, quis deter o moinho, mas não importava para que lado virasse a manivela, nem quanto tentasse, não adiantou: o moinho continuou a trabalhar, e a pilha de sal ficou mais e mais alta, e finalmente afundou o navio.

Hoje, o moinho continua no fundo do mar. Agora mesmo, está produzindo sal, e é por isso que o mar é salgado.

A NOIVA DA FLORESTA

A HISTÓRIA DE UMA RATINHA QUE ERA UMA PRINCESA

Parker Fillmore

The Forest Bride: The Story of a Little Mouse Who Was a Princess, Finlândia, 1922

Baseado em uma história tradicional finlandesa, mas que engloba culturas de diversos países, "A Noiva da Floresta" se trata de Veikko e seus irmãos buscando uma namorada para, então, se casar. Veikko se apaixona por uma ratinha da floresta.

Era uma vez um fazendeiro que tinha três filhos. Certo dia, quando os meninos tinham crescido e virado adultos, ele disse:

— Meus filhos, está na hora de todos vocês se casarem. Amanhã, quero que saiam em busca de noivas.

— Mas aonde devemos ir? – perguntou o filho mais velho.

—Também já pensei nisso – respondeu o pai. — Cada um de vocês deve cortar uma árvore e seguir na direção que a árvore caída apontar. Tenho certeza que cada um de vocês seguirá nessa direção por tempo suficiente para encontrar uma noiva adequada.

Assim, no dia seguinte, os três filhos cortaram árvores. A árvore do filho mais velho apontou para o norte.

— Isso é ótimo! – disse ele, pois sabia que ao norte havia uma fazenda onde morava uma moça muito bonita.

A árvore do segundo filho caiu apontando para o sul.

—Isso é ótimo! – declarou o segundo filho, pensando em uma moça com quem dançava com frequência e que morava em uma fazenda ao sul.

A árvore do filho mais novo – seu nome era Veikko – caiu apontando para a floresta.

— Ha! Ha! – riram os irmãos mais velhos. — Veikko vai ter de cortejar uma das donzelas Lobo ou uma das Raposas!

Com isso, queriam dizer que apenas animais moravam na floresta, e eles achavam que estavam fazendo uma boa piada à custa de Veikko. Mas Veikko disse que estava perfeitamente disposto a arriscar e ir para onde a árvore apontava.

Os irmãos mais velhos saíram felizes e fizeram seus pedidos aos dois fazendeiros cujas filhas eles admiravam. Veikko também partiu com coragem, mas, depois de estar a uma certa distância no interior da floresta, sua coragem começou a diminuir.

— Como posso encontrar uma noiva – perguntou a si mesmo — em um lugar onde não há nenhuma criatura humana?

Foi então que ele chegou a uma pequena cabana. Ele abriu a porta e entrou. Estava vazia. Na verdade, havia uma ratinha sentada sobre a mesa, penteando delicadamente os bigodes, mas é claro que um rato não conta.

— Não tem ninguém aqui! — disse Veikko em voz alta.

A ratinha parou seu banho e, se virando para ele, disse, em tom de reprovação:

— Ora, Veikko, eu estou aqui!

— Mas você não conta. É apenas uma ratinha!

— Claro que eu conto! — declarou a ratinha. — Mas me diga, o que você queria encontrar?

— Eu estava esperando encontrar uma namorada.

A ratinha o questionou mais, e Veikko lhe contou a história toda dos irmãos e das árvores.

— Os dois mais velhos vão encontrar namoradas com facilidade — disse Veikko —, mas não vejo como posso fazer isso aqui na floresta. E será uma vergonha voltar para casa e confessar que fracassei.

— Veja, Veikko — disse a ratinha —, por que você não me leva como sua namorada?

Veikko deu uma risada animada.

— Mas você é só uma ratinha! Quem ouviu falar de um homem tendo uma ratinha como namorada?

A ratinha balançou a cabeça de um jeito solene.

— Aceite minha palavra, Veikko, poderia ser bem pior do que me ter como sua namorada! Mesmo que eu seja apenas uma ratinha, posso amá-lo e ser fiel.

Era uma ratinha querida e delicada e, enquanto ela estava sentada olhando para Veikko com as patinhas sob o queixo e os olhinhos brilhando, Veikko gostava cada vez mais dela.

Então ela cantou uma música bonita para Veikko, e a música o animou tanto que ele se esqueceu da decepção de não encontrar uma namorada humana e, quando foi para casa e a deixou, ele disse:

— Muito bem, ratinha, vou aceitá-la como minha namorada!

Com isso, a ratinha deu uns gritinhos de felicidade e falou que seria fiel a ele e que esperaria por ele, não importava quanto tempo ele demorasse para voltar.

Bem, os irmãos mais velhos, quando chegaram em casa, se vangloriaram ruidosamente pelas suas amadas.

— A minha — disse o mais velho — tem as bochechas mais vermelhas que você já viu!

— E a minha — anunciou o segundo — tem cabelos louros compridos!

Veikko não disse nada.

— O que aconteceu, Veikko? — perguntaram os irmãos mais velhos, rindo. — Sua namorada tem belas orelhas pontudas ou dentes brancos afiados?

Eles ainda estavam fazendo piadinha com raposas e lobos.

— Não precisam rir — disse Veikko. — Eu encontrei uma namorada. Ela é uma coisinha delicada e adorável, vestida em veludo.

— Vestida em veludo! — ecoou o mais velho, franzindo a testa.

— Como uma princesa! — debochou o segundo irmão.

— É — repetiu Veikko —, vestida em veludo como uma princesa. E, quando ela se senta e canta para mim, fico perfeitamente feliz.

— Hum! — rosnaram os irmãos mais velhos, nem um pouco felizes por Veikko ter uma namorada tão maravilhosa.

— Bem — disse o fazendeiro, depois de alguns dias —, agora eu gostaria de saber o que essas namoradas são capazes de fazer. Peçam para elas me fazerem um pão para eu decidir se são boas donas de casa.

— A minha será capaz de assar um pão; tenho certeza disso! — declarou o irmão mais velho, se vangloriando.

— A minha também! — fez coro o segundo irmão.

Veikko ficou calado.

— E a Princesa? — perguntaram eles, rindo. — Você acha que a Princesa sabe assar um pão?

— Não sei — respondeu Veikko com sinceridade. — Preciso perguntar a ela.

Claro que ele não tinha nenhum motivo para supor que a ratinha seria capaz de assar um pão e, quando chegou à cabana na floresta, ele estava se sentindo triste e desanimado.

Quando abriu a porta, ele encontrou a ratinha como antes, sentada sobre a mesa penteando delicadamente os bigodes. Ao ver Veikko, ela dançou de felicidade.

— Estou tão feliz de ver você! — gritou. — Eu sabia que você ia voltar!

E, quando percebeu que ele estava calado, ela perguntou o que estava acontecendo. Veikko explicou:

— Meu pai quer que nossas namoradas assem um pão para ele. Se eu voltar para casa sem um pão, meus irmãos vão rir de mim.

— Você não vai ter de voltar para casa sem um pão! — disse a ratinha. — Sei assar pães.

Veikko ficou muito surpreso com isso.

— Nunca ouvi falar de uma ratinha que soubesse assar um pão!

— Ora, mas eu sei! — insistiu a ratinha.

Com isso, ela começou a tocar um sininho prateado: *blim, blim, blim*. Instantaneamente ouviu-se o som de passos apressados, passos minúsculos, e centenas de ratinhos entraram correndo na cabana.

A Princesa ratinha, sentando-se muito reta e digna, disse a eles:

— Vão pegar um grão do melhor trigo para mim.

Todos os ratinhos se espalharam rapidamente e logo voltaram um por um, carregando um grão do melhor trigo. Depois disso, não foi difícil a Princesa ratinha assar um belo pão de trigo.

No dia seguinte, os três irmãos apresentaram ao pai os pães assados pelas namoradas. O mais velho levou um pão de centeio.

— Muito bom — disse o fazendeiro. — Para nós, pessoas que trabalham pesado, pão de centeio é muito bom.

O pão que o segundo filho levou era feito de cevada.

— Pão de cevada também é bom — disse o fazendeiro.

Mas, quando Veikko apresentou o belo pão de trigo, o pai gritou:

— O quê? Pão branco! Ah, Veikko agora deve ter uma namorada rica!

— Claro! — debocharam os irmãos mais velhos. — Ele não falou que ela era uma Princesa? Diga, Veikko, quando uma Princesa quer uma boa farinha de trigo branca, onde ela consegue?

Veikko respondeu simplesmente:

— Ela toca um sininho prateado e, quando os criados aparecem, ela pede para eles trazerem grãos do melhor trigo.

Com isso, os irmãos mais velhos quase explodiram de inveja, até o pai ter de repreendê-los.

— Chega! Chega! — disse ele. — Não invejem a boa sorte do rapaz! Cada moça assou o pão que sabe fazer, e cada uma, de seu próprio jeito, provavelmente vai ser uma boa esposa. Mas, antes que vocês as tragam para cá, quero mais um teste de suas habilidades como donas de casa. Que elas me mandem uma amostra de sua tecelagem.

Os irmãos mais velhos ficaram felizes com isso, porque sabiam que suas namoradas eram tecelãs habilidosas.

— Vamos ver como sua dama se sai desta vez! — disseram, certos, em seus corações, de que a namorada de Veikko, quem quer que fosse, não os humilharia com sua tecelagem.

Veikko também tinha sérias dúvidas da habilidade da ratinha com o tear.

— Quem já ouviu falar de uma ratinha que conseguisse tecer? — disse para si mesmo, enquanto abria a porta da cabana na floresta.

— Ah, você finalmente chegou! — gritou a ratinha alegre.

Ela estendeu as patinhas para lhe dar as boas-vindas e, empolgada, começou a dançar sobre a mesa.

— Você realmente está feliz de me ver, ratinha? — perguntou Veikko.

— Claro que estou! — declarou a ratinha. — Não sou sua namorada? Eu estava esperando e esperando por você, desejando que voltasse! Seu pai quer mais alguma coisa desta vez, Veikko?

— Quer, e é algo que temo que você não possa me dar, ratinha.

— Talvez eu possa. Me diga o que é.

— É uma amostra da sua tecelagem. Não acredito que você consiga tecer. Nunca ouvi falar de uma ratinha que soubesse tecer.

— Tsc! Tsc! — disse a ratinha. — Claro que eu sei tecer! Seria uma coisa estranha se a namorada de Veikko não soubesse tecer!

Ela tocou o sininho, *blim, blim, blim,* e instantaneamente ouviu-se o arrastar fraco de centenas de patinhas quando os ratinhos entraram correndo vindos de todas as direções e se sentaram sobre os quadris esperando as ordens da Princesa.

— Vão, todos vocês — disse ela —, e me tragam uma fibra de linho, do melhor que há.

Os ratinhos saíram apressados e logo começaram a voltar, um por um, trazendo uma fibra de linho. Depois de fiar o linho e penteá-lo, a ratinha teceu uma bela peça de linho delicado. Era tão fino que ela conseguiu dobrá-lo e colocá-lo em uma casca de noz vazia.

— Aqui, Veikko — disse ela —, nesta caixinha está uma amostra da minha tecelagem. Espero que seu pai goste.

Quando chegou em casa, Veikko quase se sentiu constrangido, porque tinha certeza que a tecelagem da sua namorada humilharia os irmãos. Então, no início, ele manteve a casca de noz escondida no bolso.

A namorada do irmão mais velho tinha mandado como amostra da sua tecelagem um quadrado de algodão áspero.

— Não é muito delicado — disse o fazendeiro —, mas é bom o suficiente.

A amostra do segundo irmão era um quadrado de algodão misturado com linho.

— Um pouco melhor — disse o fazendeiro, assentindo.

Então ele se virou para Veikko.

— E você, Veikko, sua namorada não lhe deu uma amostra de sua tecelagem?

Veikko entregou uma casca de noz ao pai, e os irmãos caíram na gargalhada quando a viram.

— Ha! Ha! Ha! — eles riram. — A namorada de Veikko lhe deu uma noz quando ele pediu uma amostra de tecelagem.

Mas a risada morreu quando o fazendeiro abriu a casca de noz e começou a tirar de dentro uma trama do linho mais delicado.

— Ora, Veikko, meu menino! — gritou ele. — Como foi que sua namorada conseguiu fios para uma trama tão delicada?

Veikko respondeu com modéstia:

— Ela tocou um sininho prateado e ordenou aos criados que lhe trouxessem fibras do melhor linho. Eles fizeram isso e, depois que fiaram o linho e o pentearam, minha namorada teceu a trama que vocês estão vendo.

— Que maravilha! — ofegou o fazendeiro. — Nunca conheci uma tecelã assim! As outras moças serão boas como esposas de fazendeiros, mas a namorada de Veikko pode ser uma Princesa! Bem — concluiu o fazendeiro —, está na hora de vocês trazerem suas namoradas para casa. Quero vê-las com meus próprios olhos. Espero que vocês as tragam amanhã.

Ela é uma ratinha muito boa, e eu gosto muito dela, pensou Veikko consigo mesmo enquanto seguia pela floresta, *mas meus irmãos certamente vão rir quando descobrirem que ela é apenas uma ratinha! Bem, eu não ligo se eles rirem! Ela tem sido uma boa namorada para mim, e eu não vou ter vergonha dela!*

Então, quando chegou à cabana, logo contou à ratinha que seu pai queria vê-la.

A ratinha ficou muito empolgada.

— Preciso ir com um estilo adequado! — disse ela.

Ela tocou o sininho prateado e chamou sua carruagem e cinco corcéis. Quando a carruagem chegou, era uma casca de noz vazia, e os cinco corcéis empinados que a carregavam eram cinco ratinhos pretos. A ratinha se sentou na carruagem com um ratinho cocheiro no baú em frente a ela e um ratinho lacaio no baú de trás.

Ah, meus irmãos vão rir muito!, pensou Veikko.

Mas ele não riu. Andou ao lado da carruagem e falou para a ratinha não ter medo, que ele ia cuidar bem dela. Seu pai, explicou, era um velho gentil, e seria delicado com ela.

Quando saíram da floresta, eles se aproximaram de um rio com uma ponte que o atravessava. Assim que Veikko e a carruagem de casca de noz chegaram ao meio da ponte, um homem se aproximou vindo na direção oposta.

— Misericórdia! — exclamou o homem quando viu a estranha carruagem que seguia ao lado de Veikko. — O que é isso?

Ele se inclinou e olhou e, com uma boa risada, estendeu o pé e empurrou a carruagem, a ratinha, os criados e os cinco corcéis empinados para fora da ponte, jogando-os na água.

— O que você fez? O que você fez? — gritou Veikko. — Você afogou minha pobre namorada!

O homem, achando que Veikko era louco, se afastou apressado.

Com lágrimas nos olhos, Veikko olhou para a água abaixo.

— Pobre ratinha! — disse ele. — Sinto muito por você ter se afogado! Você foi uma namorada muito fiel e carinhosa, e agora que você se foi, eu sei o quanto a amei!

Enquanto falava, ele viu uma bela carruagem de ouro puxada por cinco cavalos reluzentes subindo pela margem distante do rio. Um cocheiro usando renda dourada segurava as rédeas e um lacaio usando um chapéu com ponta estava sentado empertigado na parte de trás. A moça mais linda do mundo estava sentada na carruagem. Sua pele era vermelha como uma fruta e branca como a neve, os longos cabelos dourados cintilavam com joias, e ela estava vestida em veludo perolado. Ela acenou para Veikko e, quando ele se aproximou, ela disse:

— Por que não se senta ao meu lado?

— Eu? Eu? — Veikko gaguejou, atordoado demais para pensar.

A bela criatura sorriu.

JAY VAN EVEREN

— Você não teve vergonha de me ter como namorada quando eu era uma ratinha — disse ela — e certamente, agora que voltei a ser uma Princesa, você não vai me abandonar!

— Uma ratinha! — Veikko ofegou. — Você era a ratinha?

A Princesa assentiu.

— Sim, eu era a ratinha, sob um feitiço maligno que nunca teria sido quebrado se você não tivesse me aceitado como namorada e se outro ser humano não tivesse me afogado. Agora o feitiço está quebrado para sempre. Então, venha; vamos até o seu pai e, depois que ele nos der sua bênção, nos casaremos e iremos para o meu reino.

E foi exatamente isso que os dois fizeram. Foram imediatamente até a casa do fazendeiro e, quando o pai e os irmãos de Veikko e as namoradas de seus irmãos viram a carruagem da Princesa parando no portão, todos saíram fazendo reverências e tentando entender o que uma pessoa tão importante poderia querer com eles.

— Pai! — gritou Veikko. — Você não me conhece?

O fazendeiro parou de fazer a reverência por tempo suficiente para levantar o olhar.

— Ora, que surpresa! — gritou ele. — É o nosso Veikko!

— Sim, pai, sou Veikko, e esta é a Princesa com quem vou me casar!

— Uma Princesa, você disse, Veikko? Misericórdia, onde foi que meu menino encontrou uma Princesa?

— Na floresta, no local para onde minha árvore apontou.

— Ora, ora, ora — disse o fazendeiro —, no local para onde sua árvore apontou! Sempre ouvi dizer que esse era um bom jeito de encontrar uma noiva.

Os irmãos mais velhos balançaram a cabeça, tristes, e murmuraram:

— Que bela sorte a nossa! Se ao menos nossas árvores tivessem apontado para a floresta, também teríamos encontrado princesas em vez de moças simples do campo!

Mas eles estavam errados: não foi porque sua árvore apontou para a floresta que Veikko conseguiu a princesa; foi porque ele era tão simples e bom que era delicado até mesmo com uma ratinha.

Bem, depois que receberam a bênção do fazendeiro, eles foram de carruagem até o reino da Princesa e se casaram. E foram felizes como deveriam ter sido, porque eram bons e verdadeiros um com o outro e se amavam com muito carinho.

KARI CAPA DURA

VERSÃO NÓRDICA DE CINDERELLA

Peter Christen Asbjørnsen e Jørgen Moe

Kari Træstakk, Noruega, 1841

Kari é filha de um Rei e precisa conviver com sua madrasta quando o pai parte para a guerra. Semelhante ao clássico Cinderella, a história se encontra com criaturas escandinavas e demonstra que todas as culturas se conectavam e contavam histórias semelhantes.

Certa vez, houve um rei que ficou viúvo após a morte de sua rainha, com quem tivera uma filha tão inteligente e bela que não havia princesa mais inteligente nem mais bela em nenhum lugar no mundo. O rei passou muito tempo de luto pela rainha, a quem tanto amara, mas por fim se cansou de viver sozinho e se casou com outra rainha, que era viúva e também tinha uma filha; mas esta era tão má e feia quanto a outra era boa, inteligente e bela. A madrasta e a filha tinham inveja da princesa por ser tão formosa, mas, enquanto o rei estivesse em casa, não ousariam fazer mal a ela, já que ele a estimava muito.

Depois de um tempo, o rei entrou em guerra com outro e foi lutar com suas tropas, e a madrasta pensou que poderia fazer o que quisesse. Então, fez a princesa passar fome, e bateu nela, e a espezinhou em cada canto e buraco da casa. Por fim, a madrasta pensou que tudo isso ainda era bom demais para ela, e a mandou sair para pastorear o gado. Lá foi ela cuidar do gado, levando-o por florestas e colinas. Tinha pouco ou nada que comer, e ficou magra e pálida, e estava sempre chorando e soluçando.

No rebanho, havia um grande touro baio, sempre asseado e macio, que muitas vezes se aproximava da princesa e deixava que ela o afagasse. Um dia, quando ela estava ali sentada, chorando e soluçando, ele veio perguntar de uma vez por que estava sempre tão triste. Ela não respondeu, mas continuou chorando.

—Ah! — disse o touro. — Sei muito bem o que é, embora você não me conte. Está chorando porque a rainha é má com você e quer matá-la de fome. Mas não se aflija por falta de comida, pois na minha orelha esquerda há uma toalha, e, quando você a pegar e abrir, poderá comer todos os pratos que quiser.

Assim ela fez, pegando a toalha e abrindo-a na grama, e veja só! A toalha serviu os melhores pratos que alguém poderia desejar, e também vinho, hidromel e bolo doce. Bem, logo ela voltou a ganhar peso, e ficou tão roliça e corada que a rainha e sua filha magricela ficaram amarelas de inveja. A rainha não conseguia entender como sua enteada podia ter uma aparência tão boa vivendo tão mal, por isso mandou

THEODOR KITTELSEN

uma de suas empregadas ir atrás dela na floresta, observar e ver o que acontecia, pois achava que algum dos servos da casa devia levar comida para ela. A empregada foi atrás dela e a observou no bosque, e viu como a enteada tirou a toalha da orelha do touro e a abriu, e como a toalha serviu os melhores pratos, que a moça comeu com muito gosto. Tudo isso a empregada contou à rainha quando foi para casa.

E agora o rei voltava da guerra, pois vencera a luta contra o outro rei com que havia batalhado. Assim, houve grande alegria em todo o palácio, e ninguém ficou mais feliz do que a filha do rei. Mas a rainha fingiu estar doente, foi para a cama e pagou uma grande quantia ao médico para fazê-lo dizer que ela nunca mais ficaria bem, a não ser que comesse um pouco da carne do touro baio.

Tanto a filha do rei quanto as pessoas do palácio perguntaram ao médico se não havia mais nada que pudesse ajudá-la, e rezaram muito pelo touro, pois todos gostavam dele e diziam não haver touro como aquele em nenhum lugar no mundo. Mas não, ele precisava e deveria ser abatido, nada mais adiantaria.

Quando a filha do rei ouviu isso, ficou imensamente triste e foi ao estábulo do touro. Lá, ele estava de pé, cabisbaixo, e pareceu tão desanimado que ela começou a chorar por ele.

— Por que está chorando? — perguntou o touro.

Ela contou como o rei tinha voltado para casa, e como a rainha fingira estar doente e fizera o médico dizer que nunca mais ficaria bem, a menos que comesse um pouco da carne do touro baio, e agora ele deveria ser abatido.

— Se me matarem — disse o touro —, logo vão tirar sua vida também. Agora, se concordar comigo, vamos fugir hoje à noite.

Bem, pode ter certeza de que a princesa não gostou da ideia de partir e abandonar o pai, mas achou que era pior ainda ficar em casa com a rainha. Então, prometeu ao touro que fugiria com ele.

À noite, quando todos foram para a cama, a princesa foi até o estábulo do touro, e ele a carregou nas costas e saiu da propriedade o mais rápido que pôde. E quando, com o canto do galo, as pessoas se levantaram na manhã seguinte para abater o touro, ora, ele não estava mais lá; e quando o rei se levantou e perguntou sobre a filha, ela também tinha ido embora. Ele mandou mensageiros por toda parte para procurar por eles, e perguntou em todas as igrejas paroquiais, mas ninguém os tinha visto.

Enquanto isso, o touro passava por muitas terras com a filha do rei nas costas, e um dia chegaram a um grande bosque de cobre, onde tanto as árvores quanto os galhos, folhas, flores e tudo mais eram de cobre.

Mas, antes que entrassem no bosque, o touro disse à filha do rei:

— Agora, quando entrarmos nesta mata, tome cuidado para não tocar sequer uma folha. Senão, estará tudo acabado para nós, pois aqui mora um troll com três cabeças que é dono do bosque.

Não, é claro, a princesa trataria de tomar cuidado para não tocar em nada. Foi muito cuidadosa e se inclinou para lá e para cá de modo a não encostar nos ramos, e os afastou delicadamente com as mãos; mas a mata era tão densa que mal se podia passar por ela. E assim, apesar de todo o esforço, ela acabou por arrancar uma folha, que segurou na mão.

— Ai! Ai! O que foi que você fez? — disse o touro. — Agora não resta nada a não ser lutar pela vida ou pela morte; mas trate de manter a folha a salvo.

Logo chegaram ao limite do bosque, e um troll com três cabeças veio correndo:

— Quem foi que tocou no meu bosque? — perguntou o troll.

— É tão meu quanto seu — respondeu o touro.

— Ah! — rugiu o troll. — Vamos ver quem ganha essa briga.

— Como quiser — disse o touro.

Eles se lançaram um contra o outro e lutaram. O touro chifrou, e espetou, e escoiceou com toda a força e a vontade, mas o troll respondeu na mesma moeda, e a luta durou o dia todo antes que o touro vencesse, e já estava tão ferido e exausto que mal conseguia levantar a perna. Foram obrigados a parar por um dia para descansar, e o touro pediu à filha do rei que pegasse o chifre cheio de unguento pendurado no cinto do troll e o esfregasse nele. Ele se recuperou, e no dia seguinte foram em frente. Assim, viajaram muitos e muitos dias até que, depois de um longo tempo, chegaram a um bosque de prata, onde tanto as árvores quanto os galhos, folhas, flores e tudo mais eram prateados.

Antes de entrar no bosque, o touro disse à filha do rei:

— Agora, quando entrarmos nesta mata, pelo amor de Deus, tome muito cuidado; não deve tocar em nada, nem arrancar uma folha sequer, senão estará tudo acabado para nós, pois aqui vive um troll com seis cabeças que é dono do bosque, e acho que eu não seria capaz de vencê-lo.

— Sim – respondeu ela. — Vou tomar muito cuidado e não tocar em nada que você não queira que eu toque.

Mas, quando entraram no bosque, era tão fechado e denso que mal conseguiam andar. Ela tomou todo o cuidado do mundo, e se inclinou para lá e para cá de modo a não encostar nos ramos, e os afastou com as mãos, mas a cada minuto os galhos batiam em seus olhos e, apesar de todo o esforço, aconteceu de arrancar uma folha.

— Ai! Ai! O que foi que você fez? – disse o touro. — Não resta nada a fazer a não ser lutar pela vida e pela morte, pois esse troll tem seis cabeças e é duas vezes mais forte que o outro, mas trate de manter a folha a salvo, e não a perca.

Assim que ele disse isso, surgiu o troll:

— Quem foi que tocou no meu bosque? – perguntou ele.

— É tão meu quanto seu – respondeu o touro.

— Vamos ver quem ganha essa briga – rugiu o troll.

— Como quiser – respondeu o touro, e avançou rumo ao troll. Furou os olhos dele, e atravessou o corpo com os chifres, fazendo as entranhas jorrarem; mas o troll quase foi páreo para ele, e demorou três dias inteiros até que o touro tirasse a vida dele a chifradas. Mas, novamente, estava tão fraco e exaurido que mal podia mexer uma pata, e tão ferido que o sangue escorria pelo corpo todo. Então ele pediu à filha do rei que pegasse o chifre de unguento pendurado no cinto do troll e o esfregasse nele. Ela assim fez, e ele se recuperou; mas foram obrigados a ficar lá uma semana para descansar antes que o touro tivesse forças para continuar.

Por fim, partiram outra vez, mas o touro ainda não estava bem e, a princípio, andou muito devagar. Então, para poupar tempo, a filha do rei disse que, por ser jovem e leve, podia muito bem caminhar, mas ele não deixou que fizesse isso. Não; ela devia montar nas costas dele. Assim, viajaram por muitas terras por um longo tempo, e a filha do rei nem imaginava aonde iam mas, depois de muito tempo, chegaram a um bosque de ouro. Era tão majestoso que o ouro pingava de cada galho e todas as árvores, galhos, flores e folhas eram de ouro puro. Aqui, aconteceu também o que havia acontecido nos bosques de prata e cobre. O touro disse à filha do rei que não deveria tocá-lo por nada, pois havia um troll com nove cabeças que era o dono do lugar, muito maior e mais robusto do que os outros juntos, e o touro achava que não poderia derrotá-lo. Sim, ela trataria de tomar cuidado para não tocar em nada, ele sabia muito bem disso.

Mas, quando entraram no bosque, era muito mais espesso e fechado que o de prata, e, quanto mais se embrenhavam nele, pior ficava. A mata ficava cada vez mais densa e apertada, até que, por fim, ela achou que não havia jeito nenhum de atravessá-la. Tinha tanto medo de arrancar alguma coisa que se abaixou, se contorceu e se virou para lá e para cá, e daqui para ali, de modo a não encostar nos galhos, e os afastou com as mãos; mas a cada momento os galhos batiam em seus olhos, impedindo-a de ver no que estava se agarrando; e veja só! Antes que percebesse como isso havia acontecido, tinha uma maçã de ouro na mão. Lamentou tanto que irrompeu em lágrimas e quis jogar fora a maçã, mas o touro disse que deveria mantê-la a salvo e vigiá-la bem, e a tranquilizou como pôde; porém, achava que seria uma luta difícil, e duvidava do resultado.

Foi então que surgiu o troll com nove cabeças, e era tão feio que a filha do rei mal se atreveu a olhar para ele.

— Quem foi que tocou no meu bosque? — rugiu ele.

— É tão meu quanto seu — respondeu o touro.

— Vamos ver quem ganha essa briga — rugiu o troll.

— Como preferir — disse o touro. E assim eles se lançaram um contra o outro, e lutaram, e foi uma visão tão pavorosa que a filha do rei estava a ponto de desmaiar. O touro furou os olhos do troll e atravessou o corpo com os chifres até verter as entranhas, mas o troll lutou com bravura; e, quando o touro matava uma das cabeças, o resto a trazia de volta à vida com um sopro, e assim levou uma semana inteira para que o touro conseguisse tirar a vida de todas elas. Mas agora estava totalmente esgotado e enfraquecido. Não conseguia mexer as patas e o corpo todo era um ferimento. Não conseguia nem pedir à filha do rei que pegasse o chifre de unguento pendurado no cinto do troll e o esfregasse nele. Contudo, ela o fez mesmo assim, e o touro se recuperou pouco a pouco; mas tiveram que ficar lá e descansar por três semanas antes que ele estivesse pronto para continuar.

Depois, partiram num passo de caramujo, pois o touro disse que ainda precisavam andar um pouco mais, e assim atravessaram muitas colinas altas e matas espessas. Algum tempo depois, chegaram a um urzal.

— Está vendo alguma coisa? — perguntou o touro.

— Não, não vejo nada além do céu e da charneca selvagem — respondeu a filha do rei.

Então, quando subiram um pouco mais, a paisagem ficou mais plana, e puderam enxergar mais longe.

H. J. FORD

— Está vendo alguma coisa? — perguntou o touro.

— Sim, vejo um castelinho muito, muito distante — respondeu a princesa.

— Mas não é tão pequeno — disse o touro.

Depois de muito tempo, chegaram a um grande marco de pedras empilhadas, onde havia uma espiga de urze atravessada no caminho.

— Está vendo alguma coisa? — perguntou o touro.

— Sim, estou vendo o castelo mais próximo — respondeu a filha do rei. — E agora está muito, muito maior.

— É para lá que você deve ir — disse o touro. — Bem debaixo do castelo há um chiqueiro, onde você deve morar. Quando chegar, encontrará uma capa toda feita de ripas de madeira; deve vesti-la, ir até o castelo e dizer que seu nome é Kari Capadura, e pedir trabalho e um lugar para ficar. Mas, antes de ir, deve pegar sua faca e cortar minha cabeça, depois retirar meu couro e colocá-lo debaixo da muralha de pedra acolá, e debaixo do couro você deve colocar a folha de cobre, a folha de prata e a maçã de ouro. Lá, encostado à pedra, está um bastão; quando quiser alguma coisa, só precisa bater com ele na muralha.

Primeiro, a princesa não quis fazer nada daquilo; mas, quando o touro disse que era o único agradecimento que aceitaria pelo que havia feito por ela, não pôde dizer não. Então, por mais que isso entristecesse seu coração, ela cortou e talhou o grande animal com a faca até tirar a cabeça e o couro, e colocou o couro debaixo da muralha de pedra, e deixou a folha de cobre, a folha de prata e a maçã de ouro debaixo dele.

Depois disso, foi até o chiqueiro, mas chorou e soluçou o tempo todo. Ali, vestiu a capa de madeira e subiu para o palácio. Quando ela entrou na cozinha, implorou por trabalho e um lugar para ficar, e disse que seu nome era Kari Capadura. Sim, a cozinheira disse que ela poderia ficar lá — talvez conseguisse permissão para trabalhar na lavanderia, pois a moça que antes fazia esse trabalho tinha acabado de ir embora.

— Mas, assim que você se cansar de ficar aqui, aposto que também vai embora.

Não, ela tinha certeza de que não faria isso.

Então, lá estava ela, comportando-se muito bem e lavando com grande habilidade. No domingo seguinte haveria convidados no palácio, e Katie perguntou se poderia levar água para o banho do príncipe, mas todos riram dela e disseram:

— O que você quer fazer lá? Acha que o príncipe vai querer olhar para você, que é medonha?

Mas ela não desistiu e continuou pedindo e implorando, e finalmente conseguiu permissão. Então, quando subiu as escadas, seu manto de madeira fez tanto barulho que o príncipe apareceu e perguntou:

— Diga, quem é você?

— Ah! Vim só trazer água para o banho da Sua Alteza Real — respondeu Kari.

Mas o príncipe disse:

— Você acha que agora vou querer essa água que trouxe? — E, com isso, jogou a água em cima dela.

A princesa teve que aturar isso, mas depois pediu permissão para ir à igreja, e também a conseguiu, pois a igreja ficava perto de lá. Mas, antes de tudo, foi até a pedra e bateu nela com o bastão que estava ali, exatamente como o touro havia dito. E na mesma hora surgiu um homem, que disse:

— Qual é a sua vontade?

A princesa disse que tinha permissão para ir à igreja e ouvir o padre pregar, mas não tinha roupas para entrar lá. Então ele fez surgir um vestido, tão brilhante quanto o bosque de cobre, e ela ganhou um cavalo e uma sela.

Quando chegou à igreja, estava tão bela e majestosa que todos se perguntaram quem poderia ser e mal ouviram o que o padre dizia, pois olhavam o tempo todo para ela. Quanto ao príncipe, este se apaixonou de tal modo que não tirou os olhos dela nem por um instante.

Então, quando a princesa saiu da igreja, o príncipe correu atrás dela, abriu a porta para ela, e apanhou uma de suas luvas, que ficou presa na porta. Quando ela montou no cavalo para partir, o príncipe se aproximou novamente e perguntou de onde vinha.

— Ah! Sou da *Banholândia* — respondeu Kari; e, quando o príncipe ofereceu a luva, ela disse:

Vem a luz, depois a treva;
A nuvem no céu troveja;
Que este príncipe não veja
Aonde meu corcel me leva.

O príncipe nunca tinha visto nada semelhante àquela luva, e andou por toda parte perguntando pela terra de onde a orgulhosa dama, que partira sem a luva, dissera que vinha. Mas ninguém soube dizer onde ficava "Banholândia".

No domingo seguinte, alguém precisava levar uma toalha para o príncipe.

— Ah! Posso levá-la? — perguntou Kari.

— O que espera ganhar com isso? — responderam os outros. — Você viu como foi da última vez.

Mas Kari não desistiu; continuou a pedir e implorar até conseguir permissão. Então, subiu correndo as escadas, de modo que a capa de madeira fez um barulho enorme. O príncipe apareceu e, quando viu que era Kari, arrancou a toalha de suas mãos e a jogou na cara dela.

— Suma daqui, sua troll feiosa — gritou ele. — Acha que eu quero uma toalha que você tocou com esses dedos imundos?

Depois disso, o príncipe foi para a igreja, e Kari pediu permissão para ir também. Todos perguntaram o que ela queria fazer na igreja — não tinha nada que vestir, a não ser aquela capa de madeira, tão suja e feia. Mas Kari disse que o padre pregava com muita coragem, que suas palavras faziam bem a ela; e assim finalmente conseguiu permissão.

Foi novamente até a pedra e bateu, e o homem apareceu e deu a ela um vestido muito mais bonito que o primeiro: era todo coberto de prata, e brilhava como o bosque prateado. Ela ganhou também um nobre corcel, com um xairel bordado com fios de prata e um freio de prata.

Então, quando a filha do rei chegou à igreja, as pessoas ainda estavam no pátio frontal, tentando imaginar quem poderia ser aquela. O príncipe logo chegou, se aproximou e quis segurar o cavalo para ela enquanto desmontava. Mas Kari pulou da sela e disse que não havia necessidade, pois o cavalo era tão bem adestrado que parava quando ela pedia e vinha quando o chamava.

Todos entraram na igreja, mas mal houve quem escutasse as palavras do padre, pois olhavam para ela o tempo todo, e o príncipe se apaixonou ainda mais do que na primeira vez.

Quando o sermão terminou, ela saiu da igreja e quis montar no cavalo, e o príncipe se aproximou novamente e perguntou de onde ela vinha.

— Ah! Sou da *Toalhândia* — respondeu a filha do rei; e, ao dizer isso, deixou cair o chicote de equitação, e, quando o príncipe se abaixou para pegá-lo, ela disse:

Vem a luz, depois a treva;
A nuvem no céu troveja;
Que este príncipe não veja
Aonde meu corcel me leva.

Então, partiu outra vez, e o príncipe não entendeu o que havia acontecido com ela. Andou por toda parte perguntando pela terra de onde ela dissera ter vindo, mas ninguém sabia dizer onde ficava; e assim o príncipe teve que se conformar.

No domingo seguinte, alguém precisava levar uma escova para o príncipe. Kari implorou permissão para fazer isso, mas os outros a fizeram recordar como se saíra da última vez, e a repreenderam por querer aparecer diante do príncipe — feia, suja e medonha que era com aquela capa de madeira. Mas não parou de pedir até que a deixassem levar a escova para o príncipe. Então, quando subiu as escadas fazendo barulho, o príncipe apareceu, pegou a escova e a atirou nela, pedindo que sumisse das suas vistas.

Depois disso, o príncipe foi à igreja, e Kari pediu permissão para ir também. Perguntaram novamente o que queria fazer lá, ela, que era tão feia e suja, e não tinha roupas com que se apresentar. Talvez o príncipe ou alguém mais a visse, e ela e todos os outros seriam castigados por isso; mas Kari disse que todos tinham mais a fazer do que olhar para ela, e não parou de pedir e implorar até conseguir permissão para ir.

E aconteceu como nas duas vezes anteriores. Ela foi até a pedra, bateu com o bastão, e surgiu homem, que deu a ela um vestido muito mais majestoso do que qualquer um dos outros. Era quase todo ouro puro, e cravejado de diamantes; e ganhou também um nobre corcel, com um xairel bordado com fios de ouro e um freio de ouro.

Agora, quando a filha do rei chegou à igreja, lá estavam o padre e todas as pessoas no pátio esperando por ela. O príncipe veio correndo e quis segurar seu cavalo, mas ela pulou para o chão e disse:

— Não, obrigada; não há necessidade, pois meu cavalo é tão bem adestrado que para quando eu peço.

Todos entraram na igreja, e o padre subiu no púlpito, mas ninguém ouviu uma palavra do que disse, pois todos olhavam para ela e imaginavam de onde vinha; e o príncipe estava ainda mais apaixonado que antes. Não tinha olhos nem ouvidos para ninguém, nem vontade de fazer nada senão olhar para ela.

Assim, quando o sermão terminou e a filha do rei saiu da igreja, o príncipe havia mandado derramar um barril de breu na entrada, para que ele pudesse ajudá-la a passar por cima dele. Mas ela não se importou nem um pouco – colocou o pé bem no meio do breu e pulou sobre ele, mas um de seus sapatos dourados ficou preso e, quando ela subiu no cavalo, o príncipe veio correndo da igreja e perguntou de onde vinha.

— Sou da *Escovalândia* – disse Kari. Mas, quando o príncipe quis devolver o sapato de ouro, ela disse:

Vem a luz, depois a treva;
A nuvem no céu troveja;
Que este príncipe não veja
Aonde meu corcel me leva.

Assim, o príncipe ainda não entendia o que havia acontecido com ela, e passou um bom tempo perguntando pela "Escovalândia" em toda parte; mas, como ninguém soube dizer onde ficava, ordenou que se anunciasse em todos os lugares que ele se casaria com a mulher cujo pé coubesse no sapato de ouro.

Tantas vieram, de todos os tipos e de toda parte, belas e feias; mas não havia ninguém com um pé pequeno o bastante para calçar o sapato de ouro.

Depois de um longo tempo, quem apareceu, senão a madrasta malvada de Kari? E sua filha também, e o sapato de ouro serviu. Por mais feia e repugnante que ela fosse, o príncipe manteve a palavra muito a contragosto. Preparavam a festa de casamento, e ela foi vestida e adornada como noiva; mas, quando estavam a caminho da igreja, um passarinho pousou numa árvore e cantou:

Um pouco do calcanhar
E um pedaço do dedão;

É de Kari o sapatinho,
Em que o pé dela sangrou.

E, quando olharam para o sapato, viram que o pássaro dissera a verdade, pois o sangue jorrava de lá.

Então todas as moças e mulheres do palácio tiveram que experimentar o sapato, mas nenhuma conseguiu calçá-lo.

— Mas onde está Kari Capadura? — perguntou o príncipe, quando todas as outras já haviam experimentado o sapato, pois entendia muito bem o canto dos pássaros e se recordava do que o passarinho havia dito.

— Ah! Bem que ela gostaria! — disseram as outras. — Não adianta chamá-la. Ora, as pernas dela parecem patas de cavalo.

— É verdade, creio eu — respondeu o príncipe. — Mas, como todas as outras tentaram, Kari também pode tentar.

— Kari — ele gritou pela porta; e Kari subiu as escadas e sua capa de madeira fez barulho como todo um regimento de soldados em marcha.

— Agora, você deve experimentar o sapato e ser princesa também — disseram as outras, e riram e zombaram dela.

Então, Kari pegou o sapato e pôs o pé nele como se não fosse nada, e tirou a capa de madeira, e surgiu à vista de todos com seu vestido de ouro, brilhando tanto que os raios de sol se refletiam nele; e veja só! No outro pé ela tinha o sapato dourado que completava o par.

Quando o príncipe a reconheceu, ficou tão feliz que correu até ela, a envolveu nos braços e a beijou. Quando soube que ela era filha de um rei, ficou ainda mais feliz, e fizeram uma grande festa de casamento; e assim,

Corta, corta, já cortou,
E esta história acabou!

A CRIANÇA TROCADA

Selma Lagerlöf
Bortbytingen, Suécia, 1915

No folcore europeu, principalmente nórdico e celta, existe uma crença popular em "crianças trocadas", que são a prole de uma fada, troll ou outra criatura mística que é deixada secretamente em troca de uma criança humana no berço.

Certa vez, uma mamãe troll vinha andando pela floresta, com seu filho dentro da cesta de videira que trazia nas costas. Ele era grande e feio, o cabelo espetado, dentes afiados e com uma garra no mindinho, mas a troll naturalmente acreditava que não podia haver no mundo criança mais bela.

Em pouco tempo, ela chegou no local onde a floresta aos poucos se tornava mais clara. Havia ali uma estrada, acidentada e escorregadia graças às raízes das árvores, e, daquela direção, vinham cavalgando um fazendeiro e sua esposa.

Assim que a mamãe troll os avistou, ela quis se esconder na floresta para não ser vista, mas então percebeu que a esposa do fazendeiro trazia uma criança no colo, e mudou de ideia. *Eu queria mesmo saber se filho de gente pode ser tão lindo quanto o meu*, pensou ela, e se agachou detrás de um arbusto de aveleira que se encontrava no canto da estrada.

Mas quando eles por ali passaram, a troll, de tão curiosa, se esticou demais, a ponto de os cavalos poderem ver sua cabeça grande e sombria. Os cavalos empinaram e desembestaram adiante. O fazendeiro e sua esposa estavam por um fio de cair de suas selas. Soltaram um grito de susto, depois se inclinaram para agarrar as rédeas, e um instante depois tinham desaparecido.

A troll arreganhou os dentes de raiva, porque ela mal teve tempo de colocar os olhos no filho de gente. Mas logo em seguida ficou toda satisfeita: lá estava a criança, no chão, bem diante de seus pés.

A criança havia caído dos braços da mãe quando os cavalos se descontrolaram, e, por sorte, tinha despencado sobre um monte de folhas secas, sã e salva. A criança gritava alto do susto causado pela queda, mas, assim que a troll se curvou sobre ela, a criança ficou tão espantada e entretida que se calou e estendeu as mãos para sentir a barba preta da mamãe troll.

A troll permaneceu ali, completamente perplexa, observando a criança de gente. Ela viu os dedinhos com unhas rosadas, os olhos azuis e claros, e a boquinha vermelha. Ela sentiu o cabelo macio, passou a mão nas bochechas, e ficou mais e mais espantada. Ela não conseguia compreender exatamente como uma criança podia ser tão rosada, delicada e bela.

Sem perder tempo, a troll tirou a cesta das costas, apanhou seu próprio filho, colocando-o no chão ao lado da criança de gente. E quando ela viu a diferença entre os dois, não pode se conter, e se pôs a urrar de tristeza.

Durante esse tempo, o fazendeiro e sua esposa conseguiram controlar os cavalos e voltaram para procurar o filho. A troll os escutou se aproximando, mas ela ainda não havia se cansado de admirar a criança de gente, e ficou sentada ao seu lado até os cavalos estarem quase aparecendo na estrada. Então ela tomou uma decisão repentina. Ela deixou seu próprio filho deitado no canto da estrada, e enfiou a criança de gente na cesta de videira. Pôs a cesta nas costas e correu para dentro da floresta.

Ela mal havia desaparecido quando os cavalos apareceram trazendo o casal de camponeses distintos, ricos e respeitados, que possuíam uma grande fazenda no fértil vale ao pé da montanha. Eles já estavam casados há muitos anos, mas tinham apenas um filho, então pode-se entender como estavam ansiosos para tê-lo de volta.

A esposa do fazendeiro chegou primeiro, e avistou a criança que estava deitada no canto da estrada. Esta gritava com todas as forças para chamar a mãe de volta, e a esposa já compreendia, a partir dos berros assustados, o que era aquela criança, mas ela havia passado por tal angústia pensando que o pequenino poderia ter morrido na queda que somente pensou: *Graças a Deus, ele está vivo!*

— O menino está aqui! — gritou ela ao homem, ao mesmo tempo que deslizou da sela e se apressou até o bebê troll.

Quando o fazendeiro chegou até eles, a esposa estava sentada no chão, sem conseguir acreditar no que via.

— Meu filho não tinha dentes afiados assim — ela disse, enquanto virava e revirava a criança. — Meu filho não tinha cabelo espetado — lamentou, com a voz expressando um pavor crescente. — Meu filho não tinha uma garra no mindinho.

A CRIANÇA TROCADA

O fazendeiro, concluindo que sua esposa havia enlouquecido, pulou do cavalo.

— Olha este menino, e me diz se você consegue entender por que ele está tão estranho! — disse a esposa, entregando-o ao marido. Ele o tomou nos braços, mas mal lhe lançou um olhar, cuspiu três vezes e o atirou ao chão.

— É um troll! — disse ele. — Não é nosso filho.

A esposa ficou sentada na beira da estrada. Ela não tinha uma mente ágil e não podia compreender o que havia acontecido.

— Mas o que foi que fizeram com ele?

— Você não percebe que é uma criança trocada[3]? — perguntou o homem. — Os trolls aproveitaram quando nossos cavalos dispararam. Eles roubaram nosso filho e deixaram aqui um deles.

— Mas então onde está meu filho? — perguntou a esposa.

— Ele se foi com os trolls.

Então a esposa entendeu toda sua infelicidade. Ela empalideceu como uma moribunda, e o marido pensou que ela soltaria seu último suspiro.

— Nosso filho não pode estar tão longe — disse ele, tentando acalmá-la. — Vamos entrar na floresta e procurá-lo.

E, assim, ele amarrou as rédeas do seu cavalo em um tronco de árvore e abriu caminho entre o mato. A esposa se levantou para segui-lo, mas então ela percebeu que o bebê troll estava num lugar onde poderia ser pisoteado a qualquer instante pelos cavalos, que estavam nervosos por tê-lo em sua proximidade. Ela arrepiou só de pensar em tocar a criança trocada, mas ela o apanhou mesmo assim e o deixou fora do alcance dos cavalos.

— Aqui está a matraca que nosso menino trazia na mão quando você o perdeu — gritou o fazendeiro, de dentro da floresta. — Agora sei que estou na trilha certa.

....

[3] Criança trocada (*Changeling*, *Bortbytingen*) é um termo usado para uma criança substituída ou trocada por outra, especialmente em casos de trocas supostamente feitas por seres mágicos, como elfos, trolls e fadas. Existia uma enorme superstição nos países celtas e nórdicos que crianças poderiam ser roubadas enquanto estavam no berço. [N.E.]

JOHN BAUER
para a versão de Helena Nyblom

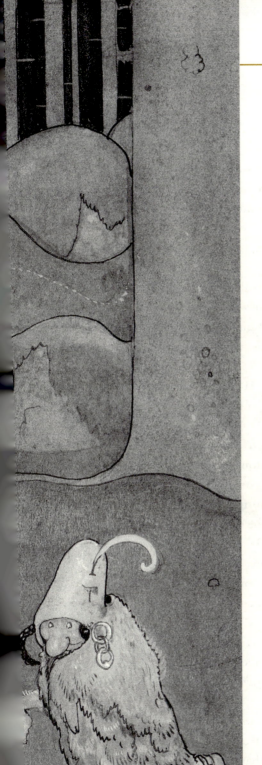

A esposa se apressou atrás dele, e juntos andaram pela floresta, procurando, mas não encontraram nem criança e nem troll. O sol começou a se pôr, e eles tiveram que retornar aos cavalos.

A mulher chorava e contorcia as mãos. O homem andava rangendo os dentes e não disse uma palavra para consolá-la. Ele era de velha e boa família, cujo nome se apagaria caso não tivesse tido um herdeiro. E agora andava com raiva da mulher, por ela ter deixado a criança cair. *Ela devia ter segurado o menino com força, não importasse o quê*, pensou ele. Mas quando viu quão aflita ela estava, não teve coragem de recriminá-la.

Depois que ele já a havia ajudado a subir ao cavalo, a esposa lembrou-se da criança trocada.

— O que vamos fazer com o bebê troll? — perguntou ela.

— Onde ele foi parar? — indagou o homem.

— Está ali, debaixo do arbusto.

— Lá está bem para ele — disse o homem, rindo com amargor.

— Nós temos o direito de levá-lo conosco. Não podemos deixar ele aqui nesse lugar selvagem.

— Creio que podemos, sim — disse o fazendeiro, pondo o pé no estribo.

Ele deve ter razão, assim pensava a esposa. Não precisavam levar consigo o bebê troll. Ela deixou o cavalo dar alguns passos, mas, num instante, foi impossível cavalgar adiante.

— De todo jeito, é uma criança — disse ela. — Eu não posso deixá-lo aqui para servir de comida aos lobos. Você precisa me dar essa criança.

— Isso eu não faço mesmo — respondeu o homem. — Ele está bem onde está.

— Se você não me entregá-lo agora, sei que vou precisar voltar aqui à noite e buscá-lo — disse a esposa.

— Vejo que não foi suficiente os trolls terem roubado meu filho. Com certeza eles também arruinaram a cabeça da minha mulher — murmurou o fazendeiro. Mesmo emburrado, ele apanhou o bebê troll e o entregou a esposa, a quem ele muito amava, e cujas vontades costumava atender.

No dia seguinte, o triste ocorrido já era de conhecimento de toda vizinhança, e aqueles que eram experientes e sabidos foram correndo até a fazenda para dar conselhos e sugestões.

— Aquele que recebe em casa uma criança trocada, deve espancá-la com uma bengala bem pesada — disse uma velhinha.

— Por que é preciso ser tão cruel com ele? — perguntou a esposa. — Pode ser feio, mas nunca fez mal a ninguém.

— Bem, se alguém bater num bebê troll até o sangue escorrer, a mãe vem correndo socorrer. Entrega de volta vosso filho e leva o dela. Eu sei de muita gente que conseguiu seus filhos de volta dessa maneira.

— Sim, mas essas crianças não viveram por muito tempo — explicou outra das velhinhas, e a esposa pensou consigo mesma que não podia empregar aquele método.

Quando veio a noite, e ela ficou sozinha em casa por um instante, começou a sentir tanta falta do filho que não sabia mais o que fazer. *Talvez eu devesse fazer isso mesmo, como me aconselharam*, pensou; mas não conseguia lidar com a ideia.

O fazendeiro entrou na casa no mesmo instante. Ele trazia na mão uma bengala e perguntou pela criança trocada. A esposa entendeu que ele queria seguir o conselho das velhinhas sabidas e bater no bebê troll

A CRIANÇA TROCADA

para ter o filho de volta. *É até melhor que ele faça*, pensou ela. *Eu sou tão boba. Jamais conseguiria bater numa criança inocente.*

Mas tão logo o homem deu o primeiro golpe no bebê troll, a esposa entrou na frente e deteve o seu braço.

— Não, não bate nele, não bate nele! — pediu ela.

— Você não quer mesmo o seu filho de volta? — perguntou ele, tentando se livrar dela.

— Claro que quero ele de volta. Mas não desse jeito.

O fazendeiro ergueu o braço para dar um novo golpe, mas antes de fazê-lo, a esposa se jogou sobre a criança e o golpe a atingiu.

— Deus do céu! — disse o homem. — Agora eu entendo, você pretende fazer com que nosso filho fique com os trolls pelo resto da vida.

Ficou parado, esperando, mas a esposa permaneceu diante dele, protegendo a criança. Então o homem atirou a bengala ao chão e saiu da casa, enraivecido e triste. Depois, ele se perguntou por que não fez sua vontade, apesar da oposição de sua esposa; havia algo nela que o deteve. Não conseguia ficar contra ela.

Dois dias se passaram, cheios de mágoa e aflição. A falta de um filho já é difícil o bastante para uma mãe, mas o pior de tudo é ter em seu lugar uma criança trocada. É o que mantém sua saudade sempre acesa, e não a deixa nunca em paz.

— Não sei o que dar para ele comer — disse a esposa, certa manhã, ao marido. — Tudo que ponho na frente dele, ele não come.

— Não é de se estranhar — disse homem. — Você nunca ouviu dizer que os trolls só gostam de comer sapos e camundongos?

— Mas você não pode exigir que eu vá até o brejo buscar comida para ele! — exclamou a esposa.

— Claro que não vou exigir — disse o homem. — Por mim, seria melhor ele morrer de fome.

Uma semana se passou sem que a esposa conseguisse fazer com que o bebê troll comesse. Ela serviu todas as delícias que haviam em sua casa, mas o trollzinho apenas mostrava os dentes e cuspia a cada vez que ela tentava convencê-lo a provar suas iguarias.

Uma noite, quando parecia que ele estava prestes a morrer de fome, o gato entrou correndo no quarto com um rato na boca. Então a mulher apanhou o rato, e o jogou para a criança trocada, e saiu rapidamente do quarto para evitar saber como o bebê troll comia.

Mas então o fazendeiro notou que sua esposa realmente tinha começado a juntar sapos e aranhas para a criança trocada, e foi tomado por tamanho desprezo por ela que não podia nem mais esconder. Era impossível dizer a ela uma palavra amistosa. Apesar de tudo, a esposa tinha ainda muito de seu antigo poder sobre o marido, e ele permaneceu em casa.

Mas isso não foi só isso. Também a criadagem passou a demonstrar insubordinação e desrespeito em relação à patroa. O fazendeiro não escondeu que estava percebendo tudo, e a esposa entendeu que, se ela continuasse a cuidar da criança trocada, teria dificuldade e pesar a cada dia que Deus lhe concedesse. Mas ela era esse tipo de pessoa; se houvesse alguém no mundo a quem todos odiavam, então era ela que juntava forças para ajudar o pobrezinho. E, por mais que sofresse por causa da criança trocada, com mais firmeza cuidava para que nenhum mal se abatesse sobre ele.

Dois anos depois, numa tarde, a esposa estava sozinha em casa, costurando pano sobre pano para fazer roupa de criança. *Ah, sim!*, pensou ela, enquanto costurava. *Não há dia bom para aquela que tem que tomar cuidado da criança dos outros.*

Ela costurava e costurava mas os buracos no pano eram tantos e tão grandes que seus olhos se encheram de lágrimas enquanto ela remendava. *Mas de uma coisa eu sei*, pensou ela, *se fosse para remendar o pijama do meu próprio filho, não me importaria com a quantidade de buracos.*

Está certo que eu tenho dificuldade com a criança trocada, continuou a esposa, quando deu por outro buraco na roupa. *O melhor seria eu levá-lo para o meio da floresta, onde ele não soubesse o caminho de volta, e deixá-lo por lá.*

E a verdade é que não preciso me esforçar muito para me ver livre dele, continuou ela, após um instante. *Se eu apenas o deixasse fora de vista por um momento, ele então se afogaria na fonte ou se queimaria no forno, ou seria mordido pelos cachorros, ou pisado pelos cavalos. Sim, seria bem fácil me livrar dele, já que ele é tão malvado e rebelde.*

Não há ninguém nesta fazenda que não o odeie e, se eu não o mantivesse sempre perto de mim, logo alguém aproveitaria a oportunidade para tirá-lo do caminho.

Ela se afastou um pouco e olhou a criança, que estava dormindo em um canto da casa. Ele havia crescido e se tornado ainda mais feio, mais do que da primeira vez que ela o vira. A boca crescera e virara um focinho, as sobrancelhas eram como duas escovas duras, e a pele estava completamente cinzenta.

Remendar suas roupas e cuidar de você, até que não tem problema, pensou ela. *É o mínimo que tenho que suportar por você. Mas meu marido ficou magoado comigo, os empregados me desprezam, as criadas riem de mim, o gato chia quando me vê, o cachorro rosna e mostra os dentes, e você é a culpa disso tudo.*

— Mas ser odiada por animais e pessoas, eu poderia suportar — exclamou ela. — O pior é que, cada vez que te vejo, sinto mais falta meu próprio filho. Ai, meu menino de ouro, onde você está? Estará dormindo sobre musgo e gravetos na toca da mamãe troll?

A porta se abriu, e a esposa voltou a costurar. Era o seu marido que estava entrando. Ele parecia contente e falou com ela de um jeito mais amistoso, bem melhor do que antes.

— Hoje tem feira na igreja — disse ele. — O que você diz de nós irmos até lá?

A esposa ficou feliz com a proposta e disse que teria prazer em visitar a feira.

— Então prepare-se o mais rápido que puder! – disse o homem. — Vamos ter que ir a pé, já que os cavalos estão no campo. Mas se nós tomarmos o caminho sobre o morro, chegaremos em tempo.

Um instante depois ela estava na soleira da porta, bela e enfeitada, usando sua melhor roupa. Aquele era o momento mais alegre que ela tivera em muitos anos, e ela tinha esquecido por completo o bebê troll. *Mas...,* pensou ela, de repente, *talvez meu marido queira somente me afastar para que os empregados possam matar a criança trocada enquanto eu estou de saída.* Ela entrou rapidamente na casa e voltou com o pesado bebê troll nos braços.

— Você não pode deixar esse aí em casa? — perguntou o homem, sem raiva na voz, falando até mesmo com suavidade.

— Não, não ouso deixá-lo — respondeu ela.

— Está bem, isso é assunto seu — disse o fazendeiro —, mas vai ser pesado você carregar tal fardo sobre o morro.

Eles se puseram a caminho; uma estrada difícil, com uma subida íngreme. Precisavam atingir o alto do morro antes de alcançar a estrada que levava até a vila em que ficava a igreja.

Por fim, a esposa ficou tão cansada que mal podia erguer os pés. Vez ou outra, ela tentou convencer o pequeno troll a andar por conta própria, mas ele não queria.

O homem estava todo contente, e mais amigável do que havia sido desde que eles perderam o filho.

— Você pode agora me dar a criança trocada — disse ele. — Que eu a carrego por um instante.

— Ah, não! Eu ainda consigo — disse a esposa. — Não quero te dar trabalho por causa dele.

— Você não precisa lidar com isso sozinha! — disse ele, e tomou a criança dela.

Assim que o fazendeiro segurou o menino, o caminho se mostrou mais perigoso: traiçoeiro e escorregadio, à beira de um penhasco íngreme, e tão estreito que mal havia lugar para alguém firmar o pé.

A esposa seguia atrás, e ela foi tomada pelo medo de que algo acontecesse com o homem enquanto ele andava com a criança.

— Ande devagar aqui! — gritou ela, pois pensava que ele avançava rápido demais e sem cuidado algum. Logo em seguida, ele tropeçou, e estava perto de deixar a criança cair no abismo.

Se a criança tivesse realmente caído, então nós estaríamos livres disso para sempre, pensou ela. Mas, no mesmo instante, ela compreendeu que a intenção do homem era de atirar a criança abaixo e depois fingir que não passara de um acidente. *Sim,* pensou ela. *É isso mesmo. Ele arranjou tudo para tirar deste mundo a criança trocada, sem que eu percebesse que ele agiu de modo consciente. E, sim, seria de fato melhor se eu o deixasse fazer como quer.*

Mais uma vez, o homem tropeçou numa pedra, e novamente a criança trocada estava por escorregar de seus braços.

— Me dê a criança! Vai deixá-la cair — disse a esposa.

— Não — disse o homem. — Eu vou tomar cuidado.

Mal havia terminado a frase quando ele tropeçou pela terceira vez. O homem estendeu os braços para se agarrar a um galho, e a criança caiu. A esposa seguia o fazendeiro de perto e, apesar de ter acabado de reconhecer que seria bom se livrar da criança trocada, ela se jogou à frente e conseguiu agarrar uma ponta da roupa do pequeno troll, erguendo-o de volta para a estrada.

Então o homem se virou para ela. O rosto dele estava agora feio e totalmente transformado.

— Você não foi tão cuidadosa quando deixou nosso filho cair na floresta — disse ele enfurecido.

A esposa nada respondeu. Ela ficou tão magoada por saber que a afabilidade do marido era fingida que se pôs a chorar.

— Por que está chorando? — perguntou ele, com voz dura. — Não teria sido uma infelicidade tão grande caso eu o tivesse deixado cair. Vamos, senão fica tarde.

— Creio não ter mais vontade de ir à feira — disse ela.

— Pois é, eu também não.

No caminho de volta, ele se perguntava por quanto tempo mais teria que aguentar aquilo. Se ele tivesse usado de sua força para arrancar a criança dela naquele instante, considerou, então tudo poderia voltar a ficar bem entre eles. Estava prestes a começar uma briga com ela por causa do troll, mas então seus olhos descansaram nos olhos pesarosos e angustiados da esposa. Ele se refreou mais uma vez, por causa dela, e tudo ficou como sempre tinha sido.

Mais dois anos se passaram e, numa noite de verão, a fazenda foi incendiada. Quando as pessoas acordaram, a casa estava tomada pela fumaça, e o ar consumido por um mar de fogo. Não havia sequer espaço para pensar em apagar as chamas ou salvar o próximo; podia-se apenas fugir para não se ver em meio às labaredas.

O fazendeiro saiu até o quintal, onde permaneceu a olhar sua casa ardendo.

— Quem me infligiu essa desgraça?

— Bem... Quem mais poderia ser a não ser a criança trocada? — disse um empregado. — Por horas a fio, ele juntou gravetos e palha, ateando fogo tanto dentro como fora da casa.

— Ontem ele fez um monte com galhos secos no sótão – disse uma criada —, e estava prestes a botar fogo quando eu o surpreendi.

— Então ele deve ter deixado para acender tarde da noite – disse o empregado. — O senhor pode ter certeza que é a ele a quem se deve agradecer essa desgraça.

— Se ele também queimasse – disse o fazendeiro —, eu não lamentaria minha velha casa desaparecendo nas chamas.

E assim que ele disse isso, a esposa saiu da casa, puxando a criança pelo braço. O fazendeiro disparou em direção a ela, arrancou a criança trocada do seu colo, ergueu o menino e o atirou de volta, para as chamas.

O fogo então se alastrou pelo teto e pelas janelas; o calor era terrível.

Por um instante, a esposa cravou os olhos no homem, pálida de terror. Depois, ela se virou e correu para dentro da casa, em busca da criança.

— Você também pode queimar junto! – gritou o homem atrás dela. Ela retornou mesmo assim, trazendo a criança trocada consigo. Ela havia sofrido severas queimaduras nas mãos, e seu cabelo estava encharcado de suor. Quando ela saiu, ninguém lhe dirigiu a palavra. Ela foi até o poço, apagou algumas faíscas que ardiam na barra da saia, e depois se sentou com as costas apoiadas na pedra. O pequeno troll deitou sobre os joelhos dela e logo adormeceu, mas ela permaneceu sentada, ereta e acordada, com olhos fixos na tristeza à sua frente. Muitas pessoas passavam apressadas em direção à casa em chamas, mas ninguém falava com ela. Todos a julgavam tão horrível e assustadora que não ousavam se aproximar.

Ao raiar do dia, quando a casa estava reduzida a cinzas, o homem veio até ela.

— Eu não suporto mais – disse ele. — Você sabe bem que não quero te deixar, mas não aguento mais viver com um troll. Vou seguir meu caminho, e nunca mais voltar.

Quando a esposa escutou essas palavras e viu como o homem se virou para ir embora, ela sentiu como se algo se agitasse e a rasgasse por dentro. Ela queria correr atrás dele, mas o pequeno troll jazia pesado sobre seu colo. Ela sentiu que não tinha forças para tirá-lo de cima de si, e permaneceu sentada.

O fazendeiro se foi para a floresta, e pensou consigo mesmo que fazia aquele caminho pela última vez. Mas tão logo ele atingiu o despenhadeiro, um garoto veio correndo em sua direção. Ele era belo e esguio como uma arvorezinha. O cabelo era macio de seda, e os olhos luziam feito aço.

— Ó, assim meu filho se pareceria, se eu o tivesse comigo! — disse o fazendeiro. — Eis o herdeiro que eu teria. Seria algo diferente da criatura sombria que minha esposa arrastou até a nossa casa... Bom dia! — saudou o fazendeiro. — Qual o seu caminho?

— Bom dia também! — disse a criança. — Se adivinhar quem sou, vai saber para onde vou.

Mas, quando o fazendeiro escutou a voz do menino, ele empalideceu por completo.

— Você fala como a gente da minha família costuma falar — disse ele. — E, se meu filho não estivesse com os trolls, diria mesmo que é você.

— Sim, adivinhou certo, meu pai — disse o menino rindo. — E já que adivinhou certo, saiba que estou a caminho da minha mãe.

— Você não deve ir até a sua mãe — disse o fazendeiro. — Ela não quer saber nem de você e nem de mim. No coração dela só há lugar para um troll grandalhão e sombrio.

— É verdade, pai? — perguntou o menino, olhando profundamente nos olhos do pai. — Então talvez seja melhor eu permanecer com o senhor, a princípio.

O fazendeiro sentiu tamanha alegria em encontrar o garoto que as lágrimas começaram a brotar.

— Sim, fique só comigo! — disse ele, tomando o menino nos braços e o erguendo ao vento. Ele tinha tanto medo de perdê-lo novamente que seguiu adiante com a criança no colo.

Quando já havia dado alguns passos, o menino se pôs a falar com ele.

— Que bom que o senhor não me carrega tão mal como fazia com a criança trocada — disse ele.

— O que quer dizer? — perguntou o fazendeiro.

— É que a mamãe troll andava do outro lado do penhasco comigo nos braços, e a cada vez que o senhor tropeçava e estava por perder o bebê troll, ela também estava a ponto de me deixar cair.

— O que você diz? Vocês andavam do outro lado do penhasco? — perguntou o fazendeiro, pensativo.

— Eu nunca tive tanto medo – disse o menino. — Quando o senhor atirou o bebê troll no abismo, a mamãe troll queria me jogar também. Se minha mãe não tivesse...

O fazendeiro se pôs a andar mais devagar, fazendo suas perguntas ao menino.

— Você deve me dizer como foi morar com os trolls.

— Era difícil, às vezes – disse o pequeno. — Mas, quando minha mãe era bondosa com o bebê troll, então a mamãe troll também era bondosa comigo.

— Ela batia em você? – perguntou o fazendeiro.

— Ela não batia mais em mim do que o senhor batia no filho dela.

— O que te davam de comida? – perguntou o pai em seguida.

— Cada vez que minha mãe dava sapos e camundongos para o bebê troll, eu ganhava pão com manteiga. Mas quando o senhor punha pão e carne na frente do bebê troll, a mamãe troll me oferecia cobras e ratos. Nas primeiras semanas cheguei perto de morrer de fome. Mas se minha mãe não tivesse...

Quando o menino disse isso, o fazendeiro deu a volta e desceu em direção ao vale.

— Não sei por quê – disse ele —, mas me parece que você está com cheiro de fumaça.

— Sim, não é de se estranhar – disse a criança. — Eu fui atirado ao fogo na noite passada, quando o senhor atirou o pequeno troll na casa em chamas. Se minha mãe não tivesse...

O fazendeiro estava com tanta pressa que praticamente corria. Mas, de repente, ele parou.

— Agora você vai me dizer: por que os trolls lhe puseram em liberdade? – perguntou ele.

— Porque minha mãe sacrificou algo que lhe era mais valioso que a própria vida, e assim os trolls não tinham mais nenhum poder sobre mim, e me deixaram ir – disse o garoto.

— Ela sacrificou algo que lhe era mais valioso que a própria vida? – perguntou o fazendeiro.

— Sim, ela fez isso quando o deixou ir, para que pudesse manter o pequeno troll – disse a criança.

A esposa estava ainda sentada no mesmo lugar junto ao poço. Ela não dormira, e se sentia dura feito uma rocha. Não tinha forças para se mexer, e o que acontecia ao seu redor era-lhe indiferente, como se estivesse mesmo morta. Quando escutou, ao longe, a voz de seu marido gritando seu nome, seu coração voltou a bater. A vida retornou a ela. Abriu os olhos, procurando ao redor, embriagada de sono. Era um dia claro – o sol brilhava, as cotovias cantavam, e parecia impossível seguir triste naquele belo dia. Mas ela logo viu as vigas em carvão, espalhadas à volta, e um tanto de pessoas com as mãos pretas e rostos enraivecidos. Ela soube, então, que despertara para uma vida ainda mais pesarosa do que a antiga; de todo modo, conservava consigo o sentimento de que seu sofrimento tinha chegado ao fim. Procurou com os olhos a criança trocada. Ele não estava mais deitado em seus joelhos, e não se encontrava nas proximidades. Se tudo fosse como antes, ela teria corrido à procura dele, mas sentiu que, de algum modo, aquilo era desnecessário.

Ela escutou de novo os gritos do marido vindos da floresta. Ele se aproximava por um caminho estreito, descendo até o quintal, e todos os vizinhos que ajudaram no incêndio correram ao seu encontro, e cercaram-no de modo que a esposa não conseguia vê-lo. Ela apenas escutava como ele, uma vez atrás da outra, gritava seu nome, chamando-a para ele, bem como aos demais. E a voz trazia uma mensagem de grande alegria, mas, mesmo assim, a esposa permaneceu parada. Ela não ousava se mexer. Por fim, todos fizeram um círculo ao redor dela, e o homem veio à frente e pôs uma bela criança em seus braços.

— Aqui está nosso filho. Ele voltou para nós – disse o homem. — E foi você, e mais ninguém, que o salvou.

O REI DRAGÃO

Svend Grundtvig

Kong Lindorm, Dinamarca, 1855

"O Rei Dragão" é um dos mais famosos contos dinamarqueses tradicionais e apresenta o motivo preferido de aplicação de encantamento em forma animal em um ambiente rico e individual.

Era uma vez um rei que tinha a rainha mais bela. Mas os dois não tinham filhos, e isso os deixava muito tristes. Então, certo dia, quando ela estava caminhando, perdida em pensamentos, chegou a um lugar incomum. Ali, encontrou uma mulher velha, que lhe perguntou se gostaria de dizer por que estava tão triste. A rainha levantou o olhar e disse:

— Ah, de que adiantaria lhe contar? Não há nada que você possa fazer para me ajudar!

— Talvez eu possa — disse a velha, e mais uma vez implorou para a rainha confiar nela. E, assim, a rainha contou que não tinha filhos, e que esse era o motivo de tanta tristeza. — Ora, isso poderia ser remediado — disse a velha; ela poderia ter filhos se assim desejasse. No fim da tarde, ao pôr do sol, ela só precisava pegar um prato e colocá-lo no chão, virado para baixo, no canto noroeste do jardim. Pela manhã, ao nascer do sol, quando levantasse o prato, ela encontraria duas rosas embaixo dele: uma vermelha e uma branca. — Se você comer a rosa vermelha, terá um menino; e, se comer a branca, terá uma menina. Mas você não deve comer as duas rosas.

A rainha voltou para casa e fez o que a velha lhe dissera. Pela manhã, ao nascer do sol, foi até o jardim e levantou o prato do chão, e lá estavam as duas rosas: a vermelha e a branca. Mas ela não conseguia decidir qual comer. Se escolhesse a vermelha, seria um menino, e ele poderia ter de ir à guerra e ser assassinado; e ela ficaria sem filhos outra vez. Assim, pensou que era melhor pegar a rosa branca; teria uma menina, que poderia ficar em casa com ela e se casar e se tornar rainha de outro reino. Então ela pegou a rosa branca e a comeu. Mas o gosto era tão bom que ela pegou a vermelha e comeu também. E pensou consigo mesma:

Ora, se forem gêmeos, vão contar como um só.

Por acaso, o rei estava na guerra quando a rainha escreveu para contar que eles seriam abençoados com um filho. Mas, quando a criança nasceu, era um pequeno dragão, que se escondeu embaixo da cama no quarto dela e fez dali seu ninho. Depois de um tempo, chegou uma carta do rei, dizendo que estaria em casa em breve. E, quando o rei voltou para casa, chegando ao castelo em sua carruagem, a rainha saiu para encontrá-lo, e o pequeno dragão saiu para cumprimentá-lo ao mesmo tempo. Ele pulou ao lado da carruagem e gritou:

— Bem-vindo, pai!

— O quê? – disse o rei. – Eu sou seu pai?

— Sim, e se não quiser ser meu pai, vou estraçalhá-lo e destruir o castelo! – E assim o rei teve de concordar em ser pai dele. A família entrou no castelo, e a rainha teve de confessar tudo que tinha acontecido entre ela e a velha.

Alguns dias depois, o conselho e todos os nobres se reuniram para dar as boas-vindas ao rei de volta ao próprio país e para cumprimentá-lo pela vitória sobre o inimigo. O dragão também apareceu e disse:

— Pai, agora eu quero me casar!

— Muito bem – disse o rei –, mas quem você acha que vai se casar com você?

— Bem, se você não encontrar uma noiva para mim, velha ou nova, grande ou pequena, rica ou pobre, vou estraçalhá-lo e destruir o castelo.

O rei escreveu para todos os reinos para perguntar se alguém se casaria com seu filho. E uma bela princesa apareceu, apesar de achar estranho não ter permissão para ver o pretendente até os dois estarem no salão em que iam se casar. Só então o dragão apareceu e postou-se ao lado dela. O dia do casamento terminou, mas, assim que os dois ficaram sozinhos, o dragão a devorou.

O tempo passou, e o aniversário do rei chegou. Então, quando estavam todos sentados ao redor da mesa, o dragão veio e disse:

— Pai, quero me casar!

O rei respondeu:

— Onde está a mulher que estaria disposta a se casar com você?

— Bem, se você não encontrar uma noiva para mim, algum tipo de noiva, vou devorá-lo e engolir o castelo também!

Mais uma vez, o rei escreveu para todos os outros reinos para perguntar se alguém gostaria de se casar com seu filho. E, de novo, uma bela princesa apareceu, vinda de um país distante. Ela não viu o pretendente até os dois estarem no salão em que iam se casar. O dragão apareceu e postou-se ao lado dela. Mas, quando o festejo acabou e eles ficaram sozinhos, o dragão a devorou.

Pouco tempo depois, veio o aniversário da rainha. O dragão entrou quando estavam todos sentados ao redor da mesa e disse:

— Pai, quero me casar!

— Bem, não consigo encontrar outra noiva para você – disse o rei. — Os dois reis poderosos cujas filhas eu lhe dei querem entrar em guerra comigo. Sendo assim, o que posso fazer?

— Ah, deixe que eles venham! Contanto que você esteja de bem comigo, a chegada deles não deve preocupá-lo, mesmo que forem dez em vez de dois. Se você não encontrar uma noiva para mim, velha ou nova, grande ou pequena, rica ou pobre, vou estraçalhá-lo e destruir o castelo! — Então o rei teve de se submeter, mas se sentia muito infeliz.

Havia um velho que era pastor do rei. Tinha uma cabana na floresta e uma filha. O rei foi até ele e disse:

— Escute, meu estimado camarada, você não quer dar sua filha ao meu filho como noiva?

— Não, eu não poderia fazer isso; primeiro, só tenho essa filha para cuidar de mim na velhice e, além de tudo, o príncipe, se não tem pena de princesas tão belas, certamente não terá nenhuma da minha filha, e isso seria um pecado!

Mas o rei insistiu em ter a moça, e o velho teve de ceder. O velho pastor foi para casa e contou à filha, que se sentiu muito infeliz e saiu com seus pensamentos tristes para a floresta. Quando estava caminhando, ela encontrou uma velha usando um casaco vermelho e uma blusa azul; a velha estava indo para a floresta para pegar frutinhas vermelhas e maçãs.

— Por que você está tão triste? – perguntou.

— Tenho um bom motivo para estar triste – disse a moça —, mas não adianta eu contar, já que não há nada que você possa fazer para me ajudar!

— Talvez haja – disse a velha —, então me diga o que é.

— Bem, vou me casar com o filho do rei, mas ele é um dragão que já matou duas princesas, e eu tenho certeza que vai fazer o mesmo comigo.

— Se você me escutar, existe um jeito de ajudá-la – disse a velha. E a moça ficou feliz de ouvir seu conselho. — Quando você estiver casada e sozinha com o príncipe, deve usar dez vestidos. Se não tiver tantos, precisa pegar emprestados. Depois, você deve pedir um balde de lixívia, um balde de leite fresco e um punhado de chicotes. Essas coisas devem ser levadas para o quarto. Quando entrar, ele vai dizer: "Adorável donzela, tire seu vestido!" E você deve dizer: "Rei Dragão, tire sua pele!" E ele vai dizer a mesma coisa para você, e você para ele, até você ter tirado nove vestidos, e ele ter tirado nove peles. Então ele não vai ter mais nenhuma pele; mas você ainda vai ter um vestido. E você deve pegá-lo, pois ele não será nada além de um bloco de carne sem pele, mergulhar os chicotes na lixívia e bater nele até ele quase se despedaçar. Em seguida, você deve banhá-lo no leite fresco, enrolá-lo nos nove vestidos e colocá-lo na cama. E depois você também vai dormir, mas por pouco tempo. — A moça agradeceu à velha pelo bom conselho. Apesar disso, estava com medo, já que, no fim das contas, era um jogo ousado para se jogar com uma fera sinistra.

O dia do casamento chegou, e duas cortesãs vieram em uma carruagem grande e magnífica para enfeitar a donzela com seus ornamentos nupciais. Ela foi levada ao castelo e ao salão; o dragão chegou e postou-se ao lado dela, e eles se casaram.

A noite chegou, e os dois foram deixados sozinhos. Então a noiva pediu um balde de lixívia, um balde de leite fresco e os chicotes. Os cortesãos fizeram graça dela e falaram de superstições de camponeses; mas o rei disse que ela teria tudo que queria, e tudo foi dado a ela. Antes de ser deixada sozinha com o marido, ela vestiu os nove vestidos que tinha conseguido por cima do que estava usando. E o dragão disse: "Adorável donzela, tire seu vestido!" E ela respondeu: "Rei Dragão, tire sua pele!" E assim aconteceu, até ela ter tirado nove vestidos, e ele, nove peles. Ela recuperou a coragem, pois o dragão estava deitado no chão e mal conseguia se mexer. Ela pegou os chicotes, mergulhou na lixívia e bateu nele pelo tempo que conseguiu e com toda a força possível, até os chicotes se desgastarem. Em seguida, ela o banhou no leite fresco, enrolou-o nos nove vestidos e o colocou na cama. Ela logo adormeceu, porque já era tarde. Quando acordou, viu um lindo príncipe diante de si.

Quando a manhã chegou, ninguém teve coragem de olhar pela porta do quarto, pois todos pensavam que ela havia encontrado o destino de suas predecessoras. Mas o rei estava determinado a dar uma olhada, e, assim que abriu a porta ele gritou:

— Entrem! Tudo está como deveria ser! — E entrou, cheio de alegria, e levou a rainha e toda a corte. Lá estava o par de recém-casados, recebendo os cumprimentos que se derramavam sobre eles. Agora o casamento foi comemorado de novo, com extremo esplendor e felicidade, e o rei e a rainha passaram a adorar muito a nora, e não conseguiam fazer o suficiente para demonstrar como gostavam dela, que tinha libertado o dragão.

Mas a guerra estourou de novo, e o velho rei e o Rei Dragão estavam com o exército quando a jovem rainha foi abençoada com dois lindos meninos. Naquela época havia um cavaleiro na corte chamado Cavaleiro Vermelho. Ele foi enviado ao Rei Dragão com uma carta, informando que o rei era pai de dois meninos adoráveis. O Cavaleiro Vermelho seguiu por um tempo, depois abriu a carta, tirou-a do envelope e escreveu que havia dois filhotes de lobo no castelo. Foi essa a carta que o rei recebeu, e ela o deixou muito triste, porque ele achou estranho seus filhos serem filhotes de lobo; ele teria esperado um dragão ou algo do tipo. Escreveu, em resposta, que eles deviam permitir que as criaturas vivessem até seu retorno, se demonstrassem algum sinal de vida. Era essa a carta que o Cavaleiro Vermelho deveria levar de volta. Mas, depois de seguir por um tempo, ele abriu a carta, como tinha feito com a primeira, e escreveu outra, dizendo que eles deviam queimar a rainha e as crianças.

Essa carta entristeceu muito a velha rainha, pois ela gostava demais da nora. Pouco tempo depois veio uma carta do rei anunciando seu retorno. E eles ficaram com medo e não souberam o que fazer; pois a velha rainha não conseguia tomar a decisão de queimá-los em uma estaca. Ela entregou as crianças a uma ama-seca, pedindo que cuidasse delas, porque achava que, afinal, quando o rei chegasse em casa, poderia mudar de ideia. E deu à jovem rainha comida e dinheiro e lhe disse para se esconder na floresta.

    E assim a jovem rainha foi para a floresta e vagou por cerca de dois dias e se meteu em grandes apuros. Então, ela viu uma montanha imponente e subiu até o topo sem parar no caminho. No topo da montanha havia três bancos, e ela se sentou no do meio e sentiu saudade dos filhos, o peito dolorido pelo leite que não podia dar. Enquanto estava sentada, surgiram dois grandes pássaros, um cisne e uma garça, que se colocaram ao seu lado e imploraram para ela alimentá-los no lugar dos filhos que tinham sido levados. E, quando, por bondade do seu coração, ela o fez, de repente eles se transformaram em dois dos príncipes mais belos que se poderia imaginar, e a montanha se transformou no castelo real mais esplêndido que se poderia ver, com cortesãos e estrebarias lotadas, e ouro e prata, e tudo que um castelo deve ter. Os dois príncipes tinham sido encantados e nunca poderiam ter sido liberados do encantamento se não tivessem encontrado uma rainha enlutada, que, por pena, os alimentasse como faria com seus pequenos perdidos. Assim, a rainha ficou no castelo com o Rei Cisne e o Rei Garça, que, agora que tinham sido salvos, queriam se casar com ela.

    Nesse meio-tempo, o Rei Dragão voltou para casa e perguntou pela sua rainha.

    — Ora – disse a velha rainha —, só faltava essa! Você, perguntar por ela! Você é um bom rapaz! Nunca se lembrou de que ela o resgatou da sua mais profunda desgraça! Você até escreveu para queimarmos ela e as crianças na estaca! Você devia ter vergonha!

    — Não – disse o Rei Dragão —, você escreveu dizendo que, em vez de dois filhos, ela havia me dado dois filhotes de lobo; e eu respondi que era para deixar as criaturas viverem até eu voltar para casa!

    Houve muita falação, e eles finalmente descobriram que o Cavaleiro Vermelho tinha sido o traidor. Eles o chamaram, e ele teve de confessar. E, depois de confessar, ele foi colocado em um barril cravado de pregos, ao qual quatro cavalos foram amarrados, e eles saíram galopando com ele pelas colinas e vales.

O REI DRAGÃO 107

HENRY J. FORD
para a versão de Príncipe Lindorm, um enredo semelhante O Rei Dragão, mas com uma serpente

O rei se encheu de tristeza por causa da esposa e dos filhos, especialmente quando descobriu que eram dois belos meninos. Mas a velha rainha disse para ele:

— Não se preocupe! As crianças estão bem cuidadas, pois eu as entreguei a uma ama-seca; mas, quanto à sua esposa, não sei o que aconteceu. Dei a ela um pouco de comida e dinheiro e disse para que se escondesse na floresta, mas, desde então, não tive notícias dela.

E assim o rei ordenou que os filhos fossem levados de volta para o castelo e pegou comida e dinheiro e entrou na floresta para procurar pela esposa. Vagou em busca por ela durante três dias, mas não encontrou nenhum rastro. Quando encontrava pessoas na floresta, perguntava se elas tinham visto uma donzela desconhecida por ali; mas ninguém a tinha visto. Por fim, ele chegou ao castelo na floresta e decidiu entrar e visitar a realeza que morava ali. No instante em que entrou, viu sua jovem rainha, e ela o viu; mas ela teve medo dele ter vindo para queimá-la e fugiu. Os dois príncipes apareceram, e todos começaram a conversar e se tornaram bons amigos. Eles convidaram o Rei Dragão para ficar e jantar. Ele disse que eles tinham uma bela donzela no castelo e perguntou de onde ela viera. Eles responderam que ela de fato era muito gentil, e que os tinha libertado de um encantamento. O Rei Dragão quis saber de qual encantamento ela os havia libertado, e eles contaram a história toda. O Rei Dragão disse que também gostava dela, e perguntou se não podiam chegar a um acordo quanto a qual deles se casaria com a donzela. Poderiam colocar sal demais no jantar; depois, quando ela convidasse um deles para beber com ela, esse seria o escolhido. Os dois príncipes ficaram satisfeitos com essa proposta, pois desse jeito poderiam decidir logo qual deles ficaria com a mão da donzela, porque não acreditavam que ela chamaria um desconhecido para compartilhar sua bebida.

Eles foram jantar, e em pouco tempo, a donzela disse:

— Parece que o jantar está muito salgado. O Rei Cisne se senta perto de mim, o Rei Garça é gentil. Rei Dragão, beba comigo!

O Rei Dragão pegou imediatamente a caneca prateada e bebeu à saúde dela, e os outros beberam à própria saúde; e também tiveram de beber à saúde dela e à dele, apesar de não estarem satisfeitos. Mas o Rei Dragão contou como ela o havia libertado do seu encantamento antes de libertá-los, de modo que ele realmente tinha direito a reivindicá-la primeiro. Os dois príncipes disseram que ele deveria ter contado desde o início, pois assim eles teriam entregado a rainha a ele. Mas o Rei Dragão respondeu que não podia ter certeza absoluta disso.

Então o Rei Dragão voltou para casa com sua rainha. Os filhos também tinham sido levados para casa nesse meio-tempo. O Rei Cisne ficou com o palácio na floresta e se casou com uma princesa de outro reino. E o Rei Garça foi para outras terras e se casou lá. Assim, cada um ganhou seu destino. O Rei Dragão e sua rainha foram amados por toda a vida. Foram muito felizes e tiveram muitos filhos, e na última vez que os visitei eles me deram uma gaita.

O CASTELO DE SORIA MORIA

Peter Christen Asbjørnsen e Jørgen Moe

Soria Moria slott, Noruega, 1841

A busca pelo Castelo de Soria Moria por Halvor, assim como o auxílio às princesas para se livrarem do troll, pode ser considerado como uma busca pela felicidade. O conto é um dos mais famosos do folclore norueguês.

Era uma vez um casal pobre que tinha um filho chamado Halvor. Desde que era um garotinho, ele não se empenhava em nada, só ficava ali, sentado, tateando as cinzas do fogão. O pai è a mãe o mandaram sair muitas vezes para aprender esta ou aquela profissão, mas Halvor não conseguia ficar em lugar nenhum; pois, passados um ou dois dias, fugia do mestre e não parava de correr até estar sentado outra vez diante do fogo, remexendo as brasas.

Ora, um dia veio um capitão e perguntou a Halvor se não tinha vontade de ir com ele, ver o mar e conhecer terras estranhas. Sim, Halvor gostaria muito disso; então, não demorou nada a se aprontar.

Por quanto tempo navegaram, com certeza não sei dizer; mas, no fim, depararam com uma grande tempestade e, quando ela se acabou e voltou a calmaria, não sabiam onde estavam, pois tinham sido levados a um litoral estranho, sobre o qual nenhum deles sabia nada.

Ora, como não havia vento nenhum, ficaram lá, sem ter com que impulsionar o barco, e Halvor pediu a permissão do capitão para desembarcar e olhar à sua volta. Preferia sair, afirmou, a deitar e dormir.

— Acha que é apropriado se apresentar às pessoas agora? — disse o capitão. — Ora, você não tem roupa nenhuma além dos trapos que está usando.

Mas Halvor insistiu e por fim conseguiu permissão, desde que tratasse de voltar assim que o vento começasse a soprar. Assim, saiu e encontrou uma terra adorável — aonde quer que fosse, havia milharais bonitos e amplos, e campinas verdejantes, mas não via o sinal de vivalma. Ora, o vento começou a soprar, mas Halvor achou que ainda não tinha visto o bastante e quis andar um pouco mais para ver se encontrava alguém. Depois de um tempo, chegou a uma estrada larga, tão lisa e plana que se poderia facilmente rolar um ovo ao longo dela. Halvor seguiu a estrada e, ao anoitecer, viu um grande castelo muito ao longe, de onde vinham os raios do sol. Então, como caminhara o dia todo e não levara consigo nada que pudesse comer, estava morrendo de fome, mas, quanto mais se aproximava do castelo, mais medo sentia.

KAY NIELSEN

Na cozinha do castelo ardia um grande fogo, e Halvor se aproximou dele – desde que tinha nascido nunca vira uma cozinha como aquela. Era tão grande e bonita; ali havia vasilhas de prata e ouro, mas, mesmo assim, nenhuma alma à vista. Quando Halvor já estava ali havia algum tempo e ninguém tinha aparecido, foi até uma porta e a abriu, e dentro dela estava um princesa girando uma roca.

— Não, não é possível! — gritou ela. — Um cristão se atreve a vir aqui? Mas agora é melhor que saia e vá cuidar da sua vida, se não quiser que o troll o devore, pois aqui vive um troll de três cabeças.

— Para mim, dá na mesma — disse o rapaz. — Seria o mesmo que ouvir que ele tem quatro cabeças; gostaria de ver que tipo de sujeito ele é. Quanto a sair, não vou de jeito nenhum. Não fiz nenhum mal. Mas você deve trazer carne para mim, pois estou quase morto de fome.

Depois que Halvor comeu até se fartar, a princesa pediu que tentasse brandir a espada pendurada à parede. Não, ele não conseguiu brandi-la, nem mesmo levantá-la.

— Ah! — disse a princesa. — Agora você deve tomar um gole daquele frasco que está pendurado ao lado; é isso que o troll faz toda vez que sai para usar a espada.

Halvor tomou um gole e, num piscar de olhos, foi capaz de brandir a espada como se não pesasse nada; e agora achava que já era hora de o troll chegar. E veja só! Foi então que o troll surgiu, bufando e soprando. Halvor pulou para trás da porta.

— *Hutetu* — disse o troll ao passar a cabeça pela porta. — Que cheiro de sangue cristão!

— Sim — respondeu Halvor —, e você logo provará seu próprio sangue. — E com isso cortou todas as cabeças do troll.

Agora a princesa estava tão feliz por estar livre, que dançou e cantou ao mesmo tempo, mas de repente recordou-se das irmãs e disse:

— Quem dera minhas irmãs também fossem livres!

— Onde estão elas? — perguntou Halvor.

Ela contou tudo a ele: uma irmã fora levada por um troll para um castelo a cinquenta milhas dali, e a outra, por mais um troll para um castelo a mais cinquenta milhas de distância.

— Mas agora — disse ela —, você deve, primeiro, me ajudar a tirar esta carcaça feiosa da casa.

Sim, Halvor estava tão forte que varreu tudo e deixou o lugar limpo e arrumado num instante. Isso rendeu momentos felizes aos dois, e na manhã seguinte ele partiu ao raiar da aurora cinzenta. Não conseguiu descansar no caminho, mas correu e andou o dia todo. Quando avistou o castelo, teve um pouco de medo; era muito mais grandioso que o primeiro, mas lá também não se via vivalma. Assim, Halvor entrou na cozinha, e também não parou, mas foi logo ver o resto da casa.

— Não, não — gritou a princesa. — Um cristão se atreve a vir aqui? Não sei ao certo há quanto tempo estou aqui, mas em todo esse tempo não vi nenhum cristão. É melhor que trate de fugir na mesma rapidez com que veio, pois aqui vive um troll que tem seis cabeças.

— Eu não fugiria — respondeu Halvor. — Nem se ele tivesse mais seis cabeças.

— Ele vai agarrá-lo e engoli-lo vivo — disse a princesa.

Mas não adiantou, Halvor não foi embora. Não tinha medo do troll, mas precisava de carne e bebida, pois estava quase morto de fome depois de sua longa jornada. Ora, ganhou toda a comida que desejava, mas depois a princesa pediu que partisse outra vez.

— Não — disse Halvor. — Não vou, não fiz mal nenhum e não tenho nada a temer.

— Ele não vai parar para perguntar isso — disse a princesa —, pois vai matá-lo sem lei nem licença; mas, já que não quer sair, tente brandir aquela espada acolá, que o troll empunha na guerra.

Ele não conseguiu brandir a espada, por isso a princesa mandou que tomasse um gole do frasco pendurado ao lado e, depois de fazer isso, conseguiria brandi-la.

Foi então que o troll chegou, e ele era ao mesmo tempo alto e robusto, tanto que precisou se virar de lado para passar pela porta. Quando o troll passou a primeira cabeça, gritou:

— *Hutetu*, que cheiro de sangue cristão!

Mas no mesmo instante Halvor cortou sua primeira cabeça, e assim por diante, conforme cada uma delas apareceu. A princesa ficou radiante, mas logo pensou nas irmãs, e desejou em voz alta que fossem livres. Halvor achou que isso seria fácil de fazer, e quis partir imediatamente; mas primeiro teve que ajudar a princesa a tirar a carcaça do troll do caminho, por isso, só pôde sair na manhã seguinte.

Foi um longo caminho até o castelo, e ele teve que andar rápido e correr muito para alcançá-lo a tempo. Ao cair da noite, viu o castelo,

O CASTELO DE SORIA MORIA

LANCELOT SPEED

ainda mais bonito e grandioso do que os outros. Desta vez, não teve medo nenhum, mas atravessou a cozinha e entrou na sala seguinte. Lá estava uma princesa tão bela que sua formosura não tinha limites. Ela, assim como as outras, disse que não via um cristão desde que chegara àquele lugar, e pediu que ele fosse embora, senão, o troll o engoliria vivo.

— E sabe — disse ela —, ele tem nove cabeças.

— Sim, sim — disse Halvor. — Se tivesse mais nove cabeças, e ainda mais nove, eu não sairia daqui. — E assim permaneceu diante do fogão. A princesa continuou implorando com toda a gentileza que fosse embora, para que o troll não o devorasse, mas Halvor disse: — Ele que venha quando quiser.

A princesa deu a ele a espada do troll e pediu que tomasse um gole do frasco, para poder brandi-la e empunhá-la.

Foi então que o troll chegou, bufando e soprando e correndo. Era muito mais alto e mais robusto que os outros dois, e também teve que se virar de lado para passar pela porta. Então, quando passou a primeira cabeça, disse, exatamente como os outros:

— *Hutetu*, que cheiro de sangue cristão!

Naquele momento, Halvor cortou a primeira cabeça, e depois todo o resto; mas a última foi a mais difícil de todas, e ele teve de fazer o maior esforço para conseguir cortá-la, embora soubesse muito bem que tinha força suficiente para isso.

Então, todas as princesas foram juntas para aquele castelo, que se chamava Castelo de Soria Moria, e ficaram contentes e felizes como nunca, e todas gostavam de Halvor, e Halvor delas, e poderia escolher a que mais o agradasse como sua noiva. Dentre todas, a caçula era quem mais gostava dele.

Porém, depois de um tempo, Halvor andou pelo castelo e achou tudo muito estranho, monótono e silencioso. As princesas perguntaram a ele de que sentia falta; e será que não gostava mais de morar com elas? Gostava, sim, pois tinham mais que o suficiente para viver, e ele passava muito bem em todos os sentidos, mas ainda assim, de um jeito ou de outro, ansiava voltar para casa, pois seu pai e sua mãe estavam vivos, e tinha um imenso desejo de vê-los.

Ora, as princesas acharam que isso era muito fácil de resolver.

— Você deve ir para lá e voltar para cá, seguro e ileso, se seguir nosso conselho — disseram elas.

Sim, ele prestaria atenção a tudo o que dissessem. Então, elas o vestiram até deixá-lo tão elegante quanto o filho de um rei, e depois puseram um anel em seu dedo, e era um anel especial, com o qual podia ir e voltar, bastando um desejo; mas mandaram que tratasse de não tirá-lo nem citar os nomes das princesas, pois esse seria o fim de toda a sua bravura e ele nunca mais as veria.

— Se ao menos eu estivesse em casa, ficaria feliz — disse Halvor; e seu desejo se realizou. Lá estava ele à porta da cabana do pai antes que dissesse qualquer outra palavra. Agora, já era quase noite, e, quando viu um senhor tão majestoso e imponente entrar, o velho casal teve tanto medo que começou a se curvar em reverência. Halvor perguntou se poderia ficar lá, e se poderiam hospedá-lo naquela noite.

— Não podemos fazer isso — responderam eles —, pois não temos nada daquilo que um senhor está acostumado a ter; é melhor que sua excelência vá até à fazenda, que não fica muito longe, pois daqui é possível ver as chaminés, e lá eles têm de tudo.

Halvor não quis saber de nada disso — queria parar e descansar. Mas o velho casal insistiu que era melhor ir falar com o fazendeiro; lá, receberia carne e bebida. Quanto a eles, não tinham nem uma cadeira para ele se sentar.

— Não — disse Halvor. — Só vou para lá amanhã de manhã, mas deixem-me ficar aqui esta noite. Na pior das situações, posso me sentar no canto da chaminé.

Ora, contra isso não podiam dizer nada. Assim, Halvor sentou-se ao lado do fogão e começou a remexer as cinzas, exatamente como nos velhos tempos, quando ficava em casa e esticava os ossos preguiçosos.

Conversaram e tagarelaram sobre muitas coisas, e contaram isto e aquilo para Halvor; depois ele perguntou se nunca tiveram filhos.

Sim, sim, tiveram um rapaz chamado Halvor, mas não sabiam para onde tinha ido, não sabiam nem se estava vivo ou morto.

— Será que não sou eu? — perguntou Halvor.

— Deixe-me ver; eu o reconheceria — respondeu a velha, e se levantou. — Nosso Halvor era muito preguiçoso e lerdo, nunca fazia nada; e, além disso, andava tão esfarrapado que cada farrapo da roupa sustentava outro farrapo. Não, ele nunca seria um sujeito tão distinto quanto o senhor, mestre.

Pouco depois, a velha foi até o fogão atiçar o fogo e, quando as chamas iluminaram o rosto de Halvor, como nos velhos tempos, quando ficava em casa remexendo as cinzas, ela o reconheceu na mesma hora.

— Ah! Mas então é você, Halvor? — chorou ela.

A alegria do velho casal foi tal que não tinha limites, e ele foi obrigado a contar como se saíra, e a velha senhora ficou tão feliz e orgulhosa que não aceitou nada menos que fazê-lo ir imediatamente à fazenda e se exibir para as moças que sempre o haviam desprezado. E ela foi na frente, com Halvor logo atrás. Assim, quando chegou lá, contou a todos como Halvor tinha voltado para casa, e agora precisavam ver como ele estava elegante, pois, dizia ela, *"não parece nada menos que o filho de um rei"*.

— Pois muito bem — disseram as moças, empinando o nariz. — Temos certeza de que ele é o mesmo rapaz esfarrapado e miserável que sempre foi.

Só então chegou Halvor, e as moças ficaram tão surpresas que esqueceram suas blusas diante do fogo, onde estavam sentadas cerzindo as roupas, e correram para fora só de combinação. Quando voltaram a entrar, estavam tão envergonhadas que mal se atreviam a olhar para Halvor, com quem sempre tinham sido orgulhosas e arrogantes.

— Sim, sim – disse Halvor. — Vocês sempre se consideraram tão bonitas e asseadas que ninguém podia se aproximar de vocês; mas agora precisavam ver a mais velha das princesas que libertei: comparadas a ela, vocês parecem simples leiteiras, e a do meio é ainda mais bonita; mas a caçula, minha bem-amada, é mais bela que o sol e a lua. Quem me dera elas estivessem aqui. Aí, vocês veriam o que digo.

Mal havia pronunciado essas palavras e lá estavam elas, mas logo depois lamentou muito, pois agora se lembrava do que haviam dito.

Na fazenda, preparou-se um grande banquete para as princesas, e fez-se todo tipo de gentileza para elas, mas não quiseram ficar lá.

— Não, queremos ir até seu pai e sua mãe – disseram elas a Halvor. — Então vamos sair agora e olhar a paisagem.

Assim, ele desceu com elas e chegaram a um grande lago perto da fazenda. Junto da água havia um lindo banco verde. As princesas quiseram se sentar para descansar um pouco; acharam muito prazeroso sentar-se e olhar o lago.

Então, sentaram-se lá e, depois de algum tempo, a princesa caçula disse:

— Já que estamos aqui, posso pentear um pouco seu cabelo, Halvor.

Halvor deitou a cabeça no colo da princesa, e ela penteou os belos cachos dele, e não demorou muito para que Halvor adormecesse. Ela então tirou o anel do dedo dele, colocou outro no lugar e disse:

— Agora, abracem-me, todas juntas! E quem dera estivéssemos no Castelo de Soria Moria.

Assim, quando Halvor acordou, percebeu logo que havia perdido as princesas, e começou a chorar e gemer; e ficou tão abatido que ninguém conseguiu consolá-lo. Apesar de tudo o que o pai e a mãe disseram, não quis ficar lá, mas se despediu deles e disse que tinha certeza de que não os veria nunca mais, pois, se não pudesse reencontrar as princesas, achava que não valeria a pena viver.

Ainda lhe restavam cerca de sessenta libras, então ele as guardou no bolso e partiu.

Depois de andar por um tempo, encontrou um homem com um bom cavalo. Quis comprá-lo, e começou a negociar com o homem.

— Sim — disse o homem. — Para dizer a verdade, nunca pensei em vendê-lo; mas se pudéssemos fazer uma troca, talvez...

— O que você quer por ele? – perguntou Halvor.

— Não paguei muito por ele, nem vale muito; é um cavalo vistoso para cavalgar, mas não consegue puxar nenhuma carroça. Ainda assim, é forte o bastante para carregar seu embornal e o senhor também, uma coisa de cada vez — explicou o homem.

Finalmente concordaram quanto ao preço, e Halvor colocou o embornal sobre o cavalo, e andou um pouco, depois cavalgou um pouco, uma coisa de cada vez. À noite, chegou a uma planície verde onde havia uma grande árvore, e em suas raízes sentou-se. Ali, soltou o cavalo e não se deitou para dormir, mas abriu o embornal e fez uma refeição. Ao raiar do dia, partiu outra vez, pois não podia descansar.

Assim, cavalgou e andou, e andou e cavalgou o dia inteiro através da ampla floresta, onde havia tantos recantos verdes e clareiras que cintilavam, luminosas e adoráveis entre as árvores. Não sabia onde estava nem para onde ia, mas só descansou enquanto o cavalo comia um punhado de grama, e tirou um petisco do embornal quando chegaram a uma daquelas clareiras verdejantes. Depois, continuou a andar e cavalgar, e, quanto à floresta, parecia não ter fim.

Mas, ao anoitecer do dia seguinte, viu uma luz que brilhava em meio às árvores.

Quem dera houvesse gente por aqui, pensou Halvor, *e que eu pudesse me aquecer um pouco e conseguir um bocado de comida para manter corpo e alma juntos.*

Quando se aproximou da luz, viu que vinha de uma cabaninha miserável, e através da janela viu um casal muito idoso. Tinham cabelos tão grisalhos quanto um par de pombos, e que nariz tinha a velha! Ora, era tão comprido que ela o usava para atiçar o fogo ao sentar-se diante dele.

— Boa noite — disse Halvor.

— Boa noite — respondeu a velha. — Mas que incumbência o traz até aqui? — prosseguiu ela. Pois nenhum cristão passava por este lugar há mais de cem anos.

Halvor contou tudo sobre si e sobre como queria chegar ao Castelo de Soria Moria, e perguntou se ela conhecia o caminho até lá.

— Não — respondeu a velha —, não conheço, mas veja só, lá vem a Lua, vou perguntar a ela, deve saber tudo sobre isso, pois não brilha acima de todas as coisas?

Então, quando a Lua estava alta e clara sobre as copas das árvores, a velha saiu.

— Ó, Lua, ó, Lua — gritou. — Sabes dizer-me o caminho para o Castelo de Soria Moria?

— Não — respondeu a Lua. — Não sei, pois da última vez que brilhei lá, uma nuvem parou à minha frente.

— Espere um pouco mais — disse a velha para Halvor. — Vem aí o Vento Oeste; com certeza ele sabe, pois bufa e sopra em toda parte. — Não, não — disse a velha ao sair outra vez. — Não me diga que tem um cavalo também; solte logo o pobre animal em nosso 'sítio', não o deixe parado ali, morrendo de fome à porta. — E ela continuou: — Mas não quer fazer uma permuta? Temos um velho par de botas aqui, com as quais você pode cobrir vinte milhas a cada passo; pode ficar com elas em troca do seu cavalo, e assim chegará muito mais cedo ao Castelo de Soria Moria.

Halvor concordou na mesma hora, e a velha ficou tão feliz por ter o cavalo que estava pronta para dançar e pular de alegria.

— Agora — disse ela — poderei cavalgar até a igreja. É o que penso em fazer.

LANCELOT SPEED

Halvor não descansou e quis partir imediatamente, mas a velha disse que não havia pressa.

— Deite-se naquele banco e durma um pouco, pois não temos cama para oferecer. Vou vigiar e acordá-lo quando o Vento Oeste chegar.

Então, depois de um tempo, chegou o Vento Oeste, rugindo e uivando até as paredes rangeram e gemerem.

A velha correu para fora.

— Ó, Vento Oeste, ó, Vento Oeste! Sabes dizer-me o caminho para o Castelo de Soria Moria? Aqui está alguém que deseja ir para lá.

— Sim, sei muito bem — respondeu o Vento Oeste —, e para lá vou agora mesmo, a fim de secar as roupas para o casamento que acontecerá. Se tiver pés rápidos, pode vir comigo.

Halvor correu para fora.

— Terá que esticar as pernas se quiser me acompanhar — disse o Vento Oeste.

Ele partiu por sobre os campos e sebes, colinas e charnecas, e Halvor teve de se esforçar para acompanhá-lo.

LANCELOT SPEED

— Bem — disse o Vento Oeste —, agora não tenho mais tempo para ficar com você, pois preciso partir e derrubar um abeto antes de ir até o varal secar as roupas. Mas, se acompanhar àquela colina, encontrará muitas moças lavando roupas, e aí não estará longe do Castelo de Soria Moria.

Pouco depois, Halvor se deparou com as moças que lavavam, e elas perguntaram se tinha notícias do Vento Oeste, que deveria secar as roupas para o casamento.

— Sim, sim, tenho – respondeu Halvor. — Ele só foi derrubar um abeto. Logo virá para cá. — E perguntou o caminho para o Castelo de Soria Moria.

Elas indicaram o caminho certo, e, quando ele chegou ao castelo, o encontrou cheio de pessoas e cavalos, tão cheio que ficou zonzo só de olhar para eles. Mas Halvor estava tão esfarrapado e maltrapilho por ter seguido o Vento Oeste através de arbustos e espinheiros e brejos que ficou num canto e não se mostrou até o último dia, quando aconteceria a festa de casamento.

Depois que todos beberam à saúde da noiva e do noivo e desejaram boa sorte ao casal, o copeiro serviu a todos, Halvor por último. Ele bebeu à saúde dos noivos, mas deixou cair na taça o anel que a princesa havia colocado em seu dedo, quando dormia junto do lago, e pediu ao copeiro que parabenizasse a noiva e entregasse a taça a ela.

Foi então que a princesa se levantou da mesa.

— Quem é mais digno de ficar com uma de nós — disse ela —, aquele que nos libertou, ou aquele que está ao meu lado como noivo?

Todos disseram que quanto a isso só poderia haver uma única voz e vontade e, ouvindo isso, Halvor não demorou a se livrar de seus trapos de mendigo e se enfeitar como noivo.

— Sim, sim, aqui está o homem certo, afinal — disse a princesa caçula assim que o viu. Jogou o outro pela janela e se casou com Halvor.

A GIGANTA E O BARCO DE GRANITO

Angus W. Hall

The Giantess and the Granite Boat, Islândia, 1897

Uma história cativante sobre o amor e a fé de uma Rainha que, ao ser sequestrada por uma giganta em seu barco de granito, coloca seu futuro nas mãos do destino para poder retornar aos braços da família. Um enredo clássico com diversas versões nórdicas.

Era uma vez um rei e uma rainha que eram muito amados por todo o povo. Tinham apenas um filho, chamado Sigurd, que, mesmo quando menino, se destacava pela maravilhosa habilidade e destreza em todos os esportes e passatempos masculinos, embora sua força só fosse comparável à sua sabedoria e à sua beleza.

Anos se passaram. Sigurd tinha se tornado homem, quando um dia o rei o chamou.

— Meu filho – disse ele –, está na hora de você escolher uma noiva adequada. Estou ficando velho e não espero viver por muito tempo. Você vai assumir o meu lugar daqui a alguns anos e deve tentar ganhar o respeito e a estima dos homens demonstrando sua capacidade de conquistar uma princesa digna de compartilhar o seu trono. Visite primeiro o país de Hardrada, meu amigo. Ouvi dizer que a filha dele é, de fato, uma maravilha de beleza e bondade.

Sigurd se preparou imediatamente para começar a jornada. Com poucos companheiros escolhidos, estendeu as velas de sua nobre galera, a proa alta encarando as ondas, e a popa, grandiosa com entalhes e douraduras, reluzindo ao sol. Depois de navegar por alguns dias sobre águas agitadas, a embarcação chegou ao país de Hardrada. Era noite; uma das gloriosas noites de verão do norte, quando a lua fica quase tão brilhante quanto o sol. A costa arrojada, com precipícios e picos estranhos e grotescos, parecia extremamente inacessível, até que de repente um grande riacho ou fiorde foi visto, em cuja nascente se erguia o palácio do rei. As janelas todas brilhavam com a luz, e os sons da música e da comemoração diziam aos viajantes que havia um banquete em andamento.

Deixando o barco, Sigurd e seus companheiros seguiram em direção ao palácio, onde receberam as boas-vindas mais entusiasmadas do rei e de sua filha Helga. A princesa era, de fato, tudo que tinham falado – alta e linda, e tão gentil e charmosa que Sigurd decidiu conquistá-la. Na manhã seguinte, ele se apresentou ao rei com o objetivo de sua jornada e recebeu seu consentimento. Hardrada estava ansioso para ter um genro para compartilhar os cuidados do reino que, agora que ele estava velho, pesavam muito sobre ele. Como condição de ficar com Hardrada, Sigurd só estipulou que deveria voltar ao próprio país assim que o pai mandasse buscá-lo.

E assim o casamento de Sigurd, o corajoso, com Helga, a bela, aconteceu com grande pompa e alegria, com Thanes e outros nobres vindo de todas as partes para trazer presentes para os jovens.

Sigurd e a esposa se amavam com muito carinho, e a felicidade dos dois foi completada quando, depois de um ano, um filho nasceu desse amor, herdando a beleza da mãe e a força e a forma elegante do pai. Três anos felizes se passaram, e o pequeno Kurt tinha dois anos quando Sigurd recebeu a notícia da morte do pai e um chamado para sua terra natal.

Foi uma despedida triste entre Helga e o pai; mas Sigurd não ousava demorar, e mais uma vez o belo barco viking começou a viagem pelas ondas cujos picos refletiam o sol, levando o jovem rei, a esposa e o filho.

Durante vários dias, o vento foi favorável; mas, faltando um dia de navegação até o país de Sigurd, a embarcação encontrou uma calmaria extraordinária. Dia após dia, o sol os atingia com ardor e força; não se sentia nem um sopro de ar. Na parte da frente da embarcação, os homens todos tinham descido para o porão. Os companheiros de Sigurd também estavam dormindo, enquanto ele e a esposa continuavam no convés, sob o toldo, conversando baixinho, com o pequeno Kurt brincando aos seus pés. Depois de um tempo, um torpor estranho pareceu derrubar Sigurd e, declarando que não conseguia mais ficar acordado, ele também desceu e caiu no sono como os outros.

Helga agora estava sozinha no convés com o filho. De repente, quando estava brincando com ele, ela viu um objeto estranho se movendo lentamente sobre a superfície lisa da água. Protegendo os olhos com as mãos, ela o observou e, quando se aproximou, percebeu que era um barco, com uma forma curiosa e desajeitada sentada remando.

Ele se aproximava cada vez mais, com remadas silenciosas e rápidas, e, quando encostou na embarcação com um barulho forte, a rainha viu que era muito grande e feito de granito. Com um salto, a terrível giganta que o remava estava no convés. Como em um sonho, a rainha não conseguia se mexer nem emitir um som para acordar o rei ou a tripulação do barco. Parecia presa por uma força invisível. A giganta

HENRY J. FORD *para a versão de "A Bruxa e o Barco de Granito"*

se aproximou dela e, pegando a criança, colocou o menino atrás de si; em seguida, começou a tirar todas as belas roupas bordadas da rainha, deixando-a com apenas uma vestimenta de linho, e, enquanto vestia as roupas de Helga, ela gradualmente também assumia sua forma e sua aparência. Por fim, ela pegou a rainha e a colocou no barco de granito, dizendo, em uma voz terrível, enquanto fazia isso:

— Obedeça às minhas palavras e ao meu encanto mágico. Nunca deverás descansar nem parar no caminho, até chegares ao meu irmão nas regiões mais baixas.

A pobre rainha, meio desmaiada e totalmente impotente, ficou sentada imóvel e calada no barco como uma estátua. Com um empurrão forte, a giganta afastou o barco da lateral da embarcação, e ele rapidamente se perdeu de vista.

O pequeno Kurt começou a chorar. A giganta tentou acalmá-lo, mas foi em vão; quanto mais tentava, pior ele ficava, até que, finalmente, perdendo toda a paciência, ela o pegou e o levou para o porão, até o rei.

Acordando-o com brutalidade, ela o repreendeu em voz alta por tê-la deixado sozinha no convés com a criança.

— Foi muito descuidado e negligente da sua parte — continuou ela. — Alguém devia ter ficado de guarda enquanto você dormia. Ninguém sabe dizer o que pode acontecer quando alguém fica sozinho. Foi impossível silenciar a criança; portanto, eu o trouxe para cá, que é o local adequado para ele. Já passou da hora de você acordar sua tripulação preguiçosa. Um vento favorável finalmente surgiu, e podemos ter uma chance de sair desse barco maldito.

Sigurd ficou perplexo por ser tratado nesses termos pela rainha. Em toda a vida de casados, ele nunca a ouvira falando desse jeito. No entanto, decidiu não dar atenção a isso; ela devia estar muito cansada com o calor, pensou, e, respondendo muito delicadamente, se esforçou para acalmar a criança. O pequeno, no entanto, soluçava e chorava tanto quanto antes.

A esta altura, a tripulação tinha acordado, as velas foram hasteadas e, com o vento esplendidamente refrescante, eles chegaram à terra no dia seguinte. Ali, o país inteiro ainda estava de luto pelo falecido rei. Mas o povo se alegrou muito quando recebeu a notícia de que Sigurd havia retornado em segurança. Ele foi coroado em meio a aclamações universais e assumiu imediatamente as rédeas do governo.

Mas, desde a estranha calmaria no mar, o pequeno filho do rei nunca tinha parado de chorar e soluçar, especialmente na presença da suposta mãe, sendo que, antes daquele momento, era uma criança notavelmente feliz e amorosa. O rei, portanto, escolheu uma ama-seca para ele entre as pessoas da corte e, quando estava com ela, o pequeno parecia ser novamente a criança radiante e feliz que tinha sido.

Mas o rei não conseguia entender a mudança que tinha acontecido com a rainha desde a jornada dos dois. Ela, que antes era tão boa e gentil, agora era obstinada, rabugenta e mentirosa. Em pouco tempo, os outros começaram a notar a natureza desagradável e brigona da esposa do rei.

Bem, havia na corte dois jovens que eram tão dedicados a jogar xadrez que ficavam sentados durante horas diante do jogo, em vez de participarem dos esportes ao ar livre dos outros jovens cortesãos. Como eram primos do rei, seus aposentos ficavam no palácio, e por acaso eram ao lado dos aposentos da rainha. Ela vinha sendo especialmente rude e desagradável com eles desde que chegara, e eles ficariam felizes de se vingar dela de qualquer maneira.

Certo dia, ouvindo-a se movimentando de um lado para o outro e falando com raiva, eles olharam por uma fresta da porta e a ouviram dizer claramente:

— Quando bocejo levemente, fico pequena e delicada, como uma jovem donzela; quando bocejo um pouco mais, viro metade de uma giganta; mas, quando estico os braços e bocejo com toda vontade, volto ao meu tamanho original e me torno uma giganta poderosa.

E, ao dizer essas palavras, ela se espreguiçou, bocejou de maneira assustadora, como se o maxilar fosse quebrar, e de repente cresceu até virar uma giganta monstruosa e terrível. Em seguida, batendo os pés, o piso se abriu e surgiu um gigante de três cabeças, carregando uma tigela enorme de carne crua. Cumprimentando a rainha como sua irmã, ele colocou a tigela diante dela, que devorou o conteúdo, sem parar até tê-la esvaziado.

Os dois jovens cortesãos observaram essa cena estranha, embora não conseguissem ouvir tudo que a giganta e o irmão diziam um para o outro. Ficaram horrorizados em ver como ela devorava a carne com voracidade e impressionados com a quantidade que ela comia, pois à mesa do rei ela só se servia delicadamente dos pratos. Assim que ela esvaziou a tigela, o gigante de três cabeças desapareceu do mesmo jeito que tinha aparecido, e a rainha, bocejando levemente, assumiu de imediato sua forma humana outra vez. Os jovens príncipes então voltaram para o jogo, discutindo o mistério em tons baixos.

E o que aconteceu com o filho do rei esse tempo todo? Certa noite, quando a ama-seca havia acendido o candelabro e estava brincando com a criança nos braços, algumas tábuas no centro do chão se abriram e uma moça muito adorável, usando apenas uma vestimenta branca de linho, apareceu. Sua cintura estava envolvida por uma argola pesada de ferro, que estava presa a uma corrente que descia diretamente pelo buraco no chão.

Com um leve gritinho, ela correu até a ama-seca, pegou o menino nos braços, lhe deu um beijo e o afagou, e depois de não economizar carícias, o colocou delicadamente de volta nos braços da ama-seca e desapareceu do mesmo jeito que tinha surgido, o chão se fechando de novo sobre ela. Esse tempo todo, ela não disse uma única palavra.

A ama-seca ficou surpresa com o incidente, mas, assustada, não disse uma palavra para ninguém. Na noite seguinte, a mesma coisa aconteceu. A moça de roupão branco surgiu pelo chão, pegou a criança, beijou e acariciou de maneira amorosa e depois o recolocou nos braços da ama-seca. Mas, desta vez, enquanto se preparava para descer, ela murmurou, em tons tristes:

— Essa felicidade me foi permitida duas vezes. Depois de mais uma vez, tudo estará acabado.

E desapareceu, e o chão se fechou sobre ela como antes.

A ama-seca ficou muito assustada quando ouviu a moça de branco dizer essas palavras. Teve medo de que algum perigo pudesse ameaçar a criança e, ao mesmo tempo, ficou muito tocada com a desconhecida, que tinha acariciado o menino como se fosse dela. Portanto, achou melhor falar com o rei, contar o que tinha acontecido e implorar para ele estar presente no momento em que a moça de roupão branco costumava aparecer. O rei ouviu a história da mulher com atenção e, achando que era uma brincadeira, prometeu que estaria lá.

A GIGANTA E O BARCO DE GRANITO

A noite seguinte, portanto, o encontrou a tempo no berçário, sentado em uma cadeira, com a espada desembainhada, perto do local onde a desconhecida sempre aparecia. Não precisou esperar muito. Com um rangido fraco, as tábuas se abriram e a bela figura de roupão branco apareceu, com a argola de ferro na cintura e uma corrente comprida.

Em um instante, Sigurd reconheceu a esposa amada, Helga, e, rápido como um raio, a tomou nos braços e, com um golpe da espada, cortou a corrente que a prendia. Imediatamente, os gemidos e rugidos mais terríveis saíram da terra, o castelo todo se balançou e tremeu, e todos acharam que estava acontecendo um terremoto. Mas, em pouco tempo, os sons sobrenaturais pararam sem que nenhum dano acontecesse.

Então, Helga relatou ao querido lorde tudo que tinha acontecido a ela, como a giganta malvada tinha ido até a embarcação em seu barco de granito quando todos estavam dormindo e, com seu poder mágico, tinha tirado todas as suas roupas e as vestido.

— Quando ela me colocou no barco de granito, ele flutuou sozinho até a embarcação estar fora de visão — continuou ela —, e então eu percebi que estávamos indo em direção a um objeto grande e escuro, que, quando nos aproximamos da terra, percebi ser um enorme gigante de três cabeças. Ele queria que eu me casasse com ele, mas me recusei decididamente a ser sua esposa, por isso ele me acorrentou em uma grande caverna solitária, dizendo que eu jamais seria livre se não consentisse. Ele aparecia dia sim, dia não, repetindo o mesmo pedido e as mesmas ameaças. Então, conforme o tempo passava e eu não via esperança de ajuda, comecei a pensar em como eu poderia escapar das mãos dele. Por fim, eu lhe disse que seria sua esposa se ele me permitisse visitar meu filho na terra por três dias seguidos. No início ele não quis concordar, mas, quando insisti, ele cedeu; mas eu tive que prometer que não diria quem eu era. Ele então colocou essa argola de ferro na minha cintura, à qual prendeu uma corrente que está presa a ele na outra ponta. Tive esperança de que talvez uma noite você pudesse estar aqui quando eu viesse ver nosso pequeno Kurt. Meu coração ficou muito triste quando a segunda noite se passou sem ver você! Mas minhas orações nunca cessaram, e agora recebi minha recompensa. Os gemidos terríveis quando você cortou a corrente devem ter sido do gigante. Ele

132 ANGUS W. HALL

HENRY J. FORD *para a versão de "A Bruxa e o Barco de Granito"*

cairia quando a corrente ficasse frouxa de repente, porque ele mora exatamente embaixo do castelo. Ele provavelmente quebrou o pescoço quando caiu, e o terrível choque deve ter sido de seus espasmos de morte.

Agora o rei via claramente por que não conseguia reconciliar o comportamento da giganta com o da gentil Helga, sua querida rainha. A impostora abominável, que agora tinha voltado à forma original, foi chamada diante do Conselho de Estado e, como prova adicional contra ela, os dois jovens príncipes relataram o que tinham ouvido e visto. Ela foi condenada a virar pedra até a morte, e seu corpo foi colocado em um saco e despedaçado por cavalos selvagens.

A verdadeira rainha foi investida de todas as suas honras legítimas e em pouco tempo conquistou os corações do povo. E a ama-seca do pequeno Kurt não foi esquecida. Ela se casou com um nobre importante, e o rei e a rainha lhe deram um belo dote. Ela e o marido foram amigos de Sigurd e Helga até o fim de seus dias.

O GATO EM DOVREFJELL

Peter Christen Asbjørnsen e Jørgen Moe

Kjetta på Dovre, Noruega, 1841

Em uma versão diferente e curta de "Peer Gynt", trolls acreditam que um grande gato habita a casa de Halvor. A diferença é que o suposto felino é um tanto maior que os normais e costuma assustar os visitantes do dono.

Era uma vez um homem que vivia em Finnmark e capturou um grande urso-polar, que levaria para o rei da Dinamarca. Aconteceu de ele chegar à região montanhosa de Dovrefjell justo na véspera de Natal. Entrou numa casa onde morava um homem chamado Halvor, e perguntou se lá poderia conseguir acomodações para si e para o urso.

— Que os céus me amaldiçoem se o que digo não for verdade! — disse o homem. — Mas não podemos dar acomodações para ninguém agora, pois a cada véspera de Natal um bando de trolls nos ataca e somos forçados a fugir, e não temos sequer um teto sobre a cabeça, que dirá emprestá-lo a qualquer outra pessoa.

— É mesmo? – respondeu o homem. — Se é assim, você pode muito bem me emprestar seu teto; meu urso pode se deitar debaixo do fogão acolá, e eu posso dormir no quarto de hóspedes.

Ora, ele implorou tanto, que finalmente obteve permissão para ficar. Logo as pessoas da casa fugiram e, antes que partissem, deixaram tudo pronto para os trolls: as mesas foram arrumadas, e havia mingau de arroz, peixe cozido na lixívia[4], salsichas e tudo o que há de bom, como em qualquer grande banquete.

Quando tudo estava pronto, chegaram os trolls. Alguns eram enormes, outros eram pequenos; alguns tinham caudas longas, e outros, cauda nenhuma; alguns também tinham narizes muito, muito compridos. Eles comeram e beberam e experimentaram tudo. Só então um dos trolls pequenos avistou o urso branco, deitado debaixo do fogão. Pegou um pedaço de salsicha e o espetou num garfo, foi até lá e o encostou no nariz do urso, gritando:

— Gatinho, quer uma salsicha?

Então o urso branco se levantou e rosnou, e expulsou todo o bando da casa, tanto os grandes quanto os pequenos.

---

[4] Lutefisk é um prato escandinavo que consiste em peixe cozido na lixívia, adquirindo uma consistência gelatinosa, depois imerso na água para retirar a solução cáustica. [N.T.]

PETER CHRISTEN ASBJØRNSEN E JØRGEN MOE

R. & H. J. KNOWLES, 1910

O GATO EM DOVREFJELL 137

R. & H. J. KNOWLES, 1910

ILUSTRADOR DESCONHECIDO

No ano seguinte, Halvor estava no bosque, na tarde da véspera de Natal, cortando lenha antes das festas, pois achava que trolls viriam mais uma vez; e estava ali, empenhado no trabalho, quando ouviu uma voz na floresta chamar:

— Halvor! Halvor!

— Bem — disse Halvor. — Aqui estou.

— Você ainda tem aquele seu gato enorme?

R. & H. J. KNOWLES, 1910

— Tenho, sim — respondeu Halvor. — É uma gata, está deitada debaixo do fogão na minha casa e, além do mais, agora teve sete filhotes, muito maiores e mais ferozes do que ela.

— Ah, então, nunca mais vamos visitá-lo! — berrou o troll na floresta.

Ele cumpriu a palavra, pois desde então os trolls nunca mais comeram mingau de Natal com Halvor em Dovrefjell.

PODEROSO MIKKO

A HISTÓRIA DE UM POBRE LENHADOR E UM RAPOSO AGRADECIDO

Parker Fillmore

Mighty Mikko: The Story of a Poor Woodsman and a Grateful Fox,
Finlândia, 1922

Recorrendo à consciência animal, elemento quase sempre presente nos contos de fadas, um esperto Raposo, agradecido por ter sido resgatado de uma armadilha de caça, tenta arranjar o casamento entre a princesa e seu salvador, um pobre lenhador. Motivo semelhante ao clássico "O Gato de Botas".

Era uma vez um velho lenhador e sua esposa, que só tiveram um filho, chamado Mikko. Quando a mãe estava morrendo, o jovem chorou com amargura.

— Quando você se for, minha querida mãe – disse ele —, não haverá mais ninguém para pensar em mim.

A pobre mulher o consolou da melhor maneira possível e lhe disse:
— Você ainda vai ter o seu pai.

Pouco depois da morte da mulher, o velho também adoeceu.

Agora, de fato, serei deixado desolado e sozinho, pensou Mikko, sentado ao lado do leito do pai e vendo-o ficar cada vez mais fraco.

— Meu menino – disse o velho, pouco antes de morrer —, não tenho nada para lhe deixar além das três armadilhas com as quais, durante muitos anos, capturei animais selvagens. Essas armadilhas agora pertencem a você. Quando eu morrer, vá até o bosque e, se encontrar uma criatura selvagem presa em alguma delas, liberte-a com delicadeza e a traga viva para casa.

Depois da morte do pai, Mikko se lembrou das armadilhas e foi até o bosque para vê-las. A primeira estava vazia, e a segunda também, mas na terceira encontrou um pequeno Raposo vermelho. Ele levantou a mola que havia se fechado sobre o pé do Raposo e carregou a pequena criatura para casa nos braços. Compartilhou o jantar com o animal e, quando se deitou para dormir, o Raposo se encolheu nos pés dele. Os dois moraram juntos por um tempo, até que se tornaram amigos próximos.

— Mikko – disse o Raposo, certo dia —, por que você está tão triste?

— Porque estou solitário.

— Pfff! – disse o Raposo. — Isso não é jeito de um jovem falar! Você devia se casar! Assim não vai se sentir solitário.

— Casar! – repetiu Mikko. — Como posso me casar? Não posso me casar com uma moça pobre porque também sou pobre, e uma moça rica não se casaria comigo.

— Bobagem! – disse o Raposo. — Você é um jovem belo e bem estabelecido, e é delicado e gentil. O que mais uma princesa iria querer?

Mikko riu ao pensar em uma princesa querendo se casar com ele.

— Estou falando sério! — insistiu o Raposo. — Pense na sua Princesa atual. O que você acharia de se casar com ela?

Mikko riu mais alto do que antes.

— Ouvi dizer — comentou — que é a princesa mais linda do mundo! Qualquer homem ficaria feliz de se casar com ela!

— Muito bem — disse o Raposo —, se você se sente assim em relação a ela, vou providenciar o casamento.

Com isso, o pequeno Raposo realmente foi até o castelo real e conseguiu uma audiência com o Rei.

— Meu mestre envia seus cumprimentos — disse o Raposo — e implora que o senhor lhe empreste seu medidor de alqueires.

— Meu medidor de alqueires! — repetiu o Rei, surpreso. — Quem é seu mestre e por que ele quer meu medidor de alqueires?

— Shhh! — sussurrou o Raposo, como se não quisesse que os cortesãos ouvissem o que estava dizendo. Em seguida, se aproximando muito do Rei, murmurou no seu ouvido:

— Claro que você já ouviu falar de Mikko, não é? Poderoso Mikko, como é chamado.

O Rei nunca tinha ouvido falar de nenhum Mikko que fosse conhecido como Poderoso Mikko. Porém, pensando que talvez *devesse* ter ouvido falar dele, balançou a cabeça e murmurou:

— Hum! Mikko! Poderoso Mikko! Ah, com certeza! Sim, sim, claro.

— Meu mestre está prestes a partir em uma jornada e precisa de um medidor de alqueires por um motivo muito específico.

— Entendo! Entendo! — disse o Rei, embora não entendesse de jeito nenhum, e deu ordens para que o medidor de alqueires que eles usavam no depósito do castelo fosse trazido e dado ao Raposo.

O Raposo carregou o medidor e o escondeu no bosque. Em seguida, correu por todos os tipos de esconderijos e fendas onde as pessoas escondiam suas economias e pegou uma moeda de ouro aqui e uma de prata ali, até estar com um punhado delas. Em seguida, voltou para o bosque e enfiou as diversas moedas nas rachaduras do medidor. No dia seguinte, voltou ao Rei.

— Meu mestre, Poderoso Mikko — disse —, envia seus agradecimentos, ó, Rei, pelo uso do seu medidor de alqueires.

O Rei estendeu a mão e, quando o Raposo lhe entregou o medidor, ele espiou lá dentro para ver se, por acaso, continha algum traço do que havia sido medido. Evidentemente, seu olhar captou de imediato o brilho das moedas de ouro e prata alojadas nas fendas.

— Ah! — disse ele, pensando que Mikko devia de fato ser um lorde muito poderoso para ser tão descuidado com sua riqueza. — Eu gostaria de conhecer o seu mestre. Por que você e ele não vem me visitar?

Era isso que o Raposo queria que o Rei dissesse, mas fingiu hesitar.

— Agradeço a Vossa majestade pelo convite gentil — disse —, mas temo que meu mestre não possa aceitá-lo neste momento. Ele quer se casar em breve, e estamos prestes a dar início a uma longa jornada para analisar inúmeras princesas estrangeiras.

Isso deixou o Rei ainda mais ansioso para que Mikko o visitasse de imediato, pois pensava que, se Mikko visse sua filha antes dessas princesas estrangeiras, ele poderia se apaixonar e se casar com ela. Então disse ao Raposo:

— Meu querido camarada, você precisa convencer o seu mestre a me fazer uma visita antes de começar suas viagens! Você vai fazer isso, não é?

O Raposo olhou para ele como se estivesse envergonhado demais para falar.

— Vossa majestade — disse finalmente —, peço que perdoe minha franqueza. A verdade é que o senhor não é rico o suficiente para entreter o meu mestre, e seu castelo não é grande o suficiente para abrigar o imenso séquito que sempre o acompanha.

O Rei, que, neste momento, estava louco para ver Mikko, perdeu totalmente a cabeça.

— Meu querido Raposo — disse ele —, eu lhe dou qualquer coisa no mundo se você convencer o seu mestre a me visitar imediatamente! Você não pode convencê-lo a viajar com um séquito modesto desta vez?

O Raposo balançou a cabeça.

— Não. A regra dele é viajar com um séquito grandioso ou seguir a pé, disfarçado como lenhador pobre, apenas comigo.

— Você não pode convencê-lo a vir a mim disfarçado como lenhador pobre? — implorou o Rei. — Quando ele chegar aqui, posso colocar roupas maravilhosas à disposição dele.

Mas o Raposo balançou a cabeça de novo.

— Temo que o guarda-roupa de Vossa Majestade não contenha o tipo de roupa a que meu mestre está acostumado.

— Garanto a você que tenho roupas muito boas — disse o Rei. — Venha neste minuto e vamos vê-las, e tenho certeza que você vai encontrar alguma que seu mestre vestiria.

E assim eles foram até um quarto que era como um guarda-roupa grande, com centenas e centenas de cabides onde estavam pendurados centenas de casacos e calças e camisas bordadas. O Rei ordenou aos criados que tirassem as roupas uma por uma e colocassem diante do Raposo.

Começaram com roupas mais simples.

— Boas o suficiente para a maioria das pessoas — disse o Raposo —, mas não para o meu mestre.

Então pegaram vestimentas mais finas.

— Sinto dizer que vocês estão se incomodando tanto por nada — disse o Raposo. — Francamente, vocês não percebem que o meu mestre jamais poderia usar nenhuma dessas coisas!

O Rei, que esperava guardar para si as roupas mais maravilhosas de todas, agora ordenou que estas fossem mostradas.

O Raposo olhou para elas de esguelha, farejou-as de um jeito crítico e finalmente disse:

— Bem, talvez o meu mestre concorde em usar essas por alguns dias. Não são o que ele está acostumado a vestir, mas vou dizer uma coisa: ele não é orgulhoso.

O Rei ficou radiante.

— Muito bem, meu querido Raposo, vou mandar preparar os aposentos de hóspedes para a visita do seu mestre e vou pedir para deixarem essas roupas, minhas melhores, à disposição dele. Você não vai me decepcionar, vai?

— Vou fazer o possível – prometeu o Raposo.

Com isso, ele desejou educadamente um bom dia ao Rei e correu para a casa de Mikko.

No dia seguinte, quando a Princesa estava espiando por uma janela alta do castelo, viu um jovem lenhador se aproximando acompanhado de um Raposo. Era um belo jovem robusto, e a Princesa, que sabia, pela presença do Raposo, que aquele devia ser Mikko, deu um suspiro demorado e confidenciou à sua criada:

— Acho que eu poderia me apaixonar por aquele jovem mesmo que ele fosse apenas um lenhador!

Mais tarde, quando o viu usando as melhores roupas do pai – que caíram tão bem em Mikko que ninguém sequer as reconheceu como sendo do Rei –, ela perdeu o coração completamente, e quando Mikko lhe foi apresentado, ela corou e tremeu como qualquer moça comum faria diante de um belo jovem.

Toda a Corte ficou igualmente encantada com Mikko. As senhoras ficaram extasiadas com seu jeito modesto, sua bela forma e a grandiosidade das suas roupas, e os velhos Conselheiros barbados, assentindo em aprovação, diziam uns aos outros:

— Não há nada de arrogância nesse jovem! Apesar de sua grande riqueza, veja como ele nos escuta educadamente quando falamos!

No dia seguinte, o Raposo foi até o Rei em segredo e disse:

— Meu mestre é um homem de poucas palavras e de julgamento rápido. Ele me pediu para lhe dizer que sua filha, a Princesa, lhe agrada muito e que, com sua aprovação, ele vai fazer o pedido a ela imediatamente.

O Rei ficou muito agitado e começou:

— Meu querido Raposo...

Mas o Raposo o interrompeu para dizer:

— Pense com carinho no assunto e me dê sua decisão amanhã.

Então o Rei consultou a Princesa e os Conselheiros e, em pouco tempo, o casamento foi arranjado e a cerimônia foi realizada!

— Não falei? – disse o Raposo, quando ele e Mikko estavam sozinhos, depois do casamento.

JAY VAN EVEREN

— É – reconheceu Mikko —, você realmente prometeu que eu me casaria com a Princesa. Mas, me diga, agora que estou casado, o que devo fazer? Não posso morar aqui para sempre com a minha esposa.

— Acalme sua mente – disse o Raposo. — Já pensei em tudo. Faça o que eu digo e não vai ter nada do que se arrepender. Hoje à noite, diga ao Rei: "Agora é adequado que você me visite e veja por conta própria o castelo do qual sua filha será senhora daqui em diante".

Quando Mikko disse isso ao Rei, este ficou encantado, pois agora que o casamento tinha acontecido, ele estava se perguntando se talvez não tivesse sido um pouco apressado. As palavras de Mikko o tranquilizaram, e ele aceitou avidamente o convite.

Pela manhã, o Raposo disse a Mikko:

— Agora eu vou na frente e arrumo as coisas para você.

— Mas aonde você vai? – perguntou Mikko, assustado com a ideia de ser abandonado pelo pequeno amigo.

O Raposo levou Mikko para um canto e sussurrou baixinho:

— A poucos dias de caminhada daqui há um castelo muito vistoso que pertence a um velho dragão malvado, conhecido como Verme. Acho que o castelo do Verme seria adequado para você.

— Tenho certeza que sim – concordou Mikko. — Mas como vamos tirá-lo do Verme?

— Confie em mim – disse o Raposo. — Tudo que você precisa fazer é o seguinte: leve o Rei e seus cortesãos pela estrada principal até que, amanhã, perto da metade do dia, você vai chegar a uma encruzilhada. Vire à esquerda e siga em frente até ver a torre do castelo do Verme. Se encontrar algum homem na beira da estrada, pastores ou coisa assim, pergunte a quem eles são subordinados e não demonstre surpresa com a resposta. Então, agora, querido mestre, adeus até nos encontrarmos de novo no seu belo castelo.

O pequeno Raposo saiu trotando em ritmo acelerado, e Mikko e a Princesa e o Rei, acompanhados por toda a Corte, o seguiram de modo mais vagaroso.

O pequeno Raposo, quando saiu da estrada principal na encruzilhada, logo encontrou dez lenhadores com machados nos ombros. Estavam todos vestindo uniformes azuis com o mesmo corte.

— Bom dia — disse o Raposo educadamente. — A quem vocês são subordinados?

— Nosso mestre é conhecido como o Verme — responderam os lenhadores.

— Meus pobres, pobres rapazes! — disse o Raposo, balançando a cabeça com tristeza.

— Qual é o problema? — perguntaram os lenhadores.

Por alguns instantes, o Raposo fingiu estar emocionado demais para falar. Depois, disse:

— Meus pobres rapazes, vocês não sabem que o Rei está vindo com uma grande força para destruir o Verme e todo o seu povo?

Os lenhadores eram pessoas simples, e essa notícia os deixou muito consternados.

— Não há como escaparmos? — perguntaram.

O Raposo colocou a pata na cabeça e pensou.

— Bem — disse por fim —, tem um jeito de vocês escaparem, e é dizendo a todos que perguntarem que vocês são homens do Poderoso Mikko. Mas, se vocês valorizam a própria vida, nunca mais digam que seu mestre é o Verme.

— Somos homens do Poderoso Mikko! — os lenhadores começaram a repetir várias vezes. — Somos homens do Poderoso Mikko!

Um pouco mais adiante na estrada, o Raposo encontrou vinte cavalariços usando o mesmo uniforme azul e que estavam cuidando de uma centena de belos cavalos. O Raposo falou com os vinte cavalariços como tinha falado com os lenhadores e, antes de ir embora, eles também estavam gritando:

— Somos homens do Poderoso Mikko!

Em seguida, o Raposo encontrou um enorme rebanho de mil carneiros cuidados por trinta pastores vestidos com o uniforme azul do Verme. Ele parou e falou com eles até estarem todos gritando:

— Somos homens do Poderoso Mikko!

Então o Raposo trotou até chegar ao castelo do Verme. Encontrou o próprio Verme lá dentro, relaxando preguiçosamente. Era um dragão enorme e tinha sido um grande guerreiro no seu tempo. Na verdade, seu castelo e suas terras e seus criados e suas posses, tudo tinha sido conquistado em batalha. Mas agora, depois muitos anos, ninguém se importava de lutar contra ele, que ficou gordo e preguiçoso.

— Bom dia — disse o Raposo, fingindo estar muito ofegante e assustado. — Você é o Verme, não é?

— Sou — disse o dragão, prepotente —, sou o grande Verme!

O Raposo fingiu ficar mais agitado.

— Meu pobre camarada, sinto muito por você! Mas é claro que nenhum de nós pode esperar viver para sempre. Bem, preciso correr. Achei que devia simplesmente parar e me despedir.

Desconfortável com as palavras do Raposo, o Verme gritou:

— Espere um minuto! O que está acontecendo?

O Raposo já estava na porta, mas, diante da súplica do Verme, parou e disse por sobre o ombro:

— Ora, meu pobre camarada, você certamente sabe que o Rei está vindo com uma grande força para destruir você e todo o seu povo!

— O quê? — ofegou o Verme, ficando de um tom nojento de verde pelo medo. Ele sabia que estava gordo e inútil e que jamais poderia lutar como em tempos passados.

— Não vá ainda! — implorou ao Raposo. — Quando é que o Rei vem?

— Ele está na estrada agora mesmo! É por isso que preciso ir embora! Adeus!

— Meu querido Raposo, fique só por um instante e eu vou recompensá-lo ricamente! Me ajude a me esconder para que o Rei não me encontre! Que tal o abrigo onde armazenamos o linho? Posso me esconder embaixo do linho e, se você trancar a porta por fora, o Rei nunca vai conseguir me encontrar.

— Muito bem — concordou o Raposo —, mas precisamos ser rápidos!

E assim eles correram para o abrigo lá fora, onde o linho era guardado, e o Verme se escondeu embaixo do linho. O Raposo trancou a porta, depois ateou fogo ao abrigo, e logo não havia mais nada daquele velho dragão malvado, o Verme, exceto um punhado de cinzas.

O Raposo chamou os criados da casa do dragão e conversou com eles sobre Mikko, como tinha feito com os lenhadores e os cavalariços e os pastores.

Enquanto isso, o Rei e seu séquito estavam seguindo lentamente pelo caminho por onde o Raposo tinha passado com tanta rapidez. Quando chegaram aos dez lenhadores usando uniformes azuis, o Rei indagou:

— De quem serão esses lenhadores?

Um de seus criados perguntou aos lenhadores, e os dez gritaram com força total dos pulmões:

— Somos homens do Poderoso Mikko!

Mikko não disse nada, e o Rei e toda a Corte ficaram novamente impressionados com sua modéstia.

Um pouco mais além eles encontraram os vinte cavalariços com os cem cavalos empinados. Quando os cavalariços foram questionados, responderam com um grito:

— Somos homens do Poderoso Mikko!

O Raposo certamente disse a verdade, pensou o Rei consigo mesmo, *quando me falou das riquezas de Mikko!*

Um pouco depois, os trinta pastores, quando questionados, responderam em um coro ensurdecedor:

— Somos homens do Poderoso Mikko!

A visão dos mil carneiros que pertenciam ao seu genro fez o Rei se sentir pobre e humilhado em comparação, e os cortesãos sussurraram entre si:

— Com esses modos simples, o Poderoso Mikko deve ser um lorde mais rico e mais poderoso que o próprio Rei! Na verdade, apenas um lorde muito grandioso pode ser tão simples!

Eles por fim chegaram ao castelo que, pelos soldados de uniforme azul que protegiam o portão, sabiam que pertencia a Mikko. O Raposo saiu para dar as boas-vindas ao séquito do Rei e, atrás dele, em duas fileiras, estavam todos os criados da casa. Ao sinal do Raposo, todos gritaram em uníssono:

— Somos homens do Poderoso Mikko!

Então, Mikko, do mesmo jeito simples que teria usado na pequena cabana do pai no bosque, deu as boas-vindas ao Rei e seus seguidores, e todos entraram no castelo, onde viram que um grande banquete já estava preparado e esperando por eles.

O Rei ficou lá por vários dias e, quanto mais via de Mikko, mais ficava feliz por tê-lo como genro.

Quando estava indo embora, ele disse a Mikko:

— Seu castelo é tão maior que o meu que hesito em convidá-lo a voltar para me visitar.

Mas Mikko tranquilizou o Rei dizendo com sinceridade:

— Meu querido sogro, quando entrei pela primeira vez em seu castelo, achei que era o castelo mais lindo do mundo!

O Rei ficou lisonjeado, e os cortesãos sussurraram entre si:

— Que adorável ele dizer isso quando sabe muito bem como o castelo dele é muito maior!

Quando o Rei e seus seguidores estavam longe, o pequeno Raposo vermelho foi até Mikko e disse:

— Agora, meu mestre, você não tem motivo para se sentir triste e solitário. Você é o senhor do castelo mais lindo do mundo e tem como esposa uma doce e adorável Princesa. Você não precisa mais de mim, por isso vou me despedir.

Mikko agradeceu ao pequeno Raposo por tudo que ele tinha feito, e o pequeno Raposo saiu trotando para o bosque.

Assim você vê que o pobre e velho pai de Mikko, embora não tivesse nenhuma riqueza para deixar para o filho, foi realmente a causa de toda a boa fortuna de Mikko, pois foi ele que disse a Mikko para levar para casa qualquer coisa que encontrasse presa nas armadilhas.

REI VALEMON, O URSO BRANCO

Peter Christen Asbjørnsen e Jørgen Moe

Kvitebjørn kong Valemon, Noruega, 1871

A sempre charmosa trama de transformação animal por maldição é bem explorada em "Rei Valemon, o Urso Branco", sua princesa prometida e as regras que devem ser seguidas para que ele volte a ser um elegante príncipe.

Era uma vez, como se pode imaginar, um rei. Tinha duas filhas feias e más, mas a terceira era tão bela e agradável quanto um dia de sol, e o rei e todas as pessoas gostavam dela. Um dia, ela sonhou com uma grinalda de ouro tão linda que não conseguiria mais viver sem ela. Mas, como não a tinha, ficou melancólica e não falava mais, tamanha a sua tristeza.

Quando o rei soube que era pela grinalda que a princesa sofria, mandou fazer um modelo igual àquele com que ela havia sonhado, e o enviou aos ourives de toda parte para que tentassem criar uma peça semelhante. Os ourives trabalharam dia e noite, mas a princesa atirou longe algumas das grinaldas, e não quis sequer olhar para o resto.

Um dia, quando estava na floresta, pôs os olhos num urso-polar que, entre as patas — brincando com ela — tinha a mesmíssima grinalda com que a princesa sonhara. A princesa quis comprá-la. Não! Não estava à venda; mas a princesa poderia ficar com a grinalda se o urso pudesse tê-la. Sim! A princesa disse que não valeria a pena viver sem a grinalda. Não importava aonde teria de ir e nem com quem ficaria se pudesse ao menos ter aquele tesouro; e, assim, os dois combinaram que ele a buscaria dali a três dias, numa quinta-feira.

Então, quando ela foi para casa com a grinalda, sua felicidade fez com que todos também ficassem felizes, e o rei disse que não seria tão difícil deter um urso-polar. Assim, no terceiro dia, ele colocou todo o seu exército em torno do castelo para enfrentá-lo. Mas, quando o urso chegou, não havia ninguém capaz de se opor a ele, pois nenhuma arma feria sua pele, e ele derrubou os soldados à direita e à esquerda, empilhando-os dos dois lados.

O rei considerou tudo isso um grande prejuízo e, portanto, mandou a filha mais velha sair, e o urso-polar a colocou nas costas e partiu com ela.

Quando já estavam bem longe de lá, o urso-polar perguntou:

— Já se sentou num lugar mais macio, já enxergou com mais clareza?

— Sim! No colo de minha mãe sentei-me num lugar mais macio, e no salão de meu pai enxerguei com mais clareza — respondeu ela.

—Ah! – disse o urso. — Então você não é a pessoa certa — E, com isso ele a mandou de volta para casa.

Na quinta-feira seguinte, o urso-polar voltou e tudo aconteceu do mesmo modo. O exército saiu para enfrentá-lo, mas nem ferro e nem aço feriram sua pele, e ele derrubou os soldados como se fossem folhas, até o rei implorar para que parasse, e mandasse para ele a filha do meio, que o urso colocou nas costas antes de partir.

Quando já estavam muito, muito longe do castelo, o urso perguntou:

—Já enxergou com mais clareza, já se sentou num lugar mais macio?

— Sim! – respondeu ela. — No salão de meu pai enxerguei com mais clareza, e no colo de minha mãe sentei-me num lugar mais macio.

—Ah! Então você não é a pessoa certa – disse o urso, e mandou-a de volta para casa.

Na terceira quinta-feira, o urso voltou e arrasou o exército ainda mais do que antes; o rei pensou que não poderia deixá-lo matar todos os seus soldados, e, rezando a Deus, entregou a ele a terceira filha. O urso-polar a colocou nas costas e partiu para longe, e ainda mais longe, e, quando estavam nas profundezas da floresta, ele perguntou à princesa, como tinha perguntado às outras, se já havia se sentado num lugar mais macio, ou enxergado com mais clareza.

— Não! Nunca! – respondeu ela.

— Ah! – disse o urso. — Você é a pessoa certa.

Chegaram a um castelo tão grandioso que fazia o castelo do pai da princesa parecer o lugar mais miserável do mundo. Lá, a princesa deveria viver e ser feliz, e não precisaria fazer nada além de cuidar para que o fogo nunca se apagasse. O urso-polar passava o dia todo fora, mas ficava com a princesa durante as noites, quando se transformava em um homem.

Tudo correu bem por três anos, mas a cada ano a princesa tinha um bebê, e o urso o pegava e o levava para longe assim que ele vinha ao mundo. A princesa foi ficando cada vez mais triste, e implorou permissão para ir visitar seus pais. Ora! Não havia motivo para negar isso; mas, primeiro, ela deveria dar sua palavra de que ouviria o que o pai dissesse, mas nunca faria o que a mãe pedisse.

THEODOR KITTELSEN

Assim, a princesa foi para casa, e, quando ficou sozinha com os pais, e contou como era tratada, sua mãe quis dar a ela uma luz para levar consigo e ver que tipo de homem era aquele urso-polar.

Porém, o pai disse:

— Não! Ela não deve fazer isso, pois causará o mal e não o bem.

Mas foi assim que aconteceu: a princesa ganhou um toco de vela de sebo para levar consigo ao voltar.

A primeira coisa que fez quando o urso — agora transformado em homem — adormeceu profundamente foi acender o toco de vela e lançar luz sobre ele. Era tão bonito que a princesa achou que nunca se cansaria de olhar para ele. Mas, enquanto a princesa segurava a vela, uma gota quente de sebo caiu na testa dele, e ele acordou.

— O que foi que você fez? — disse ele. — Agora trouxe infortúnio a nós dois; não faltava mais do que um mês, e, se você tivesse esperado, eu teria me salvado, porque uma bruxa troll me enfeitiçou e sou um urso-polar durante o dia. Mas agora está tudo acabado entre nós, pois devo ir até ela e tomá-la como esposa.

A princesa chorou e se lastimou; mas ele precisava partir, e partiria. Ela perguntou se poderia não ir com ele.

— Não! — disse ele. — Não há como fazer isso.

Mesmo assim, quando ele partiu em forma de urso, a princesa agarrou-se à pele felpuda, jogou-se nas costas dele e segurou firme.

Passaram por penhascos e montanhas, por entre arbustos e espinheiros, até que as roupas da princesa se reduzissem a farrapos e ela estivesse tão cansada, que se soltou e perdeu a consciência. Quando voltou a si, estava numa grande floresta. Começou a andar, mas não sabia para onde ia. Depois de um longo tempo, chegou a uma cabana, onde encontrou duas mulheres: uma velha e uma linda menininha. A princesa perguntou se tinham visto o rei Valemon, o urso-polar.

— Sim! — responderam. — Ele passou por aqui esta manhã, bem cedo, mas foi tão rápido que você nunca será capaz de alcançá-lo.

A mocinha corria, brincando e cortando o ar com uma tesoura de ouro, de um tipo tal que pedaços de seda e cetim se materializavam em torno dela, bastando cortar o ar com a tesoura para se obtê-los. Onde viviam, nunca faltavam roupas.

— Mas essa mulher — disse a menininha. — que deve ir tão longe, e enfrentar tantas dificuldades, vai sofrer muito; pode ter mais necessidade de cortar roupas com esta tesoura do que eu.

E, ao dizer isso, implorou tanto à mãe que finalmente teve permissão para dar a tesoura à princesa.

A princesa agradeceu e cruzou a floresta, que parecia não ter fim, dia e noite, sem parar, e na manhã seguinte chegou a outra cabana. Nela, também havia duas mulheres: uma velha e uma menininha.

— Bom dia! – disse a princesa. — Viram o rei Valemon, o urso-polar? – foi o que ela perguntou.

— Por acaso era você quem deveria ficar com ele? – perguntou a velha.

— Sim! Era eu.

— Bem, ele passou por aqui ontem, mas foi tão rápido que você nunca será capaz de alcançá-lo.

A menininha brincava no chão com um cantil, de um tipo tal que derramava qualquer bebida que alguém desejasse.

— Mas essa pobre mulher — disse a menininha —, que deve ir tão longe, e enfrentar tantas dificuldades, pode ter sede e sofrer de muitos outros males. Sem dúvida ela precisa mais do que eu deste cantil. — E perguntou se poderia dar o cantil à princesa. Sim, ela teve permissão.

A princesa pegou o cantil, agradeceu e partiu de novo, cruzando a mesma floresta, naquele dia e também na noite seguinte. Na terceira manhã, chegou a uma cabana, onde também havia uma velha e uma menininha.

— Bom dia! — disse a princesa

— Bom dia para você — respondeu a velha.

— Viram o rei Valemon, o urso-polar?

— Era você quem deveria ficar com ele? — perguntou a velha.

— Sim! Era eu.

— Bem, ele passou por aqui anteontem, mas foi tão rápido que você nunca será capaz de alcançá-lo.

JENNY NYSTRØM, 1890

A menininha que morava na cabana brincava no chão com um guardanapo, de um tipo tal que, quando se dizia: "Guardanapo, abra-se e cubra-se de pratos deliciosos", ele assim fazia, e, onde quer que estivesse o guardanapo, nunca faltava um bom jantar.

— Mas essa pobre mulher – disse a menininha —, que deve ir tão longe, e enfrentar tantas dificuldades, pode morrer de fome e sofrer de muitos outros males. Imagino que ela precise muito mais deste guardanapo do que eu. — E perguntou à mãe se poderia dar o guardanapo à princesa, e a velha permitiu.

A princesa pegou o guardanapo, agradeceu e partiu de novo para longe, e ainda mais longe, cruzando a mesma floresta escura, andando durante todo o dia e toda a noite. De manhã, chegou a uma montanha tão íngreme quanto uma muralha, e tão alta e larga que ela não conseguia ver o fim. No sopé da montanha havia outra cabana, e, assim que pôs o pé dentro dela, a princesa disse:

— Bom dia! Viu se o rei Valemon, o urso-polar, passou por aqui?

— Bom dia para você – disse a mulher na cabana. — Por acaso, era você quem deveria ficar com ele?

— Sim! Era eu.

— Bem! Ele passou por aqui e subiu a montanha há três dias, mas nada pode subir àquela altura se não tiver asas.

Essa cabana, você deve saber, estava cheia de pequerruchos, e todos rodeavam as saias da mãe, e berravam pedindo comida. Então a mulher colocou no fogo uma panela cheia de pedrinhas redondas. Quando a princesa perguntou o que era aquilo, a mulher respondeu que a família era tão pobre que não tinha comida nem roupas. Ela ficava de coração partido quando as crianças pediam um pouco de comida, então colocava a panela no fogo e dizia: "Logo as batatas estarão prontas". As palavras enganavam a fome, e as crianças se acalmavam por um tempo.

Pode ter certeza de que a princesa não demorou a mostrar o guardanapo e o cantil, e quando as crianças ficaram satisfeitas e felizes, ela cortou roupas para todas com sua tesoura de ouro.

— Bem! – disse a mulher na cabana. — Já que você foi tão gentil e bondosa comigo e com meus filhos, seria uma vergonha se eu não fizesse o possível para ajudá-la a subir a montanha. Meu marido é um dos melhores ferreiros do mundo. Você deve se deitar e descansar até ele chegar em casa, depois vou pedir para ele forjar garras para suas mãos e pés, e aí você poderá escalar a montanha.

Então, quando o ferreiro chegou em casa, começou a trabalhar imediatamente nas garras. Na manhã seguinte, elas estavam prontas. A princesa não tinha como permanecer mais, mas disse: "Obrigada!", e se agarrou à pedra, e rastejou e escalou com as garras de aço durante todo aquele dia e a noite seguinte e, quando ficou tão cansada que achou que mal conseguiria erguer a mão ou o pé antes de começar a escorregar... ela descobriu que estava lá, bem no alto da montanha!

No topo, a princesa encontrou uma planície, com terras lavradas e campinas tão longas e largas que imaginou que nunca poderia haver outra terra tão vasta e tão plana. Perto de lá, havia um castelo cheio de trabalhadores de todos os tipos, indo e voltando como formigas atarefadas.

— O que está acontecendo aqui? – perguntou a princesa.

Se ela queria mesmo saber, lá vivia a velha bruxa que enfeitiçara o rei Valemon, o urso-polar, e dali a três dias celebrariam seu casamento com ele. A princesa perguntou se não poderia falar com a bruxa.

— Não! Como pode? É completamente impossível.

Ela sentou-se debaixo de uma janela do castelo e começou a cortar o ar com a tesoura de ouro, até que as sedas e cetins voassem em torno dela como uma nevasca.

Quando a velha bruxa viu isso, quis comprar a tesoura de ouro, e disse:

— O que nossos alfaiates fazem não adiantará, precisamos de roupas para muita gente.

A princesa respondeu que a tesoura não estava à venda por dinheiro, mas que a bruxa poderia ficar com ela, se a princesa pudesse dormir com seu amor naquela noite.

— Sim! – disse a velha bruxa. Ela poderia dormir com ele, e que ficasse à vontade, mas ela mesma, a bruxa, deveria fazê-lo adormecer e, depois, acordá-lo de manhã.

THEODOR SEVERIN KITTELSEN, 1912

E, assim, quando o rei Valemon foi para a cama, a bruxa deu a ele uma poção para dormir, para que não conseguisse ficar de olhos abertos, e por isso a princesa chorou e se lastimou.

No dia seguinte, a princesa foi novamente à janela e começou a derramar bebida de seu cantil. Era como um riacho espumante de cerveja e vinho, e nunca esvaziava. Quando a velha bruxa viu isso, quis comprá-lo de qualquer jeito, e disse:

— Não importa o quanto se fermente e destile, não adiantará, precisamos de bebida para muita gente.

A princesa respondeu que não estava à venda por dinheiro, mas, se ela pudesse dormir com seu amor naquela noite, a bruxa poderia ficar com o cantil.

— Muito bem! — disse a velha bruxa. Ela poderia dormir com ele, e que ficasse à vontade, mas ela mesma, a bruxa, deveria fazê-lo adormecer e, depois, acordá-lo de manhã.

Então, quando o rei Valemon foi para a cama, a bruxa deu a ele outra poção para dormir, de modo que aquela noite não foi melhor que a primeira. Ele não conseguiu ficar de olhos abertos, e a princesa lamentou e chorou.

Porém, naquela noite, estava ali um criado que trabalhava num quarto ao lado. Ele ouviu o choro e entendeu o que estava acontecendo. No dia seguinte, contou ao rei Valemon que a princesa capaz de libertá-lo viria.

Naquele dia, a história da tesoura e do cantil se repetiu com o guardanapo. À hora do jantar, a princesa foi até a janela do castelo, pegou o guardanapo e disse: "Guardanapo, abra-se e cubra-se de pratos deliciosos", e apareceu carne suficiente para centenas de homens, e mais ainda. Mas a princesa sentou-se para comer sozinha.

Então, quando a velha bruxa pôs os olhos no guardanapo, quis comprá-lo, pois não importava o que assassem e fervessem; tinham muitas bocas para alimentar.

A princesa respondeu que o guardanapo não estava à venda por dinheiro, mas, se ela pudesse dormir com seu amor naquela noite, a bruxa poderia ficar com ele.

— Bem! Pode fazer isso, e fique à vontade — disse a velha bruxa. — Mas primeiro eu devo acalmá-lo para que durma bem, e então acordá-lo de manhã.

Então, quando o rei Valemon foi para a cama, a bruxa veio com a poção para dormir. Desta vez, porém, ele sabia de tudo, e só fingiu adormecer. Só que a velha bruxa não confiava em Valemon, e pegou um alfinete e o enfiou no braço dele, para ter a certeza de que o rei estava mesmo dormindo. Apesar da dor que sentiu, Valemon nem se mexeu, e a princesa pôde ficar com ele.

Os dois logo se entenderam. Se ao menos pudessem se livrar da velha bruxa, ele teria sua liberdade novamente.

Então, o rei Valemon pediu que os carpinteiros fizessem para ele um alçapão na ponte sobre a qual a comitiva nupcial deveria passar, pois era por lá que a noiva viria, à frente da celebração, com suas damas.

Assim, quando elas estavam bem no meio da ponte, o alçapão se abriu por baixo da noiva e todas as outras bruxas que eram suas damas de honra. Mas o rei Valemon, a princesa e o resto da comitiva voltaram para o castelo e levaram tudo o que podiam carregar do ouro e das posses da velha bruxa. Depois, partiram rumo à sua terra e celebraram um verdadeiro casamento.

No caminho, o rei Valemon recolheu as três menininhas nas três cabanas e as levou consigo. Agora a princesa entendia por que ele havia entregado seus bebês para outras pessoas: era para que pudessem ajudá-la a encontrar o rei.

E, assim, festejaram e beberam toda a cerveja, forte e farta!

Contos Raros

Seleção de histórias inéditas, especiais ou que ainda não haviam sido publicadas em idioma português

A FLOR DA ISLÂNDIA

Marie Jeserich Timme

(Villamaria)

Die Blume von Island, Alemanha/Islândia, 1877

> A Islândia é um país famoso por suas belezas naturais, em geografias gélidas e rochosas. Dentre este frio, há muitos e muitos anos, uma "flor" se destacou: A formosa Helga. O enredo acompanha o despertar do amor entre ela e o poderoso Rei das Fadas.

Uma sólida casa de fazenda se erguia muitos e muitos anos atrás na encosta de uma colina na sombria e congelada Islândia. O proprietário, que havia passado a juventude como marinheiro em climas distantes, tinha pelo menos obedecido aos apelos do pai moribundo e trocado as palmeiras e bosques de laranjeiras das terras do sul pela débil luz do sol e pelas frias planícies de lava de sua ilha natal. Mas, como suvenir vivo dessas regiões felizes, levou para casa uma jovem e bela esposa, cujos olhos escuros e eloquentes ainda brilhavam na memória de todos que os contemplaram, muito tempo depois de eles terem se fechado no último sono.

— Marietta — dissera o marido antes de o sacerdote unir as mãos dos dois em casamento —, você pensou bem no que está abandonando quando promete me seguir como minha esposa? Aqui, no seu país, reina uma eterna primavera, doce com a fragrância das flores e musical com o chilreio dos pássaros, enquanto os céus italianos brilham com um azul que nunca desbota. Na minha ilha, você não vai encontrar nada disso. Um sol pálido, um céu cinza e tudo ao redor se resume a arbustos estéreis e gelo; gelo e neve para onde quer que você olhe. Apenas os islandeses conseguem ver beleza nessa ilha.

— Mas você vai estar lá — respondeu Marietta —, e como posso desejar outro lar que não seja o seu?

E assim ela fora com ele para o norte distante.

Tiveram apenas uma filha, uma menininha adorável, a quem deram o nome de Helga; deveria ser uma verdadeira filha da Islândia, e até mesmo seu nome seria prova disso. Mas a herança estrangeira não se escondia; é verdade que tinha a pele clara e o belo cabelo dourado de uma menina do norte, mas os olhos eram escuros e misteriosos como os da mãe.

Os islandeses não têm flores; só conhecem sua beleza pelas histórias dos compatriotas que as viram em viagens; mas todos que olhavam para o belo rosto da pequena Helga achavam que as flores deviam ter aquela aparência, por isso ela era chamada de "Flor da Islândia".

A bela Helga amava o pai sério, mas amava ainda mais a mãe linda e gentil, ao lado de quem passava a maior parte do tempo.

Toda primavera o pai saía para o litoral com alguns criados para pescar peixes para as provisões anuais do lar; porque, por mais que amasse muito Marietta e seu lar, o mar ainda exercia o antigo feitiço sobre seu coração. No verão e no outono, ele costumava ir aos locais distantes de comércio no litoral, para trocar a lã de seu rebanho grande e bem condicionado por produtos valiosos de terras estrangeiras, com os quais adorava agradar e enfeitar suas amadas.

Nessas épocas, Helga sentava aos pés da mãe, ouvindo enquanto ela falava, no som suave e doce de seu idioma original, sobre o céu azul e a luz do sol quente e dourada da Itália, sobre as belas flores e os bosques sempre verdes e sobre as noites brandas e agradáveis quando as jovens dançavam à luz da lua ao som do bandolim, e o prazer e a melodia reinavam sobre a terra e o mar.

Ah!, como esse país devia ser lindo; e aqui era tudo tão diferente. Não havia dança nem música, nem vinda dos lábios humanos nem da garganta dos pássaros. Helga jamais ouvira as ovelhas darem um balido alegre; tudo era maçante e solene; o silêncio da morte era a linguagem da natureza daqui.

Os olhos escuros de Helga vagavam sobre os campos amplos e desertos da Islândia, sobre as planícies de lava que se estendiam por quilômetros e que haviam enterrado o frescor da natureza sob seu manto rígido de luto. Ela encarava aquelas montanhas de gelo gigantescas, jamais pisadas por pés humanos, que se assomavam como monumentos da morte, com véus de névoa densa sobre o cume. Mesmo quando um raio de sol atravessa por acaso a cobertura de nuvens, as pilhas colossais de gelo reluziam sob a luz pálida como sarcófagos em uma catacumba. Helga estremecia e pensava na terra natal da querida mãe com uma nostalgia apaixonada.

E ela? Ah, seu marido estava certo. Apesar do amor por ele, ela ansiava pelos vales ensolarados da infância, apesar de nunca falar com o marido sobre a tristeza que consumia seu coração, já que ele colocava sua Islândia acima de todos os paraísos do mundo. Mal tinham se passado dez anos quando o coração quente de Marietta se deitou, imóvel, sob a terra.

Helga achou que o coração ia se partir quando eles carregaram sua amada mãe em direção à colina, de onde tantas vezes olhara nostálgica para o mar, observando as ondas azuis se precipitando em direção ao belo e distante sul.

— Quando me enterrar — disse a mulher moribunda ao marido —, me coloque deitada com o rosto virado para a Itália. — E eles cumpriram esse desejo.

Helga agora costumava sentar no túmulo, sendo a única flor que o iluminava; e junto com a imagem da querida mãe, aqueles países distantes apareciam com nitidez na sua mente, já que ouvira a descrição deles desde que conseguia se lembrar.

Uma parente distante tinha vindo cuidar da casa. Tinha deixado voluntariamente o próprio lar, trazendo consigo o único filho, atendendo ao pedido do primo rico. A velha austera não tinha nenhuma simpatia pela nostalgia de Helga e considerava suas descrições de terras distantes como contos de fadas; nada, pensava ela, podia ser mais bonito que a Islândia. Mas Olaffson, seu filho, que tinha apenas alguns anos a mais que a pequena órfã de mãe, se tornou um ouvinte ávido de Helga. Com o mesmo deleite, ele olhava para o seu belo rosto e ouvia suas histórias; os olhos azuis sérios, que normalmente eram frios como as geleiras da sua ilha natal, se iluminavam quando ela falava e, quando Helga parava, ele dizia:

— Serei marinheiro e viajarei para esses países para ver se realmente são tão lindos!

— Mas você vai me levar junto?

— Ah, sim, claro.

E assim os anos se passaram, e o tempo voou rapidamente, até que a árvore cuja semente a mãe de Helga plantara deu frutos. Olaffson já não era um menino, e decidiu ir para o mar. O chefe da casa lhe deu permissão voluntariamente, e a hora da despedida chegou.

O rosto da bela Helga estava pálido. Olaffson imaginava que era a separação que a perturbava tanto, e esse pensamento adoçou a hora amarga para ele. Mas, ah!, era apenas a tristeza dela por ter de ficar em casa, na ilha fria e árida, e por não ter permissão para ver os países que, pensava ela, tinha muito mais direito do que Olaffson.

Outro ano havia se passado. Olaffson voltara para casa e contara tudo que tinha visto. A hora da despedida se aproximava mais uma vez. Na manhã seguinte, bem cedo, ele partiria em sua segunda e mais longa jornada e, apesar das lágrimas e súplicas de Helga para ter permissão de ir, o pai e Olaffson simplesmente balançaram a cabeça e riram da infantilidade dela.

Era noite. Ela foi com Olaffson até o túmulo na colina, para ouvir mais uma vez sobre as maravilhas das terras estrangeiras. As horas voavam; ela não se cansava daquele tema prazeroso.

— Bem, Helga — Olaffson finalmente concluiu —, realmente esses países são tão bonitos quanto sua mãe costumava lhe contar; quase mais bonitos, sim, muito mais bonitos; mas não são a Islândia. Não existe nenhum lugar tão lindo quanto a nossa terra natal; nenhum lugar.

Helga olhou para ele de um jeito incrédulo.

— Pode acreditar em mim, Helga — disse ele. — Olhe: já é quase meia-noite. Naqueles países já é noite, uma noite profunda há horas; o sol já os abandonou há muito tempo, mas ele ama mais a nossa ilha, pois fica mais tempo conosco. Olhe para lá. Ele acabou de mergulhar no mar e, no céu rosado a oeste, pinta o contorno prateado das lindas florestas cobertas de folhas que são negadas ao nosso solo. Veja como elas balançam as cabeças reluzentes; não lhe parece que é possível ouvir um farfalhar misterioso por entre os galhos? E as nuvens brancas no alto não se parecem com águias circulando sobre os picos? Agora olhe para a luz clara ao seu redor! As noites lá são escuras como a consciência dos criminosos; nossas noites são como o coração de uma criança devota: iluminadas, claras e imóveis.

— Mas aqui é tão frio; tão frio que meu coração congela dentro de mim — disse Helga, reclamando.

— Mas o frio é revigorante — disse Olaffson. — Lá encontrei homens fracos, covardes e afeminados. Eu poderia lhe contar muitas histórias tristes para provar isso. Agora olhe para sua própria terra, Flor da Islândia, pois você pertence a nós; somos honestos, corajosos e fortes como os nossos pais eram e nossos filhos serão, e isso devemos à Islândia e suas geleiras, ao seu clima frio, mas fortalecedor. Eu lhe digo, bela Helga, só existe uma Islândia, assim como só existe uma flor nela.

Olaffson partiria bem cedo na manhã seguinte. O pai de Helga havia dito que também iria até a costa com os criados, pois era a época da pesca anual, de modo que eles poderiam viajar juntos até lá.

A despedida foi curta e silenciosa. Helga se esforçou para conter as lágrimas quando viu como todos subiram alegremente na sela e quando pensou nas palavras de Olaffson sobre o povo corajoso da Islândia; pois ela devia se mostrar digna da sua raça. Mas seus olhos escuros pousaram com tanta nostalgia no rosto do pai que ele sabia o que estava se passando no coração dela.

— Venha, Helga — disse ele, descendo do cavalo —, você pode ir conosco até a colina onde começam as planícies de lava. — Então ele a puxou para se sentar na frente dele na sela, e logo os cavalos estavam partindo a meio galope. Em pouco tempo, eles alcançaram a colina aos pés da qual começavam as planícies de lava, cujas linhas escuras se estendiam por quilômetros pelo horizonte.

Helga não conseguiu mais conter suas lágrimas. Soluçando, ela jogou os braços ao redor do pescoço do pai e disse:

— Não fique fora muito tempo, querido pai; nossa casa fica tão lúgubre quando vocês dois não estão.

— Volto daqui a poucas semanas, minha Helga — disse o pai, consolando-a. — Nesse meio tempo, seja uma boa menina e ajude sua prima a cuidar da casa.

Ele beijou a testa branco-neve da filha em silêncio, mas com carinho, tirou-a do cavalo e, depois de apertar sua mão mais uma vez, o grupo partiu de novo.

Helga os observou até que um declive na estrada os escondeu; em seguida ela voltou em direção à colina, se encostou na lateral de uma rocha e olhou para o nada, protegendo os olhos com a mão. Depois eles voltaram ao campo de visão, mas tão distantes que o adeus de Helga não chegaria aos ouvidos deles. Um raio de sol fugaz pousou sobre eles por um instante, fazendo os cavalos e os cavaleiros brilharem na planície deserta sobre a qual estavam se movimentando. Em seguida, uma névoa, como apenas as montanhas da Islândia poderiam produzir, caiu ao redor deles, e Helga não os viu mais.

Ela apoiou a cabeça soluçando na rocha, fechou os olhos e verteu lágrimas quentes de tristeza e solidão. Então, uma voz de impressionante doçura soou de repente no seu ouvido:

— Por que a bela Helga está chorando?

Helga abriu os olhos, surpresa. Não havia ninguém ali; ela não viu nada além da névoa distante e das planícies de lava vazias aos seus pés. Fechou os olhos de novo.

— Helga, bela Helga, por que está tão triste? — disse a voz mais uma vez; parecia que vinha do céu.

Um leve tremor passou pelo corpo de Helga; ela não teve coragem de se mexer, mas abriu timidamente os olhos e olhou para cima. Mas o que ela via? O céu azul-celeste italiano, com o qual sonhava com frequência, vindo aqui para encontrá-la? Bem à sua frente, no ponto mais alto da colina, havia uma silhueta de beleza majestosa, que certamente devia pertencer a um clima mais feliz. Olhos azuis profundos e misteriosos brilhavam sobre Helga no semblante de um rei, e cabelos mais lindos que os dela, dourados como as estrelas nas noites de verão, caíam sobre o roupão de veludo roxo que o desconhecido usava.

— Por que a bela Helga chora? — perguntou ele com ternura.

Helga tentou se recompor.

— Como você me conhece, ó, desconhecido? — perguntou ela com timidez.

— Quem não conhece a Flor da Islândia? — respondeu ele com um sorriso. — Devo lhe dizer algumas coisas sobre você que possam provar há quanto tempo a conheço e como sou familiarizado com a sua história? Devo lhe dizer com que frequência eu a vi sentada no túmulo da sua mãe e que imagens passaram ali pela sua mente? Devo falar sobre a nostalgia que um instante atrás agitou sua alma; como você desejaria ter permissão para viajar com Olaffson, para poder ver aquelas terras ricas e maravilhosamente lindas? Mas não há necessidade dessa jornada para realizar seu desejo. O paraíso da sua mãe está aqui; bem ao seu lado.

Os olhos de Helga brilharam, meio em dúvida, meio em êxtase.

— Aqui, aqui? — perguntou, incrédula. — Como pode ser?

— Dê alguns passos comigo até o outro lado da colina e você vai ver que estou dizendo a verdade.

Helga pegou a mão estendida. O estranho que a conhecia havia tanto tempo e tão bem já não era mais um estranho para ela, e não poderia ser um inimigo que estava prestes a realizar o desejo mais profundo do seu coração. Assim, ela foi sem medo com ele até o outro lado da colina.

O estranho colocou a mão sobre a rocha, que se abriu de imediato, e permitiu que Helga e sua guia entrassem. Ela ficou paralisada de espanto. Em seguida, passou a mão na testa e tentou pensar se poderia ser um sonho. Mas não, era a realidade. Lá estava uma região assombrosa, mais linda que a terra nativa de sua mãe e que todos os seus sonhos infantis.

Através da cúpula de cristal que se estendia sobre esse paraíso, o sol emitia raios fortes e quentes como as crianças da Islândia nunca veem ou sentem. A luz dourada tremeluzia por entre a folhagem verde das árvores majestosas, brincava com o jorro da fonte intermitente e brilhava nos cálices das flores transparentes.

Ao longe, o oceano rolava as ondas azuis profundas ao redor de ilhas cobertas de árvores e, no meio da fragrância das flores e das brilhantes cores da adorável cena, pairava uma música doce e mágica, que flutuava até a beira do mar, cujas ondas a conduziam em um eco suave até as ilhas felizes.

Helga olhou ao redor com tamanho êxtase que nunca havia sentido. A terra realmente tinha tantas belezas, e ela tinha permissão para vê-las?

Ela se inclinou para analisar as flores maravilhosas, acariciou delicadamente o veludo das folhas com a mão branca e levou os lábios aos cálices perfumados. Em seguida, seu olho encantado observou a fonte enquanto a água subia em uma fileira de luz quase até a cúpula de cristal, depois caía em uma curva graciosa bem longe da bacia, de modo que os arbustos e as flores se dobravam sob o orvalho cintilante.

Depois, ela se virou para as árvores imponentes, encostou o rosto nos troncos lisos e olhou para cima, para a folhagem reluzente, que farfalhava suavemente na brisa. Pássaros branco-neve saltavam de galho em galho e lançavam olhares amigáveis para Helga como se ela fosse uma velha conhecida. Eram esses cantores emplumados que criavam a doce música que flutuava com os raios de sol e o suave ar primaveril por todo este local adorável? Ou as árvores altas e o mar distante transportavam os sons doces que acalmavam com uma carícia suave o coração e a mente de Helga, carregando nas ondas melodiosas o passado e suas lembranças?

Horas tinham se passado nesse reino de fadas, mas, para Helga, parecia apenas um instante. Ela por fim se virou para o estranho, que seguira cada movimento seu com olhos amorosos e havia notado seu encantamento.

— Ah, como posso lhe agradecer — disse ela, segurando a mão dele — por ter me trazido aqui e satisfeito a nostalgia de anos? Mas me diga onde estou; pois as colinas frias da Islândia não escondem um paraíso como este.

— Você está no meu reino, bela Helga — respondeu o estranho com uma voz delicada —, e eu sou o rei das fadas da Islândia.

Helga olhou para ele com espanto. Nenhum lábio exceto o da sua mãe tinha lhe falado dessas coisas, e ela não sabia nada do reino dos espíritos da Islândia. Portanto, Helga não sentiu pavor nem ansiedade.

— Ah! Se ao menos eu pudesse ficar aqui para sempre — disse ela com sinceridade.

— Não desejo nada melhor — disse o rei —, e por que você não ficaria?

— Ah! Meu querido e bom pai; ele só tem a mim — disse Helga, pensando em seu lar por um instante.

— Mas agora ele está longe — disse o rei das fadas de maneira persuasiva —, e você pode ficar pelo menos até ele voltar.

— É verdade — gritou Helga, encantada. E assim ela ficou com o rei das fadas.

Cada dia nesse paraíso era exatamente igual ao seguinte, como talvez seja no céu, onde não há nada para lembrar aos abençoados que o tempo voa, onde tudo é um presente gloriosamente feliz, porque eles não têm passado para recordar com tristeza e o futuro não tem nada mais bonito para estimular seus desejos.

Helga se movimentava por esse paraíso com o coração alegre ao lado do rei das fadas. Os pássaros brancos esvoaçavam ao seu redor, às vezes pousando na sua mão ou no seu ombro. O mar com as ondas azuis emitia um som de cumprimento agradável quando Helga e o rei das fadas se aproximavam da orla. Então, quando ele pegava a mão dela e os dois pisavam em uma das pequenas ondas, o barco de fadas os carregava com delicadeza e rapidez até as ilhas felizes.

À meia-noite, quando o sol da Islândia espalhava seu manto carmim sobre o horizonte, seu reflexo entrava pela cúpula de cristal e reluzia como rosas na fonte e nas penas brancas dos pássaros, enquanto o mar rolava até a orla em ondas cor de violeta.

Nesse momento, Helga sabia que devia fechar os olhos para se fortalecer para um novo dia de felicidade. Ela se deitava no musgo macio, enquanto o rei das fadas se sentava ao lado dela e pegava a harpa. Das cordas saía uma música mágica que bania a memória da alma de Helga. Os sons doces a acalmavam até ela dormir e protegiam cuidadosamente os portões do seu coração, não permitindo nenhum sonho que pudesse fazê-la se lembrar do passado e de suas ações. Mas, certa vez, a corda que a natureza havia colocado entre os corações de pais e filhos e que nunca se parte apesar de haver oceanos entre eles, soou com um acorde surpreendente.

O pai de Helga tinha voltado para casa, e sua tristeza e lamentação pela perda da amada filha foram tão violentas que o coração adormecido de Helga despertou.

— Meu pai! — disse ela um dia, de repente, enquanto estava perto do mar, e afastou o pé que estava prestes a colocar na onda que levantava a cabeça azul diante dela. — Meu pai! Acho que escuto você lamentando a minha perda. Não é meu dever deixar todas essas coisas belas para trás e voltar para ele?

Uma sombra caiu sobre o rosto do rei das fadas. Ele pegou a harpa em silêncio e produziu acordes mais lindos e mais emocionantes do que Helga jamais tinha escutado. Eles flutuaram por sobre o mar até as ondas afundarem em silêncio, sem quererem perturbar as doces melodias. E, no coração de Helga, a memória deixou de empolgar, e as visões do passado sumiram de sua mente.

Foi então que o rei das fadas lhe disse que a escolhera anos atrás como rainha do seu reino e a observara desde a infância; que havia preparado todas essas coisas belas somente para ela, na esperança de que logo se tornasse sua esposa e, assim, conquistasse para ele o que sua alma desejara durante longos séculos: uma alma imortal, uma dádiva negada às pobres fadas de todos os reinos.

— Aceita ser minha esposa, bela Helga? — perguntou ele para concluir. — Vou lhe dedicar um amor tão fiel quanto o que você procuraria em vão entre sua raça degenerada. Você jamais se arrependerá de ter cumprido o desejo do coração do pobre rei das fadas.

— Aceito! Aceito! — disse ela, pegando as mãos dele com uma sinceridade infantil. — Vou ficar com você para sempre.

Os olhos do rei brilharam de alegria.

— Mas, bela Helga, as leis do nosso reino são rígidas; os votos de fidelidade são mais sagrados que os de vocês, embora não busquemos a recompensa eterna. Se você se tornar minha esposa e, ao unir sua alma à minha, transmitir para mim sua imortalidade, dali em diante você vai pertencer a mim, e somente a mim. Seu pai e seu lar não terão mais autoridade sobre você e, se um dia retornar a eles, você será culpada por roubar a minha alma, e nosso reino vai exigir a sua vida como punição. Você pode manter essa fidelidade a mim, ó, Flor da Islândia?

A bela Helga se inclinou para a frente.

— Olhe nos meus olhos — disse ela. — Você acha que sou tão ingrata? Serei sua esposa, e você vai ganhar uma alma imortal através de mim. Você acha que eu poderia decepcionar sua esperança de imortalidade?

Assim, Helga, a Flor da Islândia, se casou com o rei das fadas.

Um ano havia se passado. O sol brilhava mais uma vez através da cúpula de cristal, e o reino das fadas da bela Helga ainda florescia em uma beleza colorida; mas a Flor da Islândia estava pálida e triste, e uma lágrima estremeceu nos cílios quase fechados.

A esposa do rei das fadas não estava feliz? Ah, sim, ela estava feliz, quase feliz demais. A beleza e o amor a cercavam por todos os lados; mas a bem-aventurança imperturbada nunca dura muito tempo na terra.

Seu marido estava longe. As leis do reino das fadas o obrigavam todo ano a atravessar o mar para prestar contas do seu governo ao lorde supremo da raça das fadas, cujo trono ficava nas montanhas rochosas da Noruega. Ele havia prometido retornar em uma semana, e agora três semanas haviam se passado e ele não retornara. Esse pensamento corroía o coração da bela Helga e a deixava cega para toda a beleza ao redor. Os pássaros brancos voavam em vão sobre sua cabeça, acariciando seu rosto com as asas macias. A alma de Helga estava mergulhada na tristeza, e a música mágica com seu poder tranquilizador estava adormecida na harpa. Por fim, ela se levantou.

—Ah! Preciso desobedecer, meu marido; me perdoe, me perdoe! Mas a ansiedade vai me matar se eu não sair para tentar vê-lo de longe.

Ela se levantou com um salto e foi até a porta na rocha. Os pássaros se agitaram ansiosos ao redor, mas ela os afastou com a mão e encostou na parede através da qual tinha entrado um ano antes. A rocha, sem ter coragem de se recusar a obedecer à sua senhora, se abriu, e a bela Helga pisou no solo árido da Islândia. Mas, depois de estar tão acostumada ao ar quente do verão, ela estremeceu quando sentiu o sopro gelado do antigo lar, e com passos apressados foi até a ponta da rocha. Ali, ela parou, virou o belo rosto e olhou por sobre o ombro em direção ao sudeste.

Diante do poder desse olhar mágico, o véu da distância desapareceu. Seu olhar atravessou as névoas da Islândia, voou por sobre as montanhas do leste e nadou nas ondas do Atlântico até a íngreme costa rochosa da Noruega. Ela viu os misteriosos habitantes das montanhas, e o poderoso rei das fadas sentado em seu trono de diamantes, sobre o qual milhares de anos haviam se passado, deixando-o ainda inabalado. Ao redor estava seu povo, com juventude e beleza imperecíveis, fazendo uma reverência. Mas a forma nobre do marido não estava entre eles; ela não conseguiu encontrar o olhar de seus olhos azuis profundos, apesar de ter vasculhado ansiosamente todos os semblantes. Ela finalmente desviou o olhar, triste, e se virou para voltar para o reino solitário.

Mas, quando contornou a rocha, ela viu uma forma masculina alta em pé no mesmo lugar onde uma vez observara o pai e Olaffson enquanto eles se afastavam sobre as planícies de lava. Com um grito de alegria, ela correu até o local. Será que o marido estava tão perto, enquanto ela acreditava que estava longe? Mas o homem, ao ouvir o passo leve, virou a cabeça, e ela não viu a beleza jovem do marido, mas sim o rosto atormentado do pai, esquecido havia muito.

— Helga, Helga! — As palavras caíram no ouvido dela com um tremor estranho. — Minha criança, você ainda está viva, ainda está na terra? — E estendeu os braços em direção à filha e a apertou no peito, enquanto as lágrimas quentes caíam na testa dela.

Os acordes há muito silenciados agora soaram alto no coração de Helga, a memória despertou, e a harpa do rei das fadas não estava por perto para fazê-la voltar a dormir.

— Meu bom e querido pai — disse ela, agora sem pensar em mais nada além dele —, não chore. Sua Helga está viva e feliz; mas como você envelheceu, e como seu cabelo está branco!

— Sim, Helga, eu havia perdido você, minha única filha; mas agora que a encontrei, meu vigor juvenil vai retornar. Venha rápido para casa, minha filha. Olaffson vai ficar muito feliz.

Com essas palavras, o coração de Helga estremeceu.

— Meu pai muito, muito querido — disse ela, acariciando delicadamente as bochechas enrugadas do pai. — Não posso ir com você; agora eu pertenço a outro mundo.

Então ela contou ao pai perplexo tudo que havia acontecido desde o momento em que se despedira dele na fronteira da planície de lava.

— Eu dei minha palavra — concluiu — e, por mais difícil que seja não ir com você, eu não ouso, não ouso.

— Que tristeza, minha criança, minha pobre criança infeliz! — disse o pai arrasado. — Em que mãos você caiu?

— Nas melhores e mais delicadas, meu pai — disse Helga, tranquilizando-o. — Se meu marido estivesse em casa, você poderia vê-lo; mas vou lhe mostrar meu reino, para que sua mente se acalme.

Ela pegou a mão do pai e o conduziu em direção à lateral da rocha que escondia a entrada para o reino das fadas. Tocou nela, mas a porta continuou fechada; passou a mão várias vezes sobre a pedra dura, mas não houve movimento.

O coração de Helga pulsava como se fosse se partir, e ela desabou no chão duro, implorando com lágrimas amargas para ser admitida no reino; mas tudo estava silencioso, morto e imóvel.

Pobre Helga! Sem saber, ela havia transgredido as leis das fadas ao falar com um mortal sobre os mistérios do mundo dos espíritos, e agora os portões estavam trancados para ela. Com um arrependimento amargo, ela agora se lembrava da ordem de despedida do marido: não voltar para o mundo exterior, ao qual ela não tinha mais nenhum direito. *Em breve*, pensou, *a outra ameaça terrível será cumprida*, e afundou inconsciente nos braços do pai.

Ele ficou exultante de ver que o reino das fadas havia se fechado para a filha e, com o coração mais leve, levou o fardo precioso de volta para o lar da infância dela.

Depois de longas horas e dias de escuridão, a força juvenil de Helga triunfou, e ela abriu os olhos em total consciência. O primeiro olhar caiu no pai, que estava sentado ao lado da cama.

— Você aqui, meu querido pai? Então meu encontro com você não foi um sonho? Mas agora me deixe levantar e ir até meu marido; ele deve ter voltado para casa há muito tempo e vai acreditar em mim quando eu lhe disser que não tive a intenção de deixá-lo.

— Minha criança, olhe ao redor — disse o pai de um jeito tranquilizador. — Deixe essas ilusões febris morrerem. Veja, você está onde sempre esteve, em casa com seu velho pai. Durante toda a sua longa doença você delirou com um rei das fadas e seu paraíso, com seu casamento e suas promessas. Mas eram apenas ilusões, minha Helga, como a febre costuma causar.

Helga olhou para ele com espanto trêmulo.

— Isso é impossível — disse ela finalmente, com a voz falhando. — Traga minhas roupas e veja se a Islândia tem vestimentas tão esplêndidas quanto aquelas.

— Vestimentas esplêndidas? — repetiu o pai, como se estivesse surpreso. E se levantou e pegou o vestido de Helga, uma vestimenta igual à que ela sempre esteve acostumada a usar.

Helga analisou desconfiada, depois passou a mão sobre a testa, olhou para o pai e disse em voz baixa:

— Não consigo entender. É possível alguém sonhar com essas coisas?

— Certamente, minha criança; é sempre assim com a febre. Quando fui para a costa algumas semanas atrás, levando você comigo até a planície de lava, você deve ter subido na rocha para nos ver e dormiu ali. Então a névoa fria da montanha a envolveu e quase a impediu de voltar a despertar. Quando sua prima considerou que você estava demorando muito, saiu com os criados para procurá-la; eles a encontraram deitada na rocha, inconsciente, e a trouxeram para casa. Um mensageiro foi mandado para nos alcançar, e nós voltamos o mais rápido possível. Deixei minha pesca, e Olaffson desistiu da viagem, para podermos estar perto para vigiar e cuidar de você.

Helga suspirou. Seu pai nunca lhe contara uma mentira, por isso ela se sentiu compelida a acreditar nele, apesar de seu coração se rebelar contra as palavras dele com uma tristeza amarga.

Ah!, mal suspeitava ela que o pai, na esperança de manter a filha querida ao seu lado e impedir seu retorno à terra das fadas, tinha inventado essa história e contado-a cuidadosamente a todas as pessoas da casa.

A força corporal de Helga aumentava dia a dia, mas sobre seu espírito pousava uma nuvem de melancolia, e ela se consumia em segredo pelo paraíso dos seus "sonhos febris".

Ela finalmente estava quase convencida de que essa era a verdade, pois, quando falava com algum criado sobre o reino das fadas perdido, eles sempre sorriam e diziam:

— Eram apenas ilusões; estávamos perto de você o tempo todo e ouvimos você delirar com eles.

Quanto à viagem ao redor do mundo, que Olaffson havia completado desde que se afastara, ela não ouviu nada, nem estava consciente de que a história do mundo tinha avançado um ano enquanto estava no mundo das fadas. As casas de fazenda da Islândia não são separadas por longas distâncias, de modo que não era raro Helga ter contato com algum vizinho; e, se um desconhecido ocasional invocava o direito à hospitalidade, o pai ou Olaffson cuidavam de alertá-lo previamente para não perturbar a ilusão de Helga.

Mas a precaução era quase desnecessária; pois a Flor da Islândia, antes tão alegre e falante, que costumava receber a chegada de um desconhecido como um evento feliz e nunca se cansava de fazer perguntas sobre as maravilhas das terras estrangeiras, agora ficava em silêncio e apática e saía do salão assim que a conversa se transformava em um cenário bonito. Pois as visões do paraíso perdido voltavam à sua mente, e eram necessárias algumas horas para acalmar seu coração inquieto.

— Ah!, foi só um sonho.

Olaffson havia desistido da vida de navegação e agora se ocupava na fazenda. O pai de Helga o amava como um filho e pretendia transformá-lo em herdeiro de sua valiosa propriedade. Mas tinha esperança de dar algo ainda melhor a ele. Só estava esperando Helga voltar a ser de novo a Helga alegre, a Flor da Islândia voltar a levantar a cabeça baixa. Mas este momento parecia muito distante.

— Talvez ela melhore quando se casar — disse o pai para si mesmo, enquanto olhava ansioso para Helga. Ela estava apoiada no fosso gramado que circundava a fazenda e olhando para o brilho do céu do fim de tarde. Ele foi com cuidado até ela.

— Minha Helga está pensando em quê? — perguntou com carinho.

— Nos raios do fim de tarde que agora estão caindo através da cúpula de cristal, nas pequenas ondas coroadas com as rosas do céu no pôr do sol e na doce música da harpa — respondeu ela com ar sonhador.

— Helga — disse o velho, repreendendo-a —, você nunca vai se desvencilhar dessas ilusões. Você ouviu de todas as línguas que foram ilusões febris; mas você quer atormentar meu coração.

— Ah, não, não, querido pai. Não pense tão mal de sua Helga — disse ela rapidamente, enquanto se virava e acariciava o rosto dele. — Sei muito bem que foram apenas sonhos, mas você não vai acreditar no quanto estão profundamente marcados a fogo no meu coração. Parece falta de fé me desvencilhar deles.

— Isso é remanescente da febre — disse o velho. — Ah, Helga, como eu ficaria feliz se você voltasse a ser como era!

— Eu também, querido pai — disse Helga com um suspiro delicado.

— Conheço um jeito de curá-la e, se você me amar, vai tentar.

— Vou, sim, pai.

— Promete, Helga?

— Sim, querido pai — respondeu ela sem hesitar.

— Então me escute: Olaffson é bom e corajoso, não é? — Helga assentiu. — Ele a ama muito, e meu maior desejo é que você se torne esposa dele e que vocês morem sob o meu teto, iluminando a minha velhice com a visão da sua felicidade.

Helga ficou mortalmente pálida.

— Ah, pai, querido pai, eu não posso.

— Por que não, Helga? Você tem alguma coisa contra ele? Ele não é jovem, bonito e forte? Não é corajoso e bom? Você é capaz de encontrar um filho melhor para mim ou um marido mais amoroso para si? Me diga, você está influenciada nesse assunto por aqueles sonhos tolos, as imagens selvagens do seu cérebro? Diga a verdade, Helga.

Ela olhou para ele com uma súplica trêmula.

— Ah, meu pai, me perdoe.

— Se quiser fazer seu velho pai feliz, diga sim e se torne esposa de Olaffson; se quiser envenenar meus últimos dias com tristeza, deixe meu pedido por cumprir.

Com essas palavras, o velho se virou com uma tristeza ansiosa e foi em direção à casa.

Helga se apressou atrás dele.

— Não fique com raiva, meu pai — implorou ela. — Vou realizar seu desejo, seja como for.

— Agradeço, minha boa criança; mas o que você teme? O que pode acontecer além da bênção de um pai, com seus frutos de felicidade e paz?

E assim Helga se tornou esposa de Olaffson.

A Flor da Islândia recuperou seu frescor e floresceu? Infelizmente, não! Apesar do carinho do pai e do amor do marido, ela ainda continuava triste e pálida; a sombra que oprimia sua alma era ainda mais profunda. À nostalgia, agora se acrescentou o remorso, o sentimento mais amargo que pode perturbar o coração humano, pois é o único para o qual o tempo não tem solução.

— Como posso lhe roubar a imortalidade? — dissera ela certa vez ao pobre rei das fadas; e, embora as palavras tivessem sido ditas apenas em sonho, elas queimavam sua alma, e quando ela concordou em ser esposa de Olaffson, parecia que havia realmente impedido a entrada daquele pobre espírito no paraíso celeste.

O curto verão passou, e Helga tremeu mais do que nunca sob o sopro gelado do inverno do norte; mas isso também passou, e a primavera finalmente chegou pelo oceano às planícies nevadas da Islândia. As estradas voltaram a ser mais transitáveis, e o primeiro sacramento do ano seria executado na igreja da paróquia à qual a fazenda do pai de Helga pertencia. Olaffson pediu à esposa para participar com ele dos símbolos sagrados, e ela consentiu de bom grado. Talvez ela achasse que esse banquete de reconciliação pudesse trazer de volta sua paz há tanto perdida.

Ela cuidou do trabalho com mais energia do que havia demonstrado em muitos meses, tão ansiosa para deixar tudo pronto para o dia seguinte, pois eles teriam de sair cedo para chegar à igreja distante na hora da cerimônia. Estava arrumando a mesa para o jantar quando viu o marido passando pela janela e, ao lado dele, um desconhecido de forma alta e masculina.

— Veja, Helga — disse Olaffson quando eles entraram —, eu trouxe um convidado de honra; sirva suas melhores provisões, pois ele veio de longe e precisa se alimentar.

Helga olhou para o desconhecido. Seu rosto era bonito, mas sobre suas feições juvenis a tristeza havia passado com a mão pesada. Mas ele levantou os olhos azuis profundos para Helga e perguntou com um tom suave e melodioso:

— A Flor da Islândia vai permitir que um desconhecido pouse sob seu teto?

Nesse momento, um tremor passou pelo corpo dela, e o antigo conflito reviveu na sua alma com mais força e perplexidade do que nunca.

Esses olhos, essa voz, eles poderiam ter falado com ela apenas em um sonho febril? E se ela tivesse sido enganada; o que aconteceria? O pensamento ameaçou roubar sua razão; mas Olaffson se aproximou dela e disse:

— Nosso convidado deve estar cansado e faminto, minha Helga; você não vai lhe conceder as boas-vindas que os desconhecidos sempre encontram sob este teto?

Helga se recuperou com grande esforço e foi preparar um quarto para o misterioso convidado, enquanto ele se sentava à mesa com os outros. Ela voltou suavemente, pegou um assento em um canto escuro e olhou com uma mistura de ansiedade e nostalgia para o rosto do desconhecido.

— Olhe aqui, senhor — disse o pai de Helga, apontando para o céu —, você vê alguma coisa assim na sua terra natal? Não reconhece a Islândia como o país mais belo do mundo?

— Sim — respondeu o desconhecido —, sua terra é linda, de fato; mas seu lar e o meu não são tão distantes um do outro.

Ele olhou para Helga — de cuja presença os outros não estavam conscientes — e descreveu a terra na qual morava, a mesma terra que diziam que Helga só tinha visto em seu delírio febril.

Ela ouviu com atenção e sem fôlego. Parecia que o esplendor do mundo das fadas a cercava mais uma vez. Viu as ondas azuis rolando aos seus pés e se sentiu, como naqueles dias, balançando nas cristas reluzentes. Correu alegremente para o lado da fonte e pegou a água, que poderia salpicar de brincadeira nos pássaros; e viu as flores transparentes dobrando os cálices fragrantes em um cumprimento amigável. A todo instante ela esperava ver o desconhecido tirar o disfarce e, parado diante dela em roxo real, tocar as cordas há muito sem uso de sua harpa dourada.

Infelizmente, seu pai havia enganado-a dizendo que poderia mantê-la em casa; o coração de Helga dizia a verdade, e ela, em vez de ouvir suas súplicas, tinha cedido com fraqueza à persuasão e quebrado sua promessa sagrada. E agora? Tarde demais, tarde demais; estava tudo acabado. Cheia de tristeza e desespero, ela saiu apressada da casa para despejar seu coração em um choro amargo no meio da quietude da noite.

Na manhã seguinte, quando tudo estava pronto para a jornada, quando os cavalos estavam batendo os cascos impacientemente em frente à porta, a família toda se reuniu para realizar um antigo costume islandês. Naquela ilha, antes de qualquer família participar do sacramento, cada membro pede perdão a todos os outros pelos erros cometidos consciente ou inconscientemente. Helga pegou a mão do pai e a do marido.

— Me perdoem por toda a angústia que causei em vocês — implorou com a voz baixa; depois acrescentou as palavras misteriosas: — E também pela tristeza que estou prestes a provocar.

— Você também deve pedir perdão ao nosso convidado, Helga, caso o tenha ofendido — disse Olaffson. — Você não foi encontrada ontem, quando ele queria lhe desejar boa-noite.

Ela tremeu, lançou um olhar de despedida para o pai e foi em direção ao quarto do desconhecido.

Sim, era como ela sentia e sabia. A vestimenta escura de ontem havia desaparecido; diante dela estava o rei das fadas em uma beleza radiante, com o cabelo dourado caindo sobre o roupão roxo.

Ela entrelaçou as mãos em súplica silenciosa, e seus belos olhos encararam com amor e humildade o rosto do marido amado, mas profundamente injustiçado.

— Helga, Helga — disse ele com seriedade —, é assim que você tem sido fiel ao seu amor e à sua promessa?

— Ah, não tenha raiva de mim — implorou Helga. — Nada foi escondido do seu olho espiritual. Você sabe como tudo aconteceu: minha angústia me levou a procurar você, meu pai me encontrou e eu ia mostrar o nosso reino para acalmar a mente dele. Você sabe que os

portões se fecharam para mim e que fui trazida inconsciente de volta para o meu antigo lar, que eles me mantiveram aqui com histórias inventadas com inteligência e que as súplicas do meu pai finalmente me obrigaram a dar o passo final e mais difícil. Mas também sabe que eu sempre amei apenas você, que meu coração é só seu.

— Serás julgada por vossas palavras, ó, Flor da Islândia — respondeu o rei das fadas baixinho. — Por que não escutastes a voz do vosso coração? Nós, fadas, não conhecemos a fraqueza humana, portanto não podemos perdoá-la. Sabes o destino que vos aguarda, Helga?

— Sei muito bem — respondeu Helga com firmeza —, e, se minha boca foi infiel, meu coração foi verdadeiro. Recebo a morte, pois ela vai me reunir a você!

Em seguida, um sorriso feliz passou pelo nobre semblante do rei das fadas; ele estendeu os braços e apertou Helga, agonizante, junto ao coração.

Percebendo que a esposa não voltava, Olaffson correu com o sogro até o quarto do desconhecido. Encontraram a bela Helga nos braços do rei das fadas. Ambos estavam frios e mortos; os corações tinham se apagado no mesmo instante. Olaffson tentou tirar Helga dos braços do desconhecido, mas foi em vão. O que a vida tinha lhe roubado ele segurou na morte com um aperto que não podia ser solto.

— Deixe-os, meu filho — disse o velho pai atingido pela tristeza —, ela é dele por direito. O que foi que tanta prudência fez por nós? Pior do que nada! O rei das fadas recuperou o que era dele apesar de nós.

Eles os colocaram no mesmo caixão e, na manhã seguinte, o solo da Islândia os receberia em seu colo frio. Mas, na noite que se seguiu a esse dia agitado, o sono foi mais pesado do que nunca nos olhos dos enlutados. Eles não ouviram o sussurro de vozes delicadas nem os passos apressados de muitos pés. Não viram a profusão de fadas que se reuniram de todas as partes da ilha para prestar a última homenagem ao amado rei. Sem fazer barulho, os espíritos levantaram o caixão e o carregaram para fora da casa até a rocha onde a bela Helga havia implorado em vão para entrar.

Hoje isso não lhe foi negado. Os portões mágicos se abriram quando o caixão se aproximou. Com asas caídas, os pássaros brancos pairavam ao redor e pranteavam o casal real com notas de suave lamento.

Na costa do belo mar azul, os espíritos fiéis baixaram o fardo. Ali, Helga e seu marido fada descansam sob as flores deste paraíso e ao lado do delicado murmúrio das ondas. Nos galhos do cipreste que cresce no túmulo dos dois está pendurada a harpa do rei das fadas. A mão que antes tocava suas cordas está fria; mas, quando a brisa matinal as sopra, elas ecoam a mágica melodia. As doces notas flutuam nos raios de sol pelo paraíso perene, atravessam a rocha dura e flutuam como lendas lindas e imortais pelas charnecas e colinas cobertas de neve da Islândia.

LINDAURA E O VELHO REI

Anna Wahlenberg
Linda-Gull och den gamle kungen, Suécia, 1897

Em uma serena filosofia sobre a dor, Lindaura é uma criança inocente e alegre que encontra um velho Rei de coração partido, e o ajuda a reencontrar a confiança e o amor nas pessoas.

Há muito, muito tempo, vivia um velho rei, que era um tanto peculiar; e ele se tornou assim, dizia-se, por ter tido muitos desgostos, o coitado do velho rei. Tanto seu filho quanto a rainha haviam morrido, e alguém rasgara seu coração, de modo que ele afirmava também estar às vias de morrer. Mas quem tinha sido, e como aconteceu, ele jamais contava. Era alguém que tinha garras, era só o que dizia e, depois disso, ele passou a pensar que todas as pessoas tinham garras.

Ninguém podia chegar perto dele mais que duas braças de distância. Os criados não podiam jamais tocá-lo. O mordomo-mor devia servir a comida no canto mais distante da mesa, e o rei não apertou a mão de ninguém por muitos e muitos anos. Se por acaso alguém se esquecesse das duas braças de distância, e se aproximasse mais um dedinho, tinha que ficar uma semana no calabouço para refrescar a memória.

Mas, tirando isso, ele era um rei magnífico. Ele governava sua terra bem e com justiça. Todas as pessoas o tinham em boa conta, e a única coisa que lamentavam era que ele não queria arranjar uma nova rainha e nem prover um príncipe ou princesa para herdar o reino. Quando lhe perguntavam sobre isso, ele sempre respondia:

— Me mostre alguém que não tenha garras, que eu deixo sentar no meu trono.

Mas jamais aparecia alguém em quem ele não encontrasse garras. Podiam estar debaixo das unhas, podiam estar encolhidas entre as mãos, mas sempre lá se estavam.

Então, um dia, o velho rei saiu andando sozinho pela floresta. E, quando cansou, ele se sentou sobre o musgo suave, enquanto escutava os gorjeios dos passarinhos.

De repente, veio uma menininha com cabelo esvoaçante, correndo pelo caminho.

— Socorro, socorro, ele quer me devorar! — gritou ela, e pulou no colo do rei.

E, quando ele ergueu os olhos, viu entre as árvores uma besta cinzenta, peluda, com olhos luzindo, a bocarra vermelha e arreganhada. Era o lobo, que justo então tinha pensado em engolir a menininha como café da manhã. Mas ele ficou com medo da imponência do velho rei, que se levantou e desembainhou seu sabre brilhante, e num instante o lobo deu meia volta e correu para dentro da floresta.

Quando o lobo se foi, a menininha permaneceu onde estava, chorando, o corpo todo tremendo.

— Agora você tem que me levar para casa também —, disse ela — porque senão ele vem de novo atrás de mim.

— Eu devo? — perguntou o rei. Ele não estava acostumado a ser comandado daquele jeito.

— Sim, mas você vai ganhar um pãozinho branco da minha mãe pelo incômodo. Eu me chamo Lindaura[5], e meu pai é moleiro na montanha, aqui, bem detrás da floresta.

Ela tinha razão. O rei realmente não podia deixá-la à mercê do lobo, e assim ele se comprometeu a levá-la.

— Vai na frente que eu te sigo — disse ele.

Mas Lindaura não ousava andar sozinha.

— Não posso segurar sua mão? — perguntou ela, esgueirando-se perto dele.

O rei teve um sobressalto e olhou a mãozinha estendida.

— Não, você deve ser cheia de garras, mesmo pequena assim — disse ele.

Então Lindaura encheu os olhos de lágrimas e escondeu as mãos atrás das costas.

— Você fala igualzinho meu pai — disse ela —, só porque a gente esquece de cortar as unhas.

Lindaura se envergonhou e olhou para o chão. Mas, então, ela pediu para ao menos poder segurar no manto dele — e foi atendida. Ele não soube como pedir para que ela mantivesse a distância de duas braças, já que ela era uma criancinha que não compreendia nada.

E lá foi ela pulando ao seu lado, contando da sua casa e de seus brinquedos. Ela tinha tanta coisa bonita para mostrar a ele; uma vaca, feita de pinha e com palitos servindo de pernas; um barco, que foi feito

---

[5] Do original, "Linda Gull", significando "Linda Ouro", ou Lindaura. [N.E.]

com uma tamanca quebrada e com vela de papel adesivo; e o melhor de tudo, uma boneca, que mamãe costurou com sua velha roupa de baixo e encheu de estopa. Era tão linda. Tinha uma camiseta vermelha como saia, uma meia azul sobre o colo como xale, e seu irmão mais velho tinha desenhado o rosto com um pedaço de carvão e afixado um nariz com um pedaço de couro.

Era realmente impressionante o que o velho rei tinha de paciência, que conseguisse ir escutando e sorrindo de toda a tagarelice da menina. Embora ele soubesse que aquelas mãozinhas tinham garras, ele a deixava sacudir e puxar seu manto o quanto quisesse. Mas, quando chegaram à estrada e puderam avistar o moinho logo adiante, ele deu adeus para Lindaura. A partir dali, ela poderia ir para casa sozinha.

Contudo, uma despedida tão tímida assim não estava nos planos de Lindaura. Ela se pendurou em seu braço, rogou e puxou.

Como podia ser que ele não quisesse comer pão branco, que era tão gostoso? Como podia ser sério que ele não quisesse ver seus lindos brinquedos? Ele poderia brincar com a boneca a noite toda, se pelo menos entrasse um pouco; poderia até mesmo ter o barquinho de presente, já que a tinha salvado do lobo.

Mas, quando nada funcionou, ela o perguntou onde morava:

— No castelo – disse o rei.

— Como você se chama então?

— Velho da Barba Grisalha[6].

— Tudo bem, então logo eu vou te visitar, Velho da Barba Grisalha.

E ela tirou seu lencinho com quadrados azuis e ficou acenando na estrada, pelo tempo que o rei ainda pudesse vê-la, e ele se virou várias vezes, porque a achou a menininha mais bonita que vira desde não sabia quando.

Nem mesmo depois que ele voltou para casa podia deixar de pensar em Lindaura, perguntando-se se ela realmente viria visitá-lo. Ele tinha bastante medo de suas mãozinhas, que não queriam manter a distância apropriada, mas isso não evitava que ele sentisse saudades.

---

6 "Gubben Gråskägg", literalmente Velho da Barba Grisalha, em sueco. [N.E.]

Na manhã seguinte, ele concluiu que Lindaura não ousaria fazer o longo caminho por medo do lobo, e foi quando escutou uma aguda voz de criança chamar e chamar debaixo no pátio. E, quando ele saiu no balcão, viu Lindaura, com uma boneca de trapo debaixo do braço, argumentando com o sentinela.

Ela queria falar com o Velho da Barba Grisalha, dizia ela, e era uma visita muito importante.

O sentinela, contudo, ria dela e afirmava que não existia nenhum Velho da Barba Grisalha.

Então ela ficou com raiva. Ele não deveria dizer isso, disse a menina, pois ela sabia muito bem que o Velho da Barba Grisalha morava ali. Ele próprio dissera a ela. E, assim, foi até uma camareira que estava de saída, e pediu por informações.

Não, ela também nunca ouvira falar de um Velho da Barba Grisalha, e também se colocou a rir.

Mas Lindaura não se deu por vencida. Ela perguntou ao cozinheiro, ao mordomo, ao valete, à copeira e a todos cortesãos que saíam no jardim para vê-la. E ela ficou com o rosto vermelho quando todos riram dela. Seu lábio inferior começou a tremer, e as lágrimas brilhavam nos olhos, mas, mesmo assim, ela dizia com convicção, com sua vozinha aguda:

— Ele está aqui, porque ele próprio me disse!

Então, o rei gritou do balcão:

— Sim, eu estou aqui, Lindaura.

Lindaura ergueu os olhos, gritou de satisfação e pulou na ponta dos pés.

— Estão vendo? Estão vendo? – perguntou ela. — Eu disse que ele estaria aqui.

Mas as pessoas só ficaram paradas, olhando com espanto. O rei teve que repetir a ordem de deixá-la entrar, antes que alguém se desse conta, e então o próprio mestre de cerimônia a conduziu. E, quando as portas se abriram ao salão real, Lindaura correu diretamente até o rei e pôs sua boneca de trapo sobre seus joelhos.

— Vou te dar ela em vez do barco — disse Lindaura —, porque pensei assim: já que me salvou do lobo, você deveria ganhar a melhor coisa que eu tenho.

A boneca era de fato o presentinho mais feio e desajeitado que se poderia imaginar, muito embora o velho rei tenha sorrido como se estivesse muito contente com aquela dádiva.

JOHN BAUER

— Ela não é bonita? — perguntou Lindaura.

— Sim, muito.

— Então dá um beijo nela!

E então ele teve que beijar aquela boca nojenta desenhada a carvão.

— Como você gostou dela, então você também tem que me agradecer — disse Lindaura, que ficou parada, aguardando o gesto.

— Obrigado — disse o rei, fazendo uma mesura amistosa com a cabeça.

— Não fez certo — disse Lindaura.

— Não fiz certo? Como é para fazer, então?

— Quando se agradece, tem acariciar o rosto — disse Lindaura.

Então o rei teve que acariciá-la, e ela tinha uma bochechinha quente e macia, que não era nada desagradável de pegar.

— Assim... — disse Lindaura.

— Algo mais? — perguntou o rei.

— Sim, agora eu gostaria de acariciar o seu rosto.

Então o rei ficou em dúvida. *Agora foi um pouco longe demais*, pensou ele.

— Veja, eu cortei minhas unhas — disse Lindaura e estendeu sua mãos roliças diante do rei, de modo que ele as visse, caso quisesse ou não.

JOHN BAUER, POSTAL DE 1905

Foi quando ele viu algo de anormal nos dedos aparados. As unhas foram cortadas tão rente à pele que não se via nenhum sinal de garras.

— Então, Velho da Barba Grisalha, não pode dizer agora que eu tenho garras — disse Lindaura.

— Não... Hm... Está bem, pode passar a mão!

Lindaura pulou sobre seus joelhos e acariciou as velhas bochechas enrugadas e também as beijou, mas não antes que rolasse sobre elas um par de lágrimas.

Fazia tanto, tanto tempo que o velho rei não recebia um carinho.

E ele pegou Lindaura no colo e a carregou até o balcão.

— Vocês têm a quem queriam — disse ele.

Então rompeu solto um forte brado entre as pessoas lá embaixo.

— Viva nossa princesinha! Viva! Viva! — gritavam elas.

Mas Lindaura, intrigada, perguntou ao rei o que estavam dizendo.

— Estão dizendo que gostam muito de você, por ter mãozinhas tão lindas, que não tem garras, e que jamais vão rasgar ninguém — disse ele.

E então ele beijou as duas mãozinhas, para que todos vissem e, de baixo, as pessoas gritaram novamente:

— Viva! Viva nossa princesinha!

E foi assim que Lindaura se tornou princesa e herdou o reino do velho rei.

LASSE, MEU VASSALO!

G. Djurklou

Lasse min dräng, Suécia, 1883

"Lasse, meu vassalo" é extremamente popular na Suécia e tem um enredo semelhante ao de Aladdin e a Lâmpada Maravilhosa, mas contado de forma bastante original.

Era uma vez um príncipe ou um duque ou qualquer coisa de que você queira chamá-lo, mas, de qualquer maneira, um nobre tremendamente bem-nascido, que não queria ficar em casa. E, assim, ele viajou pelo mundo, e em todos os lugares aonde ia era bem recebido e fazia amizades com as pessoas mais importantes, porque ele tinha uma quantidade absurda de dinheiro. Ele logo encontrava amigos e conhecidos, não importava aonde ia, pois quem tem uma cuba cheia sempre encontra porcos para enfiar o focinho nela. Mas, como ele lidava desse jeito com o dinheiro, este diminuía a cada dia e, por fim, ele ficou na miséria, sem um centavo surrado, e houve um fim para todos os seus muitos amigos; pois eles fizeram como os porcos. Quando ele ficou depenado, eles começaram a se queixar e resmungar, e logo se afastaram, cada um cuidando da própria vida. E lá estava ele, depois de ser conduzido pelo nariz, abandonado por todos. Todos tinham ficado felizes de ajudá-lo a se livrar do dinheiro, mas nenhum estava disposto a ajudá-lo a ganhá-lo de novo, de modo que não havia nada que ele pudesse fazer além de voltar para casa como um aprendiz de andarilho e mendigar pelo caminho.

Certa noite, bem tarde, ele se viu em uma grande floresta, sem nenhuma ideia de onde poderia passar a noite. E, enquanto estava procurando, seu olhar caiu por acaso em uma velha cabana no meio dos arbustos. Claro que uma velha cabana não era um aposento para um cavalheiro tão importante; mas, quando não podemos ter o que queremos, devemos aceitar o que temos e, como não havia outro jeito, ele entrou na cabana. Não havia nem um gato lá dentro, nem um banco para se sentar. Mas, encostado em uma parede, havia um grande baú. O que poderia haver no baú? Será que poderia haver algumas migalhas bolorentas de pão? Seriam gostosas para ele, pois não tinha comido nada o dia todo e sentia tanta fome que seu estômago estava grudado nas costelas. Ele abriu o baú. Mas, dentro do baú, havia outro baú e, dentro deste, outro baú, e assim se sucedeu, um sempre menor que o anterior, até não haver nada além de pequenas caixinhas. E, quanto mais havia, mais ele tinha dificuldade para abri-las; pois o que estava escondido com tanto cuidado devia ser algo excepcionalmente lindo, pensou ele.

Por fim, ele chegou a uma caixa minúscula, e nela havia uma folha de papel — e isso foi tudo que ele ganhou pelo transtorno! No início, ele ficou muito deprimido. Mas, de repente, viu que havia alguma coisa escrita na folha de papel e, examinando com atenção, conseguiu distinguir as palavras, apesar de terem uma aparência estranha. E leu:

— Lasse, meu vassalo!

Assim que falou essas palavras, alguma coisa respondeu perto do ouvido dele:

— O que meu mestre ordena?

Ele olhou ao redor, mas não viu ninguém. *Isso é estranho*, pensou, e mais uma vez leu em voz alta:

— Lasse, meu vassalo!

E, assim como antes, veio a resposta:

— O que meu mestre ordena?

— Se houver alguém por perto que ouça o que estou dizendo, pode ser gentil o suficiente para me dar alguma coisa para comer? — pediu; e, naquele mesmo instante, uma mesa, coberta com todas as coisas boas de comer que se poderia imaginar, apareceu na cabana. Ele imediatamente começou a comer e a beber e ficou bem. *Nunca tive uma refeição melhor do que essa na vida*, pensou. E, quando a fome estava totalmente saciada, ele sentiu sono e pegou a folha de papel de novo. — Lasse, meu vassalo!

— O que meu mestre ordena?

— Agora que você me trouxe comida e bebida, também deve me trazer uma cama para dormir. Mas deve ser uma boa cama — ordenou. Como você pode imaginar, suas ideias, depois de comer bem, agora eram muito arrogantes. O comando foi obedecido de imediato; e apareceu na cabana uma cama tão boa e bonita que um rei poderia ter ficado feliz ao encontrar essas acomodações. Isso estava muito bem e ótimo; mas o bom sempre pode ser melhorado e, quando ele se deitou, decidiu que, no fim das contas, a cabana era miserável demais para uma cama tão boa. Ele pegou a folha de papel:

— Lasse, meu vassalo!

— O que meu mestre ordena?

— Se você consegue produzir essa refeição e essa cama aqui na floresta selvagem, certamente será capaz de me dar um aposento melhor; pois você sabe que estou acostumado a dormir em um castelo, com espelhos dourados e tapetes com brocado de ouro e luxos e conveniências de todo tipo — disse ele. E, assim que falou as palavras, estava deitado no quarto mais magnífico que já tinha visto.

Agora que tudo estava do seu jeito, ele ficou satisfeito quando virou o rosto para a parede e fechou os olhos.

Mas o quarto em que tinha dormido não era o fim dessa grandiosidade. Quando acordou na manhã seguinte e olhou ao redor, viu que estava dormindo em um castelo imponente. Havia um cômodo ao lado de outro e, aonde quer que ele fosse, as paredes e os tetos eram cobertos com ornamentos e decorações de todo tipo, todas reluzindo com tanto esplendor quando os raios do sol batiam nelas que ele teve de proteger os olhos com a mão; pois, para onde quer que olhasse, tudo parecia salpicado de ouro e prata. Então ele olhou pela janela e começou a perceber como tudo era realmente lindo. As árvores de abeto e os arbustos de junípero tinham sumido, e em seu lugar surgiu o jardim mais adorável que se pode desejar ver, repleto de belas árvores e arbustos e rosas de todas as variedades. Mas não havia nem um ser humano à vista, nem mesmo um gato, mas, ainda assim, ele achou natural que tudo fosse tão belo e que mais uma vez ele tivesse se tornado um lorde importante.

Ele pegou a folha de papel:

— Lasse, meu vassalo!

— O que meu mestre ordena?

— Agora que você me deu comida e um castelo para morar, vou ficar aqui, porque isso me convém — disse ele —, mas não posso morar aqui sozinho desse jeito. Preciso ter criados e criadas sob o meu comando. — E assim foi. Serviçais e lacaios e criadas e serventes de todas as descrições chegaram, e alguns deles faziam mesuras e outros faziam reverências, e agora o duque realmente começava a se sentir satisfeito.

O que aconteceu foi que havia outro castelo imponente do outro lado da floresta, no qual morava um rei que era dono da floresta e de muitos hectares amplos de campos e prados ao redor. E, quando o rei olhou pela janela, viu o novo castelo, em cujo teto os galos do vento estavam girando e cintilando em seus olhos.

Isso é muito estranho, o rei pensou, e mandou chamar seus cortesãos. Eles chegaram rapidamente, fazendo reverências e mesuras.

— Estão vendo o castelo ali adiante? — indagou o rei.

Os olhos deles cresceram como pires, e eles olharam.

Sim, de fato, eles viam o castelo.

— Quem teve a ousadia de construir esse castelo no meu terreno?

Os cortesãos fizeram reverências e mesuras, mas não sabiam. Então o rei mandou chamar os soldados. Eles entraram marchando e apresentaram as armas.

— Enviem todos os meus soldados e cavaleiros — disse o rei —, derrubem o castelo imediatamente, enforquem quem o construiu e façam isso agora mesmo.

Os soldados se reuniram com muita pressa e partiram. Os tocadores de tambor batiam os tambores e os trombeteiros sopravam as trombetas, e os outros músicos praticavam sua arte, cada um do seu jeito; de modo que o duque os escutou muito antes de eles aparecerem. Mas essa não era a primeira vez que ouvia uma música desse tipo, e ele sabia o que significava, então, mais uma vez, pegou a folha de papel:

— Lasse, meu vassalo!

— O que meu mestre ordena?

— Há soldados a caminho — disse ele —, e agora você deve me fornecer soldados e cavaleiros até que eu tenha o dobro do povo do outro lado da floresta. E sabres e pistolas e mosquetes e canhões, e tudo o mais; mas você precisa ser rápido!

Foi rápido mesmo e, quando o duque olhou pela janela, havia uma multidão de soldados ao redor do castelo.

Quando os soldados do rei chegaram, eles pararam e não tiveram coragem de avançar. Mas o duque não se intimidou. Foi imediatamente até o capitão do rei e perguntou o que ele queria.

O capitão repetiu suas instruções.

— Isso não vai levar vocês a lugar nenhum — disse o duque. — Você está vendo quantos soldados eu tenho, e se o rei concordar em me ouvir, podemos nos tornar amigos, e eu o ajudarei contra todos os seus inimigos, e teremos sucesso em tudo que fizermos.

O capitão ficou satisfeito com essa proposta, então o duque o convidou para ir ao castelo com todos os oficiais, e seus soldados receberam um gole ou dois de bebida e o suficiente para comer. Mas, enquanto o duque e os oficiais estavam comendo e bebendo, houve uma conversa entre eles, e o duque ficou sabendo que o rei tinha uma filha, ainda solteira e tão adorável que seu rosto nunca tinha sido visto. E, quanto mais eles levavam para os oficiais do rei comerem, mais eles se sentiam inclinados à opinião de que a filha do rei daria uma boa esposa para o duque. E, enquanto conversaram, o próprio duque começou a pensar na ideia. O pior de tudo, disseram os oficiais, era que ela era muito esnobe e nunca sequer se dignou a olhar para um homem. Mas o duque simplesmente riu.

— Se não for pior do que isso — disse ele —, é um problema que pode ser curado.

Quando os soldados finalmente tinham armazenado tudo que podiam, eles gritaram "urra" até despertarem os ecos nas colinas e foram embora marchando. Pode-se imaginar que bela marcha foi, já que alguns tinham ficado com os joelhos bambos. O duque os encarregou de levar seus cumprimentos ao rei e disse que em breve lhe faria uma visita.

Quando o duque voltou a ficar sozinho, começou a pensar na princesa de novo e se ela realmente era tão linda quando os soldados haviam dito. Decidiu que gostaria de descobrir por conta própria. Como tantas coisas estranhas tinham acontecido naquele dia, era bem possível, pensou.

— Lasse, meu vassalo!

— O que meu mestre ordena?

— Só que você traga a filha do rei aqui, assim que ela adormecer — disse ele. — Mas tome cuidado para ela não acordar nem na vinda para cá nem na volta para lá.

E, em pouco tempo, a princesa estava deitada na cama. Dormia profundamente e parecia encantadora deitada ali. Era de se admitir que ela era doce como açúcar. O duque andou ao redor; mas ela parecia tão linda de um lado quanto de outro, e quanto mais o duque olhava, mais ela o encantava.

— Lasse, meu vassalo!

— O que meu mestre ordena?

— Você deve levar a princesa para casa de novo – disse ele –, porque agora eu sei qual é a aparência dela e amanhã vou pedir sua mão.

Na manhã seguinte, o rei chegou à janela. *Eu não devia ter de ver aquele castelo no meu caminho,* pensou consigo. Mas o mal deve ter dado uma mãozinha no assunto: lá estava o castelo exatamente como antes, e o sol brilhava forte no telhado, e o cata-vento lançava raios nos seus olhos.

O rei mais uma vez ficou irritado e gritou chamando todo o povo, que correu até ele com uma rapidez maior do que a de sempre. Os cortesãos fizeram mesuras e reverências, e os soldados marcharam no passo de desfile e apresentaram as armas.

— Estão vendo aquele castelo ali? – rugiu o rei.

Eles esticaram o pescoço, os olhos cresceram como pires, e eles olharam.

Sim, de fato, eles o viam.

— Não ordenei que vocês derrubassem aquele castelo e enforcassem quem o construiu? – indagou ele.

Isso eles não podiam negar; mas agora o capitão deu um passo à frente e contou o que tinha acontecido, e o número alarmante de soldados que o duque tinha, e como o castelo era magnífico.

Então repetiu o que o duque dissera e que ele havia mandado seus cumprimentos para o rei.

Tudo isso deixou o rei meio tonto, e ele teve de colocar a coroa na mesa e coçar a cabeça. Era além da sua compreensão, mas ele era o rei. Tudo se passara durante uma única noite; se o duque não fosse o próprio diabo, no mínimo era um mago.

E, enquanto estava sentado ali pensando, a princesa apareceu.

— Deus o abençoe, pai – disse ela –, tive um sonho muito estranho e adorável na noite passada.

— E com o quê você sonhou, minha menina? – perguntou o rei.

— Ah, eu sonhei que estava no novo castelo mais adiante e havia um duque, bonito e tão esplêndido acima de tudo que eu poderia ter imaginado, e agora eu quero um marido.

— O quê? Você nunca se dignou a olhar para um homem e agora quer um marido? Isso é muito estranho! — disse o rei.

— Pode ser — disse a princesa —, mas é assim que me sinto agora; eu quero um marido, e o duque é o marido que eu quero — concluiu.

O rei simplesmente não conseguia superar o espanto que o duque havia provocado nele.

De repente, ele ouviu uma batida extraordinária de tambores e o som de trombetas e outros instrumentos de todo tipo. E veio uma mensagem informando que o duque havia chegado com um grande séquito, todos tão magnificamente bem-vestidos que cada fio das roupas reluzia com ouro e prata. O rei, usando sua coroa e seu melhor roupão cerimonial, estava em pé no alto da escadaria, olhando para baixo, e a princesa estava ainda mais inclinada a cumprir sua ideia o mais rápido possível.

O duque cumprimentou o rei de um jeito agradável, e o rei retribuiu o cumprimento da mesma forma e, discutindo seus assuntos juntos, eles se tornaram bons amigos. Houve um grande banquete, e o duque se sentou à mesa ao lado da princesa. O que disseram um ao outro eu não sei, mas o duque sabia conversar tão bem que não importa o que ele disse; a princesa não conseguiu dizer não, então ele foi até o rei e implorou pela mão dela. O rei não podia exatamente recusar, pois o duque era o tipo de homem que era melhor ter como amigo do que inimigo; mas também não podia dar uma resposta sem pensar. Primeiro, ele quis ver o castelo do duque e saber como ele cuidava disso, daquilo e daquilo outro, o que era natural.

E, assim, eles combinaram que deveriam fazer uma visita ao duque e levar a princesa, para ela poder analisar as posses dele. E, com isso, partiram.

Quando o duque chegou em casa, Lasse teve muito trabalho, pois recebeu muitas funções. Mas ele se apressou, realizando-as, e tudo estava arrumado de maneira tão satisfatória que, quando o rei chegou com a filha, mil canetas não poderiam ter descrito o local. Eles foram a todos os cômodos e olharam ao redor, e tudo era como deveria ser, e ainda melhor, pensou o rei, que estava muito feliz. Então o casamento foi celebrado e, quando a cerimônia terminou e o duque voltou para casa com a jovem esposa, ele também ofereceu um banquete esplêndido, e foi o que aconteceu.

Depois de um tempo, certa noite, o duque ouviu as palavras:

— Meu mestre está satisfeito agora? — Era Lasse, apesar de o duque não conseguir vê-lo.

— Estou bem satisfeito — respondeu o duque —, pois você me trouxe tudo que eu tenho.

— Mas o que foi que recebi em troca? — indagou Lasse.

— Nada — respondeu o duque —, mas, céus, o que eu poderia lhe dar, já que você não é de carne e osso e eu nem consigo vê-lo? — completou. — Mas se houver alguma coisa que eu possa fazer por você, me diga o que é, e eu farei.

— Eu gostaria muito de ficar com a folha de papel que você guarda na caixa — disse Lasse.

— Se isso é tudo que você quer, e se essa ninharia é útil para você, seu desejo será realizado, pois acredito que já sei as palavras de cor — disse o duque.

Lasse agradeceu e disse que tudo que o duque precisava fazer era colocar o papel na cadeira ao lado da cama quando fosse dormir, e ele o pegaria durante a noite.

Foi isso o que o duque fez, depois foi para a cama e caiu no sono.

Mas, perto do amanhecer, o duque acordou, sentindo tanto frio que seus dentes batiam. Quando abriu totalmente os olhos, viu que tinha sido desprovido de tudo e que mal tinha uma camisa em seu nome. E, em vez de estar deitado na bela cama, no belo quarto no magnífico castelo, estava deitado no grande baú na velha cabana. Ele imediatamente gritou:

— Lasse, meu vassalo! — Mas não houve resposta.

Ele gritou de novo:

— Lasse, meu vassalo! — Mais uma vez, não houve resposta.

Então ele gritou o mais alto possível:

— Lasse, meu vassalo! — Mas esse terceiro grito também foi em vão.

Ele começava a perceber o que tinha acontecido, e que Lasse, quando obteve a folha de papel, não tinha mais de servi-lo, e que ele mesmo tinha possibilitado isso. Mas agora as coisas eram como eram, e lá estava o duque na velha cabana, mal tendo uma camisa para si. A princesa também não estava muito melhor, apesar de ter mantido suas roupas, pois tinham sido dadas por seu pai, o rei, e Lasse não tinha poder sobre elas.

O duque teve de explicar tudo para a princesa e implorar para ela deixá-lo, já que seria melhor se ele tentasse sobreviver sozinho do melhor jeito possível. Mas isso a princesa não faria. Tinha uma memória melhor para o que o sacerdote dissera quando os casou, explicou ela, e nunca, nunca ia abandoná-lo.

O rei finalmente acordou no próprio castelo e, quando olhou pela janela, não viu nem uma pedra do outro castelo no qual o genro e a filha moravam. Ficou inquieto e mandou chamar seus cortesãos.

Eles chegaram, fazendo reverências e mesuras.

— Vocês veem o castelo ali, do outro lado da floresta? — perguntou.

Eles esticaram o pescoço e abriram os olhos. Mas não conseguiam ver nada.

— O que foi feito dele? — indagou o rei. Mas, essa pergunta, eles não eram capazes de responder.

Em pouco tempo, o rei e toda a corte partiram, passaram pela floresta e, quando chegaram ao local onde o castelo, com seus jardins imponentes, deveria estar, não viram nada além de arbustos de junípero e pinheiros. E, por acaso, viram a pequena cabana no meio do mato. Ele entrou e — ó, pobre rei! — o que foi que ele viu?

Lá estava seu genro, mal tendo uma camisa para si, e sua filha, e ela não tinha muita coisa para vestir, e estava chorando e lamentando de maneira apreensiva.

— Pelos céus, o que está acontecendo aqui? — disse o rei. Mas não recebeu nenhuma resposta, pois o duque preferia morrer do que lhe contar a história toda.

O rei insistiu e o pressionou; primeiro, de maneira amigável; depois, com raiva. Mas o duque continuou obstinado e não tinha nada a dizer. Então o rei ficou enfurecido, o que não é muito surpreendente, pois agora percebia que esse belo duque não era o que aparentava ser e, portanto, ordenou que fosse enforcado imediatamente. É verdade que a princesa implorou com sinceridade por ele, mas lágrimas e orações eram inúteis agora, pois ele era um crápula e devia ter a morte de um crápula; assim mandava o rei.

E assim foi. O povo do rei montou uma forca e colocou a corda ao redor do pescoço do duque. Mas, enquanto o conduziam até a forca, a princesa chamou o carrasco e lhe deu uma gorjeta, para que eles arrumassem as coisas de modo que o duque não precisasse morrer. Perto do fim da tarde, eles cortariam a corda, e ele e a princesa iriam desaparecer. Assim a barganha foi feita. Nesse meio-tempo, eles o penduraram, e o rei, com sua corte e todo o povo, foram embora.

Agora o duque estava na ponta da corda. Mas teve tempo suficiente para refletir sobre seu erro de não se contentar com um centímetro em vez de procurar um metro; e o fato de ter, tão tolamente, devolvido a folha de papel a Lasse o irritava acima de tudo. *Se ao menos eu o tivesse outra vez, mostraria a todos que a adversidade me tornou sábio*, pensou consigo. Mas depois que o cavalo é roubado, fechamos a porta do estábulo. E é assim que o mundo funciona.

Então, ele pendurou as pernas, já que, neste momento, não havia mais nada que pudesse fazer.

Tinha sido um dia longo e difícil, e ele não ficou triste quando viu o sol afundando atrás da floresta. Mas, quando o sol estava se pondo, de repente ele ouviu um "iuhu" tremendo e, quando olhou para baixo, havia sete carroças de sapatos surrados vindo pela estrada e, em cima da última carroça estava um velhinho de cinza, com um gorro de dormir na cabeça. Tinha o rosto de um espectro terrível, e não era muito melhor em outros aspectos.

Ele seguiu direto até a forca e parou quando estava diretamente embaixo, olhou para o duque e riu. Que velha criatura horrorosa!

— E essa é a medida da sua estupidez? — disse ele. — Por outro lado, o que um camarada do seu tipo faz com sua estupidez, senão colocá-la em uso? — E riu de novo. — Sim, aí está você pendurado, e aqui estou eu, carregando todos os sapatos que usei fazendo seus serviços tolos. Às vezes me pergunto se você realmente consegue ler o que está escrito nesta folha de papel e se reconhece — comentou, rindo de novo, se entregando a todo tipo de brincadeira grosseira e acenando a folha de papel embaixo do nariz do duque.

Mas todos que estão pendurados na forca não estão mortos, e desta vez Lasse foi o maior tolo entre os dois.

O duque deu um bote e arrancou a folha de papel da mão dele!

— Lasse, meu vassalo!

— O que meu mestre ordena?

— Corte a corda da forca imediatamente e restaure o castelo e todo o resto como era antes; depois, quando estiver escuro, traga a princesa de volta.

A ordem foi cumprida com uma rapidez alarmante, e em pouco tempo tudo estava exatamente como era antes de Lasse ter fugido.

Quando o rei acordou na manhã seguinte, olhou pela janela, como sempre, e lá estava o castelo de antes, com os galos do tempo reluzindo lindamente sob a luz do sol. Mandou chamar os cortesãos, e eles vieram, fazendo reverências e mesuras.

— Vocês estão vendo o castelo adiante? — perguntou o rei.

Eles esticaram o pescoço e olharam e encararam. Sim, de fato, eles viam o castelo.

Então o rei mandou chamar a princesa; mas ela não estava lá. Assim, o rei partiu para ver se o genro estava enforcado no local especificado; mas, não, não havia nem sinal do genro e nem da forca.

Ele teve de tirar a coroa e coçar a cabeça. Mas isso não mudava a situação, e ele não conseguia entender o que acontecera. O rei enfim partiu com toda a corte e, quando chegaram ao local onde o castelo deveria estar, lá estava ele.

Os jardins e as rosas eram exatamente como antes, e os serviçais do duque eram vistos em multidões sob as árvores. Seu genro em pessoa, junto com sua filha, os dois usando as roupas mais elegantes, desceram a escada para encontrá-lo.

O diabo tem um dedo nisso, pensou o rei; e tudo lhe parecia tão estranho que ele não acreditava nas evidências dos próprios olhos.

— Deus o abençoe e receba, pai! — disse o duque.

O rei só conseguia encará-lo.

— Você é... você é meu genro? — perguntou.

— Ora, mas é claro — respondeu o duque —, quem mais eu poderia ser?

— Eu não mandei enforcá-lo ontem como ladrão e vagabundo? — indagou o rei.

— Eu realmente acredito que o pai perdeu a cabeça no caminho até aqui — disse o duque e riu. — O pai pensa que eu permitiria que me enforcassem com tanta facilidade? Ou há alguém presente que teria a ousadia de supor algo assim? — comentou, olhando nos olhos de todos, de modo que eles sabiam que ele os estava desafiando.

Eles se dobraram e fizeram reverências.

— E quem poderia imaginar algo assim? Como seria possível? Ou, se houver alguém presente que teria a ousadia de dizer que o rei quer o meu mal, que fale agora — provocou o duque, e os encarou de maneira mais penetrante do que antes. Todos se dobraram e fizeram reverências.

Como algum deles poderia chegar a essa conclusão? Não, nenhum deles era tolo a esse ponto, disseram.

Agora o rei realmente não sabia o que pensar. Quando olhava para o duque, tinha certeza de que nunca teria desejado o seu mal, e, mesmo assim, não tinha tanta certeza.

— Não estive aqui ontem, e o castelo tinha desaparecido e uma velha cabana estava no lugar, e não entrei na cabana e o vi em pé ali, mal tendo uma camisa em seu nome? — perguntou.

— Como o pai fala — respondeu o duque —, tenho muito medo que trolls o tenham cegado e levado para o mau caminho na floresta. O que vocês acham? — perguntou e se virou para os cortesãos.

Eles imediatamente fizeram uma reverência e se curvaram em sucessão e tomaram o lado do duque, como seria razoável.

O rei esfregou os olhos e olhou ao redor.

— Deve ser como você diz — confirmou ele ao duque —, e acredito que recuperei minha razão e encontrei meus olhos outra vez. E teria sido um pecado e uma pena se eu tivesse enforcado você — disse. Ele ficou alegre, e ninguém pensou mais no assunto.

Mas a adversidade ensina as pessoas a serem sábias, como dizem por aí, e o duque agora começou a cuidar da maioria das coisas sozinho, para que Lasse não tivesse de usar tantos pares de sapatos. O rei entregou metade do reino a ele, e isso lhe deu muita coisa para fazer, e as pessoas comentaram que seria necessário procurar muito longe para encontrar um governante melhor.

Então, um dia, Lasse foi até o duque e, apesar de não parecer muito melhor do que antes, foi mais civilizado e não se arriscou a sorrir e seguir adiante.

— Você não precisa mais da minha ajuda — disse —, pois, apesar de antes eu ter usado todos os meus sapatos, agora não consigo usar nem um par, e quase acredito que as minhas pernas desenvolveram musgo. Você não vai me dispensar?

O duque pensou que podia fazer isso.

— Passei por grandes dores para poupá-lo, e realmente acredito que posso seguir sem você — respondeu. — Mas o castelo aqui e todas as outras coisas eu não posso dispensar, já que nunca poderia encontrar um arquiteto como você, e pode ter certeza que não desejo ornamentar a árvore da forca pela segunda vez. Portanto, não vou, por livre e espontânea vontade, devolver a folha de papel — concluiu.

— Enquanto ele estiver nas suas mãos, não tenho nada a temer — respondeu Lasse. — Mas, se o papel cair em outras mãos, terei de começar a correr e trabalhar de novo, e isso, apenas isso, é o que eu gostaria de evitar. Quando um camarada está trabalhando há mil anos, como eu estou, ele tende a ficar cansado em algum momento.

Então eles chegaram à conclusão de que o duque deveria colocar a folha de papel na caixinha e enterrá-la a sete palmos no subsolo, embaixo de uma pedra que havia crescido ali e que ficaria no mesmo lugar. Um agradeceu ao outro pela camaradagem agradável e depois se separaram. O duque fez o que tinha concordado em fazer, e ninguém o viu escondendo a caixa. Ele viveu feliz com a princesa e foi abençoado com filhos e filhas. Quando o rei morreu, ele herdou todo o reino e, como você pode imaginar, não foi prejudicado por isso, e sem dúvida ainda está morando e governando lá, a menos que tenha morrido.

Quanto à caixinha contendo a folha de papel, muitos ainda estão escavando e procurando por ela.

O ANEL

Helena Nyblom

Ringen, Suécia, 1914

Em uma deleitosa aventura, um príncipe parte em busca da portadora de um anel encontrado na areia. O que descobre, porém, é muito mais simbólico – e profético – do que imaginava.

Era uma vez um príncipe que saiu cavalgando ao luar. O ar estava tão leve que ele sentia como se estivesse voando com seu cavalo. O céu azul escuro flutuava sobre nuvenzinhas frisadas. Ao longe, do alto da serra, se viam raios de tempestade. O príncipe cavalgava agilmente, e sua sombra crescia tanto ao luar que chegava a parecer uma criatura mágica montada sobre um gigante.

Quando o príncipe chegou ao castelo, ele desceu do cavalo e entregou-o ao moço da estrebaria. Não teve ânimo de entrar imediatamente. Com o chicote na mão, desceu em direção ao mar e se pôs a vagar ao longo da praia. Andava com passos leves, sem pensar em nada, apenas respirando o frio ar da noite. E, enquanto caminhava, ele revirava a areia com seu chicote quando sentiu, de repente, que algo se prendera à ponta. O que era? Um anel!

Um anel!, pensou o príncipe, segurando-o contra a luz da lua. *Quem terá perdido um anel aqui na praia? Deve ter sido uma das damas da corte!*

Ele guardou o anel no bolso. Era um anel pequenino, delgado como um fio e incrustado com muitas pedrinhas azuis, que exibiam a forma de um miosótis[7].

Depois da ceia, quando a Corte estava reunida no grande salão, o príncipe, levando a mão ao bolso, disse:

— Por acaso alguma de nossas damas perdeu um anel? — Todas as mulheres ao redor se puseram a examinar as mãos. Todas tinham anéis valiosos, enfeitados com diamantes, esmeraldas e safiras, e elas olhavam ansiosamente de dedo em dedo para conferir se um dos magníficos anéis estava faltando. Mas todas estavam de posse de seus anéis.

— Como esse anel se parece? — ousou perguntar uma bela e jovem dama. O príncipe ergueu o anel diante de todos. As damas fizeram uma expressão que misturava orgulho e desprezo. Nenhuma delas tinha um anel como aquele em suas posses. Era um objeto insignificante,

---

[7] Myosotis, de nome comum miosótis, é um gênero de plantas pertencente à família Boraginaceae. Suas flores são também habitualmente chamadas de "não-me-esqueças". (N.E.)

JOHN BAUER, 1914

de pouco ou nenhum valor, e tão pequeno que parecia caber na mão de uma criança.

 Mas agora as damas tinham um assunto para conversar, e elas gastaram o resto da noite comparando seus belos anéis, que passavam de mão em mão enquanto se anunciava seus diferentes valores. O príncipe havia se levantado e saído até o balcão, onde permaneceu olhando o luar.

 Ele entrou em seus aposentos, despiu-se e se deitou na cama, e deixou o anelzinho numa mesa próxima. Quando estava perto de dormir, ele escutou sons peculiares. Um estalido, seguido de um zumbido, como se um pequeno inseto estivesse se mexendo entre as taças da mesa.

Quando ele abriu os olhos, espantado, pôde ver o anelzinho girando como se uma mão invisível o tivesse posto em movimento.

O príncipe acendeu rapidamente uma vela, mas o anel ficou imóvel. Quando o príncipe apagou a vela e o quarto ficou escuro novamente, o anel recomeçou a dançar. Era ao mesmo tempo estranho e assustador. E, apesar do príncipe enfiar o anel numa caixa, ele escutou o tempo todo como o anel corria em círculos. Naquela noite, o príncipe mal conseguiu dormir.

Ele poderia ter jogado o anel fora, mas havia algo que tornava tal coisa impossível. O príncipe não queria se separar do anel por nada e, na noite seguinte, levou-o consigo até seus aposentos.

Mal ele apagou a luz e o anel já começou a dançar, não se contentando apenas em girar sobre a mesa. O anel correu até ficar em cima de seu peito, onde continuou a se mexer numa velocidade constante.

— Mas o que é isso? — perguntou o príncipe, sentando-se na cama. Ele agarrou o anel e se dirigiu até um baú com tranca, que se encontrava num canto do quarto. Mas enquanto segurava o anel entre os dedos, pareceu que ele, o objeto, tremia e se encolhia, como um pequeno ser vivo. Ao longo de todo o dia seguinte, o príncipe ficou calado e sério. Ele apenas ruminava sobre o que podia ser aquele anel maravilhoso que havia encontrado com seu chicote. Quando chegou a noite, ele pôs o anel sobre a mesa ao lado da cama, como fizera antes, e estava tão sonolento que logo adormeceu. Mas não dormiu por muito tempo, sendo despertado por algo que mexia em seu rosto. Logo percebeu que era o anel, que pulou sobre sua testa, dançando em suas bochechas e girando em torno de sua boca.

— Agora entendo! — exclamou ele, e se levantou em um pulo. — Devo encontrar a quem esse anel pertence!

E, assim que a luz avermelhada da manhã surgiu sobre o mar, o príncipe acordou, desceu até a estrebaria, selou o cavalo e partiu veloz sobre a ponte levadiça. Ele cavalgou o dia inteiro, sem ter seu caminho atravessado por um único ser humano, mas, ao cair da noite, chegou a um grande e belo castelo, situado em um prado verde, cercado de árvores frondosas. No alto do castelo cresciam rosas e heras, e, sobre uma das janelas ogivais, encontrava-se a castelã, que olhava os arredores. Ela era viúva, mas ainda era jovem; uma mulher imponente, que administrava sua grande propriedade com eficiência. Quando ela viu o príncipe se aproximar a cavalo, mandou às pressas que um de seus criados fosse saudá-lo e convidá-lo a entrar no castelo.

O príncipe aceitou o convite. A elegante castelã o recebeu com honras amistosas. Um magnífico aposento lhe foi preparado e, quando ele desceu para jantar, o salão estava todo iluminado por velas e tochas. A mesa estava posta com prata e ouro, e as mais finas iguarias eram servidas por criados trajados como se num dia de festa. A castelã, por sua vez, era linda de se admirar, vestida em veludo vermelho e arminho, bem como uma rainha. Ela conversava com o príncipe com vivacidade, e se divertia bastante com tudo que ele tinha para contar. O motivo de ele sair cavalgando sozinho pelo mundo, ele não revelou, mas, de quando em quando, lançava um olhar furtivo às mãos de sua anfitriã. Seria ela quem havia perdido o anel? Sua distinta dama tinha mãos grandes, vermelhas e feias. Quando se observava seu porte orgulhoso e o modo de andar elegante, não se podia duvidar que ela era uma dama de alta posição; mas, quando se observava suas mãos grandes e dedos grossos, inevitavelmente se pensava: *São mãos de cozinheira!*

Ela portava vários anéis valiosos nos dedos, mas nenhum lhe caía bem; os anéis só chamavam mais atenção para suas mãos feias. Quando, ao fim do jantar, ela descascou uma maçã para o príncipe, ele olhou com firmeza para a mão ornada de anéis e disse:

— Vossa Mercê possui tantos anéis preciosos! Não poderia ter perdido algum banhando-se ou colhendo flores?

— Eu sempre os retiro antes de entrar no mar — respondeu a castelã, rindo. — E nunca apanho flores sozinha. Minhas aias fazem isso por mim.

O príncipe se calou por um instante. Em seguida, exibiu o anelzinho.

— O que me diz deste anel? — perguntou ele.

— Olha que coisinha! — disse a dama, pondo o anel no mindinho. — Mal passa pela primeira falange do meu dedo, e parece pertencer a uma criança, uma criança pobre. De onde Vossa Alteza o recebeu?

JOHN BAUER, 1914

— Não vou falar sobre isso — respondeu ele, guardando o anel junto ao peito.

Ela o examinou por um instante, com seus olhos negros e penetrantes, e eles acabaram conversando sobre outras coisas. Na manhã seguinte, antes do sol raiar, o príncipe partiu com seu cavalo.

Uma criança!, pensou ele, olhando para o horizonte. *Uma criança pobre. Mas onde você está?*

Ele cavalgou por bosques e vales, sobre prados e planícies. Assim que o sol atingiu o ponto mais alto no céu, o príncipe chegou a uma grande fazenda que se situava entre campos de trigo e jardins que balançavam ao vento. Mesmo a distância, ele viu que muitas pessoas se moviam pelo pátio central, e música de violinos e trompetes chegava aos seus ouvidos.

Quando o príncipe se aproximou, entendeu que estavam celebrando um casamento, e o noivo e a noiva estavam no alto da varanda. A noiva usava uma coroa de flores na cabeça, enfeitada com fitas coloridas. O noivo tinha botões prateados no paletó, um lustroso chapéu de feltro preto e um sorriso de felicidade. Em volta do pátio, centenas de casais jovens dançavam com animação. O príncipe deteve o cavalo sobre um monte acima da fazenda e observou a dança. Assim que as pessoas terminaram de dançar, sentando-se para descansar em bancos à sombra de tílias altas que expandiam suas copas sobre o terreno, o príncipe se aproximou.

Todos os olhos se voltaram para o cavaleiro recém-chegado, que aparecia de modo tão inesperado. O príncipe exibiu o anelzinho e gritou:

— Há entre as meninas daqui alguma que perdeu um anel?

Todas as meninas esvoaçaram como pombas e correram até o cavaleiro para examinar o anel.

— Eu perdi um anel! E eu! E eu! — gritaram muitas delas, e todas se apertaram ao redor do príncipe.

— Não, não era assim o anel que eu perdi! — disse uma após a outra, e conversaram entre si, gritando e rindo, até que a música voltou a tocar. Então, dispararam em velocidade de volta ao pátio, para dançar, e o príncipe cavalgou adiante, entristecido.

Tarde da noite, ele se sentiu tão cansado que deixou o cavalo andar devagar, ao longo de um rio que corria em paralelo a eles.

Ele avistou, então, uma mulher vestida de preto, que andava com olhos baixos, parecendo estar procurando entre as pedras do caminho. Quando o príncipe se aproximou mais, ela ergueu o olhar, e ele pôde ver um rosto de grande beleza. A mulher parecia tão pesarosa, com seus grandes olhos negros e face pálida, uma expressão tão dolorosa e sofrida, que o príncipe foi tomado de uma profunda compaixão. Ele parou seu cavalo e, com a voz mais terna, perguntou:

— O que você procura, minha querida? Perdeu algo de valioso?

O rosto da mulher exibiu uma expressão ainda mais triste. Ela franziu as sobrancelhas, e seus lábios tremiam.

— Ai! — disse ela com a voz trêmula, enquanto contorcia as mãos. — Eu perdi tudo que possuía na vida; meu marido, minha terra e meu dinheiro. Só me restava uma coisa: um anel, que foi presente do meu falecido esposo. Eu tinha pensado em vendê-lo por um alto preço. Mas eu o perdi, não sei onde e como. Com esse anel, minha última esperança se foi. Agora só me resta mendigar.

O coração do príncipe bateu forte. Seria ela a dona do anel que ele trazia guardado junto ao peito? Mas todos que viram o anel disseram que ele não tinha nenhum valor! O príncipe ergueu devagar o anel e perguntou:

— Não seria este o anel?

Ela, no entanto, exibiu um sorriso triste.

— O meu anel era adornado com um grande diamante. Essa coisinha é apenas um brinquedo sem valor.

O príncipe abriu a bolsa, que estava cheia de moedas de ouro, e fez com elas chovessem sobre a mulher triste.

— Aí você tem o tanto que precisa para se sustentar de início — disse ele, com doçura. — O dinheiro pode ajudá-la. Quanto mim, ninguém no mundo pode ajudar.

E, antes que a mulher pudesse agradecer, ele já estava bem distante.

Por dias e noites o príncipe cavalgou adiante, mas nunca encontrava alguém que reconhecesse o anel. A partir de então, ele portava o anel sempre ao peito. O anel cessara de se mexer com a intensidade das primeiras noites, mas ainda se sacudia um pouco, como se soluçasse de mansinho, e pareceu ao príncipe que seu coração não batia mais; que ele escutava outro coração batendo no peito, e a cada dia seu amor pelo anel crescia.

E, assim, certa manhã, ele chegou à beira de um rio, que corria com fúria. Na outra margem, erguia-se uma montanha, que, ao alvorecer, parecia envolta num véu azul. À distância, a montanha luzia como uma enorme taça dourada. Havia arbustos de genista em flor, e o castelo era tão belo que o príncipe não pôde deixar de rir. Ele queria subir e ver de perto aquela maravilha, mas não seria tão fácil, pois não havia ponte sobre o rio, e nenhum caminho conduzia até lá.

Então preciso nadar até o outro lado, pensou o príncipe, e se lançou com o cavalo nas ondas revoltas. Não se importava que a água espirrasse sobre ele, e que seu cavalo fizesse esforço para não ser arrastado pela correnteza. Ele se sentia tão desencorajado e abatido por sua busca longa e vã que lhe pareceu realmente delicioso lutar com todas as forças para alcançar o outro lado do rio. Por fim, ele alcançou a terra, e parou, ofegante, na ribanceira, enquanto seu cavalo arquejava e bufava ao seu lado. Acima dele, erguia-se a montanha. O príncipe não podia cavalgar até o alto, então soltou o cavalo em um campo verde, onde o animal poderia pastar tranquilo, até se fartar, enquanto ele mesmo se esforçaria galgando a trilha estreita que serpenteava através da floresta, em direção ao cume. O dia estava quente, e foi bem agradável entrar debaixo da sombra das árvores, em meio ao ar fresco da floresta. O silêncio era completo. O sol dançava em inúmeras manchas douradas no chão, as folhas murchas da estação passada deixando o solo escorregadio, e raízes tortuosas atravessavam o caminho, fazendo com que a subida não fosse tarefa fácil.

Por que me dei a esse trabalho todo?, pensou o príncipe. *Para onde estou me conduzindo?*

Seu coração pulsava com tal força que ele chegava a escutá-lo, e ouvia também o coraçãozinho do anel, que parecia mais inquieto do que estivera em muito tempo. O príncipe parou por um instante e, então, retomou a caminhada.

De repente, teve a impressão de escutar o som de água corrente, e só então percebeu como estava sedento. Agora ele sabia para onde conduzir seus passos: queria chegar até a fonte e matar sua sede. O som da água ficava cada vez mais forte, e, entre folhas de castanheira, o príncipe viu um brilho prateado. Após mais alguns passos, ele se encontrou diante de uma fonte de água fresca que escorria do sopé da montanha até um pequeno poço. O príncipe parou abruptamente, pois não estava só. Diante da fonte, havia uma menina, que estava enchendo um balde que tinha posto debaixo da queda d'água. Um outro balde, vazio, repousava a seu lado, sobre a grama. A menina era bem magrinha, e trajava um vestido cinza curto, com um corpete branco. Seu cabelo estava dividido em duas tranças loiras que caíam pelas costas, e ela estava com uma mão na cintura. Seu rosto, o príncipe não podia ver; mas quando o balde se encheu, a menina se virou na direção dele. Seus olhos claros pareceram surpresos, e ela logo inclinou a cabeça para cumprimentar; depois, pôs o outro balde debaixo da água. Quando este também se encheu, a menina se virou e prendeu os dois baldes numa haste que estava sobre grama. O príncipe sorriu para ela, mas ela não sorriu de volta. O rosto da menina tinha uma expressão tão calma e séria que o príncipe também ficou repentinamente sério.

— Me desculpe — disse ele. — Mas você poderia me dar um gole d'água? Estou tão sedento!

— Mas com o que você vai beber? — perguntou a menina.

A voz dela era tão suave e bonita que soava como música.

—Já sei! — disse ela, de repente, e sorriu. — Vem cá, vou te ajudar!

O príncipe se apressou até a fonte, e a menina juntou as mãos, formando um pequeno copo. Quando a água escorria, logo se tornava a encher.

— Bebe logo! — exclamou ela, rindo feliz.

O príncipe num instante sorveu a água de suas mãos.

— Mais! — disse ele, enquanto mais água derramava em sua boca. — Me dê mais!

A menina juntou as mãos novamente e as encheu de água corrente, mas, quando o príncipe se inclinou para beber, ele percebeu uma estranha mudança no rosto da menina. Ela corou de repente, e seus olhos, que eram azuis como o céu de verão, escureceram e ficaram quase negros. A menina agarrou o lenço que o príncipe tinha no pescoço e apanhou o anel que tinha caído com o movimento que ele fizera ao beber a água.

— Meu anel! — disse ela, com voz trêmula. — Como você encontrou meu anel?

Ela pôs o anel no mindinho da mão esquerda, e ele brilhou feliz, como quem volta para casa.

— Meu anel! — repetiu a menina, e encarou o príncipe com lágrimas nos olhos.

Ela se sentou sobre a grama, debaixo dos pesados galhos da castanheira, e girou devagar o anel no dedo, enquanto o olhava com ternura, como se fosse uma coisa com vida.

— E por que você gosta tanto desse anel? — perguntou o príncipe, sentando-se ao lado dela.

— Foi minha mãe que me deu — disse a menina, voltando os olhos ao príncipe. — No dia em que ela morreu, quando eu era só uma menininha. Ela me disse que este anel me ajudaria com todos os perigos, e que, se um dia eu estivesse em grandes dificuldades, deveria atirá-lo ao mar. O anel saberia encontrar meu salvador.

— E ele o encontrou — disse o príncipe, sorrindo, segurando as mãos da menina entre as suas. — O anel me chamou, me atraiu, me tirou toda a paz, até eu te encontrar nesta floresta. Mas agora me fale também por que está aqui, como aqui chegou, e por qual dificuldade você teve que passar!

— Veja — disse a menina, com voz sussurrante, enquanto olhava ao redor com apreensão. — Eu moro na casa de um velho troll de montanha, para quem tenho que trabalhar e servir como a mais infeliz das escravas. — E, assim, a menina contou a triste história de sua breve vida.

Ela nascera no castelo do alto da montanha e fora destinada a se tornar uma princesa bela e elegante. Mas sua mãe morreu quando ela era criança e, quando a menina completou quinze anos, veio um monarca de terra estrangeira que tomou sua herança, matou seu pai e a pôs em cativeiro. A menina teve então que morar no castelo do monarca estrangeiro, onde não lhe faltava nada das delícias terrenas. Davam-lhe boa comida e roupas caras, e havia muitas criadas ao seu serviço. Mas ela nunca tinha permissão para sair. Da janela de seu quarto, no alto da torre, ela podia avistar os campos em flor, as florestas verdes e os rios que serpenteavam como fios de prata através do vale. Um dia, o monarca estrangeiro foi até a menina, dizendo para que se preparasse, pois ela se casaria com o filho dele no tempo de três meses.

— Seria uma grande honra para mim — continuou a menina, lançando um olhar triste ao príncipe. — Mas eu achei que era a maior infelicidade e vergonha que poderia se abater sobre mim. O filho do monarca era rude e grande como um gigante, tinha o rosto vermelho de vinho e devorava comida feito um urso. Sempre que o via, ele estava bêbado, e eu preferiria morrer a desposá-lo.

No entanto, ela teve que fingir que gostaria muito de tê-lo como marido, mas disse que primeiro gostaria de trançar uma corda para a âncora do navio dele. Quando estivesse pronta, subiria ao altar como noiva.

Então ela começou a trançar uma corda com o cânhamo mais resistente que pôde encontrar, e a corda ficou tão longa que se estendia dos seus pés até o fundo do vale.

Na noite em que se casaria, ela se trancou no seu quartinho da torre, amarrou a corda na janela e desceu. Quando chegou ao chão, correu o mais rápido que suas pernas aguentavam e se escondeu na floresta. Lá, ela se enfiou no arbusto mais espesso e adormeceu profundamente. Mas na manhã seguinte despertou com algo roçando em seu rosto, e quando abriu os olhos viu um rosto terrível que a olhava de cima. Era o troll da montanha que fazia sua caminhada matinal pela floresta, e que estava passando um graveto no seu rosto. Ele era metade gente e metade urso, e tinha uma língua longa e vermelha que pendurava fora da boca, e mãos peludas e escuras.

— Eu fiquei com tanto medo — disse a menina —, que não tinha coragem nem de respirar.

Mas o troll soltou uma risada demoníaca e disse:

— Foi bom que eu te encontrei, meu docinho! Agora você vai tomar conta de mim, fazer minha comida, carregar água e lenha e ser meu benzinho!

O troll então a ergueu pelo cabelo e a carregou até a sua caverna. Ficava no alto da montanha e era profunda e escura. Até mesmo nos dias mais quentes de verão era frio lá dentro, como numa geladeira, e grossas gotas d'água choviam constantemente das pedras.

— Agora já servi por três longos anos na casa do troll — disse a menina, suspirando. — Todo verão ele diz: "Até o Natal eu vou te comer

JOHN BAUER, 1914

com molho de mel, mas primeiro você precisa engordar um pouco." Por isso eu mal ouso comer, e não penso em outra coisa que não seja fugir de lá. Um dia, no começo da Primavera, eu desci a montanha correndo até o rio, com a esperança de chegar ao outro lado, mas não havia nem ponte nem barca, somente a espuma das ondas. Então eu tirei o anel e o joguei na água gritando, como minha mãe me ensinou:

Ao léu, ao léu
Meu anel, meu anel
Ligeiro, ligeiro
Traz meu cavaleiro

Que vai me salvar
Que vai me libertar
Senão só me resta o céu!

"E o anel afundou nas profundezas. Mas agora — concluiu ela sorrindo —, agora o anel encontrou o cavaleiro que vai me libertar, me salvar.

E assim ela beijou o anel.

— Você beija o anel? — perguntou o príncipe. — Creio que em vez disso, eu devia ganhar um beijo.

— É mesmo? — disse ela sorrindo, e o envolveu com os braços e lhe deu um beijo.

Mas nesse mesmo momento se escutou um estranho rugido.

— É o troll da montanha! — disse a menina, pondo-se de pé em um pulo. — Rápido! Rápido! Temos que fugir.

E logo eles correram e desceram a montanha. Na beira do rio, o cavalo pastava. O príncipe subiu no cavalo, pôs a princesa na frente e se lançou na água. A água espirrava por sobre eles, o cavalo bufava e chutava a água, e na floresta estava o troll da montanha que urrava e uivava como uma inteira matilha de lobos famintos.

E assim eles cavalgaram por dias e noites, através de florestas e planícies, sobre rios e montes, por bosques e sebes. O cavalo nunca parecia se cansar, até eles chegarem ao castelo do príncipe. Lá chegaram numa noite de luar, e então cavalgaram devagar ao longo da praia. A princesa estava sentada encolhida debaixo do grande manto do príncipe. Ela ergueu uma ponta do manto e olhou para a estrada.

— Que engraçado — disse ela sorrindo. — Na sombra parece que é apenas uma pessoa sobre o cavalo!

NOIVA GALHUDA

Peter Christen Asbjørnsen e Jørgen Moe

Buskebrura, Noruega, 1841

Uma história com trolls, uma madrasta terrível e uma nobre donzela que, ao demonstrar bondade e compaixão para com até a mais assustadora das criaturas, é abençoada, e precisa enfrentar uma série de obstáculos até alcançar o seu Rei prometido.

Era uma vez um viúvo que tinha um filho e uma filha do primeiro casamento. Eram bons filhos e se amavam muito. Algum tempo depois, o homem se casou com uma viúva, que tinha uma filha com o primeiro marido, e esta era feia e má como a mãe.

Assim, desde o dia em que a nova esposa entrou em casa, seus enteados não tiveram paz em lugar nenhum, e finalmente o rapaz achou que era melhor sair pelo mundo e tentar ganhar o próprio pão.

Depois de vagar por um tempo, chegou ao palácio do rei e conseguiu trabalho como ajudante do cocheiro, e aprendeu com disposição e rapidez, e os cavalos de que cuidava ficaram tão limpos e macios que o pelo brilhava.

Mas a irmã, que ficou em casa, foi mais do que maltratada; tanto a madrasta quanto a irmã postiça estavam sempre a espezinhá-la e, onde quer que fosse, o que quer que fizesse, elas a repreendiam e ralhavam tanto que a pobre moça não tinha uma hora de paz. Era obrigada a fazer todo o trabalho duro, e do começo ao fim do dia não recebia nada além de palavrões e uma quantidade miserável de comida.

Um dia, mandaram-na ir até o córrego buscar água. Sabe o que aconteceu? Da água, surgiu uma cabeça muito feia, que disse:

— Venha me lavar, moça.

— Sim, vou lavá-lo com toda a atenção — respondeu a moça. Então, começou a lavar e esfregar a cabeça feia, mas, para dizer a verdade, achou a tarefa desagradável.

Assim que terminou, ergueu-se outra cabeça da água, e esta era ainda mais feia.

— Venha me escovar, moça — disse a segunda cabeça.

— Sim, vou escová-lo com toda a atenção.

E, com isso ela pegou nas mãos as mechas emaranhadas, e você pode imaginar que escová-las não foi muito agradável. Mas, quando acabou, não é que uma terceira cabeça surgiu da água, ainda mais feia e repugnante do que as outras duas juntas?

— Venha me beijar, moça!

— Sim, vou beijá-lo — respondeu a moça, e o fez, embora achasse que era a pior tarefa que já tivera de fazer na vida.

Depois as cabeças começaram a tagarelar, e cada uma perguntou o que deveriam fazer pela moça que havia sido tão bondosa e gentil.

— Que ela seja a moça mais bonita do mundo, e tão radiante quanto o dia claro — disse a primeira.

— Que caia ouro de seus cabelos toda vez que ela os escovar — disse a segunda.

— Que caia ouro de sua boca toda vez que falar — disse a terceira.

Assim, quando a moça chegou em casa, tão linda e luminosa quanto um dia de sol, a madrasta e a irmã postiça se irritaram ainda mais, e a raiva piorou quando ela começou a falar e as duas viram moedas de ouro cairem de sua boca. A madrasta ficou tão furiosa que expulsou a moça para o chiqueiro. Esse era o lugar certo para todas as suas coisas douradas, e não quis mais saber de entrar na casa.

Bem, não demorou muito para a madrasta pedir que a própria filha fosse ao córrego buscar água. Então, quando a menina chegou à margem da água com seus baldes, surgiu a primeira cabeça.

— Venha me lavar, moça — disse a cabeça.

— O Diabo que a lave — respondeu a filha.

Então surgiu a segunda cabeça.

— Venha me escovar, moça — disse.

— O Diabo que a escove — respondeu a filha.

Aquela cabeça afundou, e surgiu a terceira.

— Venha me beijar, moça — disse a cabeça.

— O Diabo que a beije, sua cara de porco — respondeu ela.

Então as cabeças conversaram outra vez, perguntando o que deveriam fazer com aquela menina tão malvada e teimosa; e todas concordaram que ela deveria ter um nariz com dois metros de comprimento, e um focinho de um metro e meio, e um pinheirinho galhudo bem no meio da testa, e, toda vez que falasse, cinzas cairiam de sua boca.

Quando ela chegou em casa com seus baldes, gritou para a mãe:

— Abra a porta.

— Abra você mesma, filha querida — respondeu a mãe.

HENRY J. FORD, 1890

— Não consigo alcançá-la por causa do meu nariz — disse a filha.

Quando a mãe saiu e a viu, você pode imaginar como ficou, e como chorou e gemeu; mas, apesar de tudo, o nariz, o focinho e o pinheiro continuavam lá, e sua tristeza não serviu para diminuí-los.

Enquanto isso, o irmão, que havia conseguido trabalho no estábulo do rei, tinha desenhado um pequeno retrato da irmã, e o levava consigo. Toda manhã e toda noite ele se ajoelhava diante do retrato e rezava a Nosso Senhor pela irmã, a quem tanto amava.

Os outros cavalariços o ouviram rezar, por isso espiaram pelo buraco da fechadura de seu quarto e lá o viram de joelhos diante do retrato. Então saíram por aí dizendo como o rapaz, toda manhã e toda noite, se ajoelhava e rezava para um ídolo, e por fim foram até o próprio rei e imploraram que espiasse pelo buraco da fechadura, pois assim Sua Majestade veria o rapaz e as coisas que fazia.

A princípio, o rei não acreditou, mas finalmente o convenceram, e ele se esgueirou na ponta dos pés até a porta e espiou. Sim, lá estava o rapaz, de joelhos, diante do retrato pendurado na parede, rezando com as mãos entrelaçadas.

— Abra a porta! — gritou o rei, mas o rapaz não o ouviu.

O rei gritou mais alto, mas o rapaz estava tão absorto em suas orações que ainda assim não conseguiu ouvi-lo.

—A<small>BRA A PORTA, EU DISSE</small>! Sou eu, o rei, quem quer entrar.

O rapaz pulou, correu para a porta e a abriu, mas, na pressa, esqueceu-se de esconder o retrato. No entanto, quando o rei entrou e viu o desenho, parou e não conseguiu sair do lugar, tão lindo era o rosto que via.

— Não há mulher tão bela em nenhum lugar no mundo – disse o rei.

Mas o rapaz contou que ela era sua irmã, que ele a havia desenhado e, se não fosse mais bonita que isso, pelo menos não era mais feia.

— Bem, se ela é tão bela – disse o rei —, eu a quero como minha rainha. – E ordenou ao rapaz que fosse para casa naquele mesmo instante, e não demorasse muito a voltar. O rapaz prometeu ir tão rápido quanto pudesse e deixou o palácio do rei.

Quando chegou em casa para buscar a irmã, a madrasta e a meia-irmã disseram que também deveriam ir, e então todos partiram, e a boa moça levou um cofre no qual guardava seu ouro, e levou também um cachorrinho chamado Caverninho[8]; essas duas coisas eram tudo que a mãe havia deixado para ela.

Depois de algum tempo, chegaram a um lago que precisavam atravessar de barco. O irmão sentou-se ao leme, e a madrasta e as duas meninas sentaram-se na proa, e assim navegaram por um longo tempo. Finalmente, avistaram a terra.

— Ali – disse o irmão —, onde se vê a praia branca ao longe; é lá que devemos aportar. — E, ao dizer isso, apontou para um ponto na água.

— O que meu irmão está dizendo? – perguntou a boa moça.

— Ele diz que você deve jogar seu cofre na água – respondeu a madrasta.

— Bem, se é o que meu irmão diz, é o que devo fazer – concluiu a moça, e o cofre foi para a água.

....

8 No original norueguês, "Lille Kaværn", sendo que *Lille* significa "pequeno" e *Kaværn* pode ter sido uma palavra inventada, sem significado atual. Para manter a sonoridade, foi escolhido o nome Caverninho. [N.E.]

Depois de navegar um pouco mais, o irmão apontou outra vez para o lago.

— Ali se vê o castelo aonde vamos.

— O que meu irmão está dizendo? – perguntou a boa moça.

— Ele diz que agora você deve jogar seu cachorrinho na água — respondeu a madrasta.

A moça chorou e ficou imensamente triste, pois Caverninho era a coisa mais querida que tinha no mundo, mas finalmente ela o jogou na água.

— Se é o que meu irmão diz, é o que devo fazer, mas Deus sabe como me dói jogá-lo fora, Caverninho – disse ela.

E navegaram por mais um tempo.

— Lá se vê o rei descendo para nos receber – disse o irmão, apontando para a praia.

— O que meu irmão diz? – perguntou a moça.

— Agora ele diz que você deve correr e se jogar na água – respondeu a madrasta.

Bem, a moça chorou e gemeu; mas, se era o que seu irmão dizia, era o que ela deveria fazer e, assim, atirou-se no lago.

No entanto, quando chegaram ao palácio, e o rei viu a noiva repugnante, com o nariz de dois metros e o focinho de um metro e meio, e um pinheirinho no meio da testa, ficou apavorado; mas o casamento já estava preparado, com toda a comida e a bebida, e lá estavam todos os convidados da festa, esperando pela noiva. Então, o rei não pôde fazer nada senão aceitá-la. Mas estava tão zangado que mandou atirar o irmão num fosso cheio de serpentes.

Na primeira noite de quinta-feira, depois do casamento, por volta da meia-noite, uma linda dama entrou na cozinha do palácio e implorou com toda a gentileza à ajudante de cozinha, que dormia ali, que lhe emprestasse uma escova. Recebeu o que pedia e escovou os cabelos e, quando fez isso, moedas de ouro caíram das mechas. Um cachorrinho a acompanhava, e a ele a dama disse:

— Vá lá fora, Caverninho, e veja se logo vai amanhecer.

Isso ela disse três vezes, e a terceira vez em que mandou o cachorro sair foi quase na hora em que o dia começava a raiar. A moça teve que partir, mas, ao sair, cantou:

Para o inferno você, feia Noiva Galhuda,
Dormindo tão cálida ao lado de rei,
Enquanto eu durmo sobre areia e cascalho
E sobre meu irmão as serpentes rastejam.
E tudo sem uma lágrima derramada.

— Agora virei mais duas vezes, e depois nunca mais.

Então, na manhã seguinte, a ajudante de cozinha contou o que tinha visto e ouvido, e o rei disse que viria pessoalmente na noite da próxima quinta-feira para ver se era verdade. Assim que escureceu, ele entrou na cozinha e se colocou perto da ajudante. Mas não importava o que fizesse, nem quanto esfregasse os olhos e tentasse continuar acordado, não adiantou; pois a Noiva Galhuda cantou até que ele fechasse os olhos e, assim, quando a bela dama veio, lá estava ele, dormindo e roncando. Desta vez, também como antes, ela tomou emprestada uma escova, escovou os cabelos até o ouro cair e mandou o cachorro ir três vezes lá fora, e, assim que o céu começou a clarear, ela partiu cantando as mesmas palavras, e acrescentando:

— Agora virei mais uma vez, e depois nunca mais.

Na terceira quinta-feira à noite, o rei disse que viria novamente, e colocou dois homens para segurá-lo, um debaixo de cada braço, para sacudi-lo e fazê-lo correr cada vez que estivesse adormecendo, e mais dois homens para vigiar sua Noiva Galhuda. Mas, quando anoiteceu, a Noiva Galhuda começou a cantar, de modo que os olhos do rei passaram a piscar e a cabeça tombou no ombro.

Então chegou a bela dama, pegou a escova e escovou os cabelos até o ouro cair; depois disso, mandou Caverninho sair outra vez para ver se logo amanheceria, e fez isso três vezes. Na terceira vez, o céu começou a clarear no leste, e ela cantou:

Para o inferno você, feia Noiva Galhuda,
Dormindo tão cálida ao lado de rei,
Enquanto eu durmo sobre areia e cascalho
E sobre meu irmão as serpentes rastejam.
E tudo sem uma lágrima derramada.

—Agora nunca mais voltarei — disse ela, e foi na direção da porta. Mas os dois homens que seguravam o rei por baixo dos braços fecharam as mãos dele e puseram uma faca entre elas; e assim, de um jeito ou de outro, conseguiram que ele fizesse um corte no dedo mindinho da moça, que sangrou. Desse modo a verdadeira noiva foi libertada, e o rei acordou, e ela contou toda a história, e revelou como a madrasta e a meia-irmã a haviam enganado.

O rei mandou tirar o irmão do fosso de serpentes na mesma hora, e as víboras não haviam feito nenhum mal ao rapaz, mas a madrasta e a filha foram jogadas lá em seu lugar.

E não há palavras para dizer como o rei ficou feliz por se livrar daquela Noiva Galhuda e feia, e por ter uma rainha tão bela e radiante quanto o dia. Assim, o verdadeiro casamento foi realizado, e falou-se dele por sete reinos. O rei e a rainha foram de carruagem à igreja, e Caverninho entrou com eles também e, depois de receber a bênção, voltaram ao palácio, e então nunca mais os vi.

O HOMEM DE NEVE

Hans Christian Andersen

Sneemanden, Dinamarca, 1861

Um homem de neve descobre um pouco sobre a vida, o sol, a lua e o fogo ao conversar com um cão. Fascinado pelas chamas, passa grande parte de seu tempo olhando para um fogão dentro da casa na qual foi montado.

— Está tão maravilhosamente frio que meu corpo todo estala — disse o Homem de Neve. — Esse é o tipo de vento que dá vida a alguém. Como aquela coisa vermelha grande lá em cima está me encarando! — Ele falava do sol, que estava se pondo. — Ele não vai me fazer piscar. Vou conseguir manter os meus pedaços.

O Homem de Neve tinha dois pedaços triangulares de telha no lugar dos olhos, e a boca, feita de um velho ancinho quebrado, era provida de dentes. Tinha sido trazido à existência em meio aos gritos alegres de meninos, o toque de sinos de trenós e o estalo de chicotes.

O sol se pôs e a lua cheia nasceu: grande, redonda e clara, brilhando no azul profundo.

— Lá vem ele de novo, pelo outro lado — disse o Homem de Neve, que deduziu que o sol estava se mostrando mais uma vez. — Ah, eu o curei dessa mania de encarar. Agora ele pode ficar lá no alto e brilhar, de modo que eu possa ver. Se ao menos eu soubesse como conseguir sair deste lugar; eu gostaria tanto de me mexer! Se eu pudesse, deslizaria para longe no gelo, como já vi os meninos fazerem, mas não sei como. Eu nem sei como correr.

— Fora, fora! — latiu o velho cachorro de quintal. Ele sofria de rouquidão e não conseguia fazer "au au" de maneira adequada. Era um cachorro que ficava dentro de casa e certa vez dormiu ao lado da lareira, ficando rouco desde então. — O sol um dia vai fazer você correr. No inverno passado, eu o vi fazer seu predecessor correr e o predecessor dele. Fora, fora! Todos eles têm de ir.

— Não entendo você, meu camarada — disse o Homem de Neve. — Aquela coisa lá em cima vai me ensinar a correr? Eu também já o vi correndo, pouco tempo atrás, e agora ele veio se esgueirando pelo outro lado.

— Você não sabe de nada — respondeu o cachorro de quintal. — Mas, por outro lado, você foi criado há pouco tempo. O que você vê lá longe é a lua, e o que viu antes era o sol. Ele vai voltar amanhã, e muito provavelmente vai ensiná-lo a correr até o canal ao lado do poço, pois acho que o tempo vai mudar. Estou sentindo picadas e punhaladas na minha perna esquerda e tenho certeza de que vai haver uma mudança.

— Eu não o entendo — disse o Homem de Neve, para si mesmo —, mas tenho a sensação de que ele está falando de alguma coisa muito desagradável. A coisa que me encarou com tanta força ainda agora, que ele chama de sol, não é meu amigo; também sinto isso.

— Fora, fora! — latiu o cachorro de quintal, depois girou três vezes e se arrastou até o canil para dormir.

Realmente houve uma mudança no tempo. Perto da manhã, uma densa névoa cobriu o país todo e um vento forte surgiu, de modo que o frio parecia congelar os ossos. Mas, quando o sol nasceu, uma visão esplêndida apareceu. Árvores e arbustos estavam cobertos com geada e pareciam uma floresta de coral branco, enquanto em cada galho reluziam gotas de orvalho congeladas. As muitas formas delicadas, escondidas no verão por folhagens exuberantes, agora estavam claramente definidas e pareciam uma renda brilhosa. Um halo branco reluzia de cada galho. As bétulas, balançando ao vento, pareciam tão lindas e cheias de vida quanto no verão. Quando o sol brilhou, tudo cintilou e reluziu como se alguém tivesse espalhado pó de diamante; e o carpete nevado da terra parecia coberto com diamantes que emitiam luzes incontáveis, mais brancas que a própria neve.

— Isso é realmente lindo — disse uma menina que tinha aparecido no jardim com um jovem amigo; e ambos ficaram parados perto do Homem de Neve, contemplando a cena reluzente. — O verão não pode apresentar uma visão mais bonita — exclamou ela, enquanto seus olhos brilhavam.

— E não podemos ter um camarada como esse no verão — respondeu o jovem, apontando para o Homem de Neve. — Ele é magnífico.

A menina riu e apontou com a cabeça para o Homem de Neve, depois saiu tropeçando pela neve com o amigo. A neve estalava e rachava sob seus pés, como se ela estivesse pisando em amido.

— Quem são esses dois? — perguntou o Homem de Neve ao cachorro de quintal. — Você está aqui há mais tempo do que eu, você os conhece?

— Claro que os conheço — respondeu o cachorro de quintal. — A menina acariciou as minhas costas muitas vezes, e o jovem me deu um osso com carne. Nunca mordo esses dois.

— Mas o que eles são? — perguntou o Homem de Neve.

— São amantes — respondeu ele. — Vão morar no mesmo canil daqui a pouco e roer o mesmo osso. Fora, fora!

— São os mesmos tipos de seres que você e eu? — perguntou o Homem de Neve.

— Bem, eles pertencem ao mestre — retrucou o cachorro de quintal. — As pessoas que nasceram apenas ontem certamente sabem muito pouco. Vejo isso em você. Tenho idade e experiência. Conheço todo mundo aqui na casa e sei que houve uma época em que eu não ficava aqui fora, no frio, preso a uma corrente. Fora, fora!

— O frio é encantador – disse o Homem de Neve. — Me conte; mas não puxe tanto sua corrente, pois isso faz percorrer um som estridente dentro de mim.

— Fora, fora! — latiu o cachorro de quintal. — Vou lhe dizer: eles contam que eu já fui um camaradinha bonito. Na época, eu costumava deitar em uma poltrona coberta de veludo, na casa do mestre, e sentar no colo da senhora. Eles costumavam beijar o meu nariz e limpar as minhas patas com um lenço bordado, e eu era chamado de "Ami, querido Ami, doce Ami". Mas, depois de um tempo, fiquei grande demais, e eles me mandaram para os aposentos da governanta; e assim eu vim morar no andar de baixo. Você pode ver esses aposentos aí de onde você está, e vai ver onde eu já fui mestre; porque eu era, de fato, mestre para a governanta. Eram aposentos muito menores que os do andar de cima, mas eu ficava mais confortável, porque não era pego e puxado pelas crianças, como antes. Eu recebia uma comida muito boa, até melhor. Tinha minha própria almofada, e havia um fogão: essa é a melhor coisa do mundo nesta estação do ano. Eu costumava entrar embaixo do fogão e me deitar. Ah, eu ainda sonho com aquele fogão. Fora, fora!

— Um fogão é bonito? – perguntou o Homem de Neve. — Ele se parece comigo?

— É o exato oposto de você – disse o cachorro. — É preto como um corvo e tem um pescoço comprido e uma maçaneta de cobre; ele come lenha, e isso faz o fogo escapar pela sua boca. É necessário ficar ao lado ou embaixo dele, para se sentir confortável. Dá para ver pela janela perto de você.

E o Homem de Neve olhou e viu uma coisa polida reluzente, com uma maçaneta de cobre, e o fogo ardendo na parte de baixo. Essa visão deu ao Homem de Neve uma sensação esquisita. Era muito estranha; ele não sabia o que significava e não conseguia explicar. Mas há pessoas que não são homens de neve que entendem essa sensação.

— E por que você a deixou? — perguntou o Homem de Neve, pois parecia que o fogão devia ser do sexo feminino. — Como abriu mão de um lugar tão confortável?

— Fui obrigado — respondeu o cachorro de quintal. — Eles me colocaram porta afora e me acorrentaram aqui. Eu tinha mordido o filho mais novo do meu mestre na perna, porque ele chutou para longe o osso que eu estava roendo. *Osso por osso*, pensei. Mas eles ficaram com muita raiva e, desde aquela época, eu fiquei preso a uma corrente e perdi a voz. Você percebe como estou rouco? Fora, fora! Não consigo mais falar como os outros cachorros. Fora, fora! Isso foi o fim de tudo.

Mas o Homem de Neve não estava mais escutando. Estava olhando para os aposentos da governanta no andar de baixo, onde o fogão, que era mais ou menos do mesmo tamanho que o Homem de Neve, se apoiava sobre quatro patas de ferro.

— Que estranho crepitar eu sinto em mim — disse ele. — Será que devo entrar lá? É um desejo inocente, e desejos inocentes certamente são realizados. Preciso entrar lá e me apoiar nela, mesmo que eu tenha de quebrar a janela.

— Você nunca deve entrar lá — disse o cachorro de quintal —, pois, se você se aproximar do fogão, vai se derreter.

— Acho que posso ir — disse o Homem de Neve —, já que estou me desmanchando assim mesmo.

Durante o dia todo, o Homem de Neve ficou olhando pela janela e, no crepúsculo, os aposentos se tornaram ainda mais convidativos, porque saía um brilho do fogão, não como o sol ou a lua; era apenas o tipo de luz que saía de um fogão quando era bem alimentado. Quando a porta do fogão estava aberta, as chamas disparavam pela boca — como acontece com todos os fogões —, e a luz das chamas caíam com um brilho avermelhado diretamente no rosto e no peito do Homem de Neve.

— Não consigo mais aguentar — disse ele. — Ela é tão linda quando estica a língua!

A noite foi longa, mas não pareceu assim para o Homem de Neve, que ficou ali, apreciando os próprios reflexos e estalos com o frio. Pela manhã, as janelas dos aposentos da governanta estavam cobertas de neve. Eram as mais belas flores de gelo que qualquer Homem de Neve poderia desejar, mas elas escondiam o fogão. As janelas não derretiam, e ele não conseguia ver nada do fogão, que imaginava para si mesmo como um belo ser humano. A neve estalava e o vento assobiava ao redor; era o tipo de tempo congelado que um Homem de Neve deveria desfrutar completamente. Mas ele não apreciou isso. Como poderia apreciar quando estava com tanta saudade do fogão?

— Essa é uma doença terrível para um Homem de Neve — disse o cachorro de quintal. — Já tive essa doença, mas me recuperei. Fora, fora! — latiu, e depois acrescentou: — O tempo vai mudar.

O tempo realmente mudou. Começou a derreter e, conforme o calor aumentava, o Homem de Neve diminuía. Ele não disse nada, nem fez nenhuma reclamação ou sinal.

Certa manhã, ele se derreteu e afundou totalmente; e — acredite! — onde ele estava, algo parecido com um cabo de vassoura continuou espetado no chão. Era o cabo ao redor do qual os meninos o tinham construído.

—Ah, agora entendo por que ele tinha tanta saudade do fogão — disse o cachorro de quintal. — Ora, o cabo tem uma pá amarrada a ele que é usada para limpar o fogão. O Homem de Neve tinha uma raspadeira de fogão no corpo; era isso que o movia. Mas agora tudo acabou. Fora, fora!

E logo o inverno passou.

— Fora, fora! — latiu o cachorro rouco, mas as meninas na casa cantavam:

"Venha, tomilho verde, de sua casa com cheiro;
Estique seus galhos macios, salgueiro;
Os meses estão trazendo a primavera doce;
Quando a cotovia canta alegremente no céu.
Venha, gentil sol, enquanto o cuco anseia,
E eu vou imitar suas notas nos meus passeios."

E ninguém mais pensou no Homem de Neve.

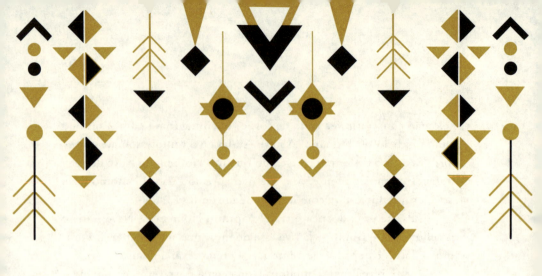

HEIEMO E O NØKK

Anônimo

Heiemo og Nykkjen, Noruega, Canção tradicional

Uma canção clássica da Noruega e extraída do livro "Gamle norske folkeviser" de 1858, conta sobre um maligno espírito da água que se transforma em cães e cavalos, e costuma conquistar transeuntes desavisados e atraí-los para a água.

Heiemo cantou; no declive veio a ecoar[9]
— *com consentimento* —
Ouviu-se o nøkk percorrer o mar
— *duas rosas dormiam lá dentro* —

A Heiemo cantou e ecoou no bosque;
Ouviu-se o nøkk, o cão pagão e ignorante.

O nøkk falou para o capitão:
"Conduza meu navio para terras de cristãos".

"O que em terras cristãs quer fazer?
Você não sabe nem cantar, nem ler".

"Para a terra de cristãos irei;
Da bela virgem a mão terei".

Por fim, ele chegou em terra de cristãos;
um homem cristão ele se tornou, então.

....
9 Tradução do norueguês: Heiemo kvad, det song i li | — *med minne* - | Det høyrde nykkjen på havet skri | — *Tvæ rosir søve der inne* - | Heiemo kvad, det song i lund | Det høyrde nykkjen, den hei'inghund | Nykkjen tala te styringsmann | Du styre mitt skip på kristne land | Hot vil du på kriste land gjera? | Du kan kje anten sygnje hell lesa. | Eg vil meg på kristne land gå | Den vene jomfruva vil eg få | Då han kom seg på kriste land, | så skapte 'n seg i ein kristen mann | Han skapte seg klede bå gule og blå, | han sakpte seg hest med gull-sal på. | Han sakpte gullskoen på sin fot | Så trør han så lett på hallar-golv | Så gjeng han seg i stova inn | Med håge hatt og blomekinn | "No er han komen, den dansen kan treda, | no skò den fram som venast kan kveda" | Til svar stolt Marjit av Hallingsøy: | "Det er Heiemo, vene møy" | Nykkjen han dansa, og Heiemo kvad | Det gleddest folket i stugone var | No må kvor gange heim til seg | Heiemo tek eg på skipet med meg | Heiemo gret, sine hendar vreid: | "Skò eg fylgje nykken den lange lei!" | Heiemo hendan' i tårine tvo: | "Skò eg fylgje nykkjen i saltan fjord! | "Heiemo, Heiemo, still di sut! | du skò rå mine fem gullbu. | Heiemo, Heiemo, still din gråt, | du skò mine gullborgjine rå!" | Så tok han Heiemo i sitt fang. | vill' bera henne på skipet fram. | Heiemo tenkte med sjove seg: | "Tru mine små knivane hjelper kje meg?" | Ho stakk til nykkjen i holamot | Odden han rann i hjarterot | "Her ligg du, nykkjen, renner blod, | enno trør jeg mine jomfruskor! | Her ligg du, nykkjen, fyr ravn og hund | Enno hev eg min kve'arlund | Nykkjen sokk til svarte bott, | — *med minne* - | Heiemo trør dans i sin fa'ers loft. | — *Tvæ rosir søv'e der inne.*

THEODOR KITTELSEN, 1904

Vestiu-se de azul e amarelo,
e uma sela dourada pôs no cavalo.

Vestiu os pés com um sapato dourado
e com leveza o chão do salão foi pisado.

Em seguida, entrou na choupana,
com longo chapéu e face avermelhada

Agora, entrou aquele que uma dança pode acompanhar;
E também entrou aquela que mais belamente pode cantar.

Marjit de Hallingsøy, fala, orgulhosa:
"Essa é a Heiemo, que mulher bela e formosa".

O nøkk dançou e Heiemo cantou;
E a todos na choupana a cantoria alegrou.

"Todos devem ir embora;
Terei a Heiemo no navio, agora".

Heiemo chorou, e então soltou a mão:
"Ai de mim tomar com o nøkk essa longínqua direção!"

Heiemo lavou as mãos em prantos:
"Ai de mim seguir o nøkk em fiordes salgados!"

"Heiemo, Heiemo, apazigue suas mágoas!
"Você reinaria sobre minhas cinco quintas douradas".

"Heiemo! Heiemo! Apazigue seu choro,
Você reinaria sobre meus castelos de ouro".

Por fim, ele tomou Heiemo em seu colo,
pois queria levá-la para o navio logo.

E então Heiemo veio a pensar:
"Será que minhas faquinhas podem me ajudar?".

A goela do nøkk ela esfaqueou;
Até a raiz do coração a lâmina alcançou.

"Aqui você sucumbe, nøkk, o sangue se derrama,
ainda ando com meus sapatos de virgem dama.

Aqui você sucumbe, nøkk, pelo corvo e pelo cão;
Ainda tenho o talento da canção".

O nøkk se afundou até as profundezas abissais,
— *com consentimento* —
Heiemo segue a dança no sótão de seus pais.
— *duas rosas dormiam lá dentro* —

A SAGA DO ALCE SKUTT E DA PRINCESA TUVSTARR

Helge Kjellin

Sagan om äldtjuren Skutt och lilla prinsessan Tuvstarr,
Suécia, 1913

> Uma graciosa princesa faz amizade com um alce e eles caminham floresta adentro. Em um filosófico enredo sobre não se deixar fascinar por tentações e estímulos passageiros, a pequena Tuvstarr acaba perdendo muito mais que sua coroa.

Talvez você já tenha estado nas extensas florestas ao Norte, e talvez já tenha visto uma daquelas lagoas escuras e misteriosas, que se escondem lá no fundo da floresta, e que parecem mágicas e até assustadoras. Em volta, o silêncio é completo — a vegetação cerrada de abetos e pinheiros jaz serena ao redor. Por vezes, as árvores se debruçam sobre a água, mas o fazem com muito cuidado e timidez, pois só têm curiosidade acerca do que se oculta nas profundezas. Lá embaixo cresce outra floresta, envolta no mesmo encanto e imobilidade. Mas jamais as duas florestas conversaram entre si, o que é o maior dos mistérios.

Na beira, e aqui e ali na água, vê-se as mais doces moitas, vestidas em marrom-musgo, e sobre as moitas encontram-se florzinhas brancas e lanosas. Tudo é tão silencioso — nem sequer um barulho, nem sequer um bater de asa, o balanço de uma brisa —, toda a natureza parece estar prendendo a respiração, e escute — escute com o coração palpitante: logo, logo, logo.

E assim começa um burburinho no topo dos altos pinheiros, e as copas se aproximam e se espaçam num suspiro cantante: sim, já o viram, longe, longe daqui, logo ele estará aqui, ele vem, ele vem. E o suspiro avança pela floresta, os arbustos sopram e falam em segredo, e as florzinhas brancas se curvam uma diante da outra: sim, ele vem, ele vem. E o espelho d'água se mexe e murmura: ele vem, ele vem. Ouve-se, de longe, alguns estalidos, que se aproximam e se misturam num estrondo, que aumenta, cresce, tornando-se uma quebradeira de arbustos, ramos e galhos; ouve-se algumas pisadas rumorosas e aceleradas, uma bufada ofegante e, com o peito úmido, um alce macho sai do mato e avança até a beira, detêm-se e sacode seu focinho arquejante e fareja ao redor. Ele agita sua galhada, as narinas tremem; depois, fica parado como uma estátua, mas, no instante seguinte, segue seu caminho a passos imponentes, sobre o fundo instável das moitas, e desaparece do outro lado da floresta.

Essa é a vida real. Agora a saga começa.

O sol brilha como ouro luzente sobre o prado ao Castelo do Sonho. É Verão, e o prado exibe milhares de flores perfumadas. Entre as flores, está sentada uma menina loira e rosada, cuidando de seus longos cabelos amarelo-claros. Por entre seus dedinhos, escorre o dourado sol de verão. No chão, ela coloca sua coroa de ouro.

A menina é a princesinha do Castelo do Sonho, e hoje ela saiu de fininho do magnífico salão, onde Rei Pai e Rainha Mãe sentam-se em tronos de ouro, com cetro e orbe nas mãos, regendo seu povo natal. Hoje, a princesinha queria estar sozinha e livre, e andar pelo prado em flor, que sempre foi seu lugar de brincar favorito.

A princesa é pequena, esguia e bela, e é ainda uma criança. Traz um vestido do mais branco dos brancos, de seda e musselina fina como gaze.

Tuvstarr — assim que a chamam.

Com seus delgados dedinhos, ela cuida dos seus cabelos dourados e sorri para o brilho dos caracóis anelados. Um alce relincha e passa adiante. Ela ergue o olhar.

— Quem é você?

— Eu sou Pernalonga Skutt[10]. E como te chamam?

— Tuvstarr[11], a princesa. Vê? — E assim ela pega a coroa sobre a grama e a mostra para ele.

O alce para e olha para princesa por muito tempo, e baixa a cabeça, pensativo.

— Você é bela, pequena.

Tuvstarr se levanta, vai de mansinho até ele, se apoia sobre seu focinho trêmulo e o acaricia gentilmente.

— Você é tão grande e imponente. E também tem uma coroa. Me leve! Me deixe montar em você! E me carregue pela vida afora!

O Alce fica em dúvida.

— Minha criança, o mundo é frio e grande, e você é tão pequena. O mundo é cheio de maldade e de dor, e pode te machucar.

---

10 *Skutt*, em sueco, significa "salto", "pulo". [N.E.]

11 *Tuvstarr*, em sueco, é também o nome de uma flor local, *Carex cespitosa*, uma espécie de junça perene que cresce em solos úmidos e produz hastes triangulares e flores quase imperceptíveis. No inglês, Tuvstarr foi traduzido como "Cottongrass", uma grama que possui uma ponta repleta de sementes que lembram algodão, que são dispersadas com o vento. [N.E.]

JOHN BAUER, 1913

— Ah, bobagem; eu sou jovem e calorosa, tenho calor para todos. Sou pequena e bondosa; quero oferecer minha bondade.

— Tuvstarr, princesa, a floresta é sombria, e o caminho é perigoso.

— Mas você está comigo. Você é grande e forte, e pode proteger nós dois.

O alce então ergue a cabeça e sacode sua enorme galhada. Seus olhos brilham como fogo. Tuvstarr bate palmas com suas mãozinhas.

— Muito bem, muito bem. Mas você é alto demais — se agache para eu poder subir.

O alce docilmente se põe no chão, e Tuvstarr senta-se com firmeza sobre ele.

— Ótimo, estou pronta. E, agora, me mostre o mundo.

O alce se ergue devagar, com medo dela cair.

— Segure firme na minha galhada!

Depois, ele segue pelo caminho com passos largos. Tuvstarr jamais tinha se divertido tanto, e nunca pôde avistar tanta beleza e novidade. Nunca antes ela deixou o prado no Castelo do Sonho. Eles vagaram por montes e montanhas, vales e planícies.

— Para onde você está me carregando? — pergunta Tuvstarr.

— Para a Floresta do Pântano — responde Skutt —, pois lá estou em casa. Lá não há nada para nos incomodar. Mas ainda falta um pedaço.

A noite se aproxima, e Tuvstarr fica com fome e sono.

— Já se arrependeu? — zombou de leve o alce —, mas agora já é tarde demais para voltar. Fique calma. O pântano é repleto de frutinhas silvestres, amoras deliciosas que você vai poder comer. É lá que tenho minha morada.

Eles andam por mais um instante, e então a floresta começa a rarear, e Tuvstarr vê um pântano que se estende por milhas, onde as moitas se agrupam em macios montes e em poços, e onde somente um outro arbusto encolhido se aventura.

— Vamos ficar aqui — diz Skutt, se agachando para que Tuvstarr possa descer. — E vamos fazer nossa ceia.

Tuvstarr esquece toda vontade de dormir, e agilmente pula de moita em moita, como Skutt acabou de lhe ensinar, e colhe ramos de amoras silvestres, cheios de frutinhas deliciosas que ela devora, mas que também oferece para Pernalonga Skutt.

— Agora precisamos nos apressar até minha morada, antes que escureça ainda mais — diz Skutt e, com isso, Tuvstarr monta em suas costas.

Skutt segue adiante, com segurança, sobre o pântano, sem mesmo ter que testar suas pisadas para sentir se as moitas são firmes ou não. Afinal, foi ali onde ele nasceu.

— Quem são aqueles que estão dançando lá em frente? — pergunta Tuvstarr.

— São elfos. Tenha cuidado com eles! São belos e amistosos, mas não são confiáveis. E lembre-se do que eu digo: não fale com eles, e segure firme na minha galhada; finja que eles não existem.

— Sim — promete Tuvstarr.

Mas agora os elfos já os viram. Eles flutuam ao redor em cirandas, dançam para cima e para baixo diante do alce e avançam com zombaria contra Tuvstarr. Ela pensa em tudo que Skutt acabou de lhe dizer e se sente ansiosa, segurando firme na cabeça do alce.

— Quem é você? Quem é você?

Centenas de perguntas são sussurradas à volta dela, que sente o hálito frio dos elfos. Mas ela não responde.

Então os delgados elfos em véus brancos tornam-se mais e mais ávidos, tentam puxar seu comprido cabelo loiro e o vestido, mas não conseguem segurar direito. Skutt somente bufa e corre.

Tuvstarr percebe de repente que sua coroa está para cair da cabeça, e ela fica com medo de perdê-la — imagina o que o Rei Pai e a Rainha Mãe diriam; eles, que lhe deram a coroa — e assim ela se esquece do que Skutt disse, e grita contra eles, solta uma mão e leva ao cabelo. Mas então vocês deviam ter visto. Os elfos num instante tiveram poder sobre ela — embora não de todo, pois ela ainda mantinha a outra mão firme sobre a galhada do a alce — e com uma risada de escárnio eles lhe arrancam a brilhante coroa e velozmente voam para longe.

— Ó, minha coroa, minha coroa, — diz Tuvstarr, entre soluços.

— Sim, sua coroa. Por que não fez como eu lhe disse? — pergunta Skutt, repreendendo-a. — A culpa é sua. Jamais terá sua coroa de volta, mas fique contente por não ter sido pior.

Ela não podia, contudo, pensar em algo pior do que o que acabara de acontecer.

Entretanto, Skutt seguiu marchou em frente, e logo indicou para Tuvstarr um grupo de arvorezinhas, com uma ilhota no meio do pântano.

— Lá está minha morada — diz Skutt —, e lá vamos dormir.

Eles logo chegam a um pequeno monte que se eleva do terreno pantanoso ao redor; graças ao abrigo de abetos e pinheiros, o terreno é seco e agradável.

Tuvstarr dá um beijo de boa noite no seu querido amigo Skutt, despe-se do vestido e o pendura sobre um galho, e então se deita no chão para dormir, enquanto o alce de longas pernas a protege, posicionando-se sobre ela. A escuridão da noite é quase completa, e algumas estrelinhas brilham no céu.

Cedinho na manhã seguinte, Tuvstarr é despertada por Skutt que encosta o focinho de leve sobre a testa da menina. Ela se levanta de um pulo e estica o corpinho nu contra a luz vermelho-amarelo da manhã, e depois junta gotas de orvalho nas mãos e bebe. Um coraçãozinho de ouro, que se pendura num colar ao seu pescoço, reluz como fogo ao sol.

— Hoje quero passar o dia nua — grita ela —, vou por o vestido na frente, e você me leva nas suas costas e me mostra um pouco mais do mundo.

Sim, o alce faz como ela quer. Ele não consegue lhe recusar nada. Por toda a noite ele permaneceu acordado, apenas observando a menininha branca e peculiar debaixo dele, e, quando a manhã chegou, era como se tivesse lágrimas nos olhos. Ele não sabia bem o que o tomava; entendia que, com o chegar do Outono, sentia falta de lutas e perigos, e uma vontade de não andar sozinho. De repente, ele dispara contra a floresta. Tuvstarr tem muita dificuldade de se manter sobre ele. Os

JOHN BAUER, 1913

galhos acertam seu rosto e seu corpo, e seu coraçãozinho dourado no colar revira sobre o pescoço. Tão veloz quanto possível.

Mas, aos poucos, Skutt se acalma e diminui o passo veloz. Eles avançam através de uma floresta extensa e misteriosa. Os pinheiros portam longas e espessas barbas, as raízes se entrelaçam feito cobras no chão, e enormes pedras cobertas de musgo jazem como ameaças no caminho. Tuvstarr jamais viu nada de tão estranho.

Mas o que é o que se mexe entre as árvores? Parece uma longa cabeleira verde, com um par de braços brancos acenando.

— Ah, é a Ninfa da Floresta – diz Skutt –, seja educada, mas não pergunte nada e, acima de tudo, não solte as mãos da minha galhada.

Tuvstarr com certeza vai tomar esse cuidado.

A Ninfa se aproxima, deslizando. Ela jamais se mostra de fato, escondendo-se sempre pela metade detrás de um tronco, olhando com curiosidade, vindo sorrateira. Tuvstarr mal ousa olhá-la, mas percebe que a Ninfa tem olhos frios e verdes, e a boca vermelha de sangue.

A Ninfa se esgueira de árvore em árvore e os segue, na velocidade com que o alce corre. A Ninfa conhece Skutt desde velhos tempos, mas aquela menina branca e pequenina que ele traz nas costas, a menina com cabelos ensolarados, essa ela não sabe dizer quem é, e ela precisa descobrir.

— Como você se chama? — grita a Ninfa, de repente.

— Tuvstarr, princesa do Castelo dos Sonhos, — responde a pequena, com timidez, tendo o cuidado de não perguntar o nome de volta, bem como tinha sido avisada.

— O que é o que você traz diante de si? — pergunta a Ninfa.

— É o meu vestido mais lindo — responde Tuvstarr, com um pouco mais de coragem.

— Ó, posso ver? — pergunta a Ninfa.

— Sim, claro que pode. — E Tuvstarr solta contente uma mão da galhada e exibe o vestido.

Mas isso ela não devia jamais ter feito, pois num estalo a Ninfa agarra a vestimenta e desaparece em um segundo dentro da floresta.

— Por que você soltou uma mão? — reclama Skutt. — Se tivesse soltado a outra também, teria ido com ela, e jamais voltaria com vida.

— Sim, mas o vestido, o vestido — soluça Tuvstarr. Mas, aos poucos, ela se esquece dele.

E assim aquele dia também se passa, e, de noite, Tuvstarr dorme debaixo de um pinheiro, enquanto Skutt fica a seu lado, de guarda.

Quando ela acorda na manhã seguinte, o alce não estava por perto.

— Skutt, Pernalonga Skutt! Onde está? — grita ela, assustada, levantando-se de um pulo.

E lá vem o alce, ofegante, saindo do mato. Ele havia estado em cima do monte, olhando em direção Leste e farejando. O que ele estava farejando? Isso ele não podia dizer. Mas o couro está suado, e o corpo tremendo.

Ele parece estar com pressa de seguir caminho e se agacha para Tuvstarr. Ela monta em suas costas, e ele toma o caminho velozmente. Para leste, para leste! Ele mal escuta o que Tuvstarr lhe grita, e tampouco responde. Ele sente como se a febre ardesse em seu corpo. E como que furioso ele abre espaço no matagal.

Sobem um monte, rumo ao sombrio interior da floresta.

— Para onde está me levando agora? – pergunta Tuvstarr.

— Para a lagoa. — É a resposta.

— E que lagoa é essa?

— Fica no fundo da floresta. É onde costumo ir quando chega o Outono. Humano nenhum esteve lá. Mas você poderá vê-la.

Logo, as árvores clareiam, e brilha a água, de tom preto-marrom, com verde-dourado ao redor.

— Segure-se firme – diz Skutt –, há perigos escondidos no fundo – cuide bem do seu coração!

— Sim, que água estranha — responde Tuvstarr, inclinando-se para ver. Mas, *ai*, no mesmo instante, a corrente com o coração desliza de seu pescoço e cai nas profundezas.

— Ó, meu coração, meu coração de ouro, que ganhei da minha mãe ao nascer. Ó, que vou fazer?

Ela fica inconsolável. Olha e olha para o fundo e quer procurar seu coração andando pelas traiçoeiras moitas ao redor.

— Venha – diz Skutt –, aqui é perigoso para você! Eu sei como termina; primeiro, perde-se a memória. Depois, a razão.

Porém, Tuvstarr quer ficar. Ela precisa encontrar seu coração.

— Vá você, querido amigo, e me deixe aqui sozinha. Eu vou encontrar o coração.

E ela abre os braços em gratidão, abraça a cabeça do alce, beija-o amistosamente, e o acaricia devagar. Depois, pequena, delgada e nua, ela senta sobre uma moita.

Por muito tempo, o alce fica parado, olhando, somente observando-a com ar indagador; mas, quando ela não mais parece notar sua presença, ele se vira e desaparece devagar, com passos arrastados pela floresta.

Muitos anos se passaram desde então. Tuvstarr ainda permanece sentada na moita, olhando para as águas, à procura de seu coração. A princesa sumiu, e agora há somente uma flor com o nome de Tuvstarr; uma florzinha branca, na beira da lagoa.

De quando em quando, o alce retorna, para e observa a pequena. Ele é o único que sabe quem ela é. Tuvstarr, a princesa. Então ela talvez acene e sorri — afinal, ele é um velho amigo, mas segui-lo de volta, isso ela não quer mais; isso ela não consegue mais, pelo tanto que o encanto durar. O encanto jaz lá embaixo.

Lá embaixo, no fundo das águas, dorme um coração perdido.

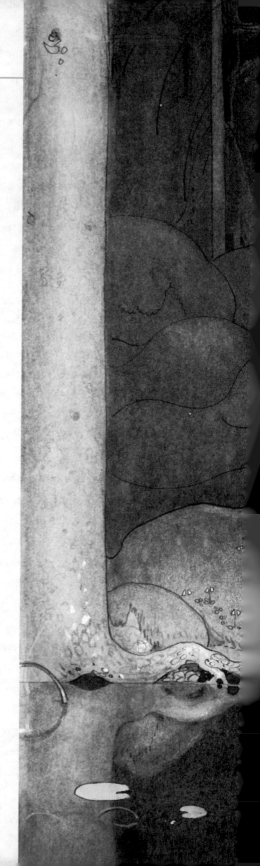

JOHN BAUER, 1913

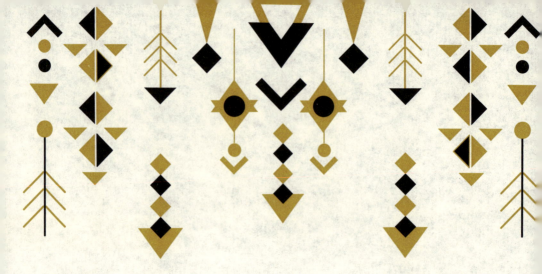

PERNACURTA E OS TROLLS

Peter Christen Asbjørnsen e Jørgen Moe

Lillekort, Noruega, 1841

Em um conto recheado de encantamento, magia e trolls, Pernacurta é um herói improvável e corajoso que mergulha até o fundo do oceano para resgatar sua princesa.

Era uma vez um casal pobre que morava numa cabana caindo aos pedaços, onde não havia nada além de miséria. Não tinham nem o que comer, nem um graveto com que fazer fogo. Mas tinham a bênção na forma de crianças, e todo ano ganhavam mais um bebê. Quando esta história começa, eles estavam esperando um filho. O marido andava irritado, sempre murmurando e resmungando, dizendo que, de sua parte, já estava farto desses presentes dos céus.

Então, quando chegou a hora de o bebê nascer, o homem foi para a floresta buscar lenha, dizendo que não tinha vontade de esperar para ver a coisinha barulhenta; certamente a ouviria em breve, gritando por comida.

Quando o marido estava bem longe de casa, a esposa deu à luz um lindo menino, que começou a olhar ao redor assim que veio ao mundo.

— Ah! Querida mãe – disse ele. — Dê-me algumas roupas usadas de meu irmão e comida para alguns dias, e sairei pelo mundo para tentar a sorte. A senhora já tem filhos suficientes, pelo que vejo.

— Deus o abençoe, meu filho! – respondeu a mãe. — Isso é impossível, você ainda é jovem demais.

Mas o pequenino insistiu no que dizia, e pediu e implorou até que a mãe foi obrigada a deixá-lo ficar com uns trapos velhos, e um pouco de comida embrulhada numa trouxa – lá foi ele ver o mundo, feliz e viril. Mas mal tinha saído da casa e sua mãe teve outro menino, e este também olhou ao redor e disse:

—Ah, querida mãe! Dê-me algumas roupas velhas de meu irmão e comida para alguns dias, e sairei pelo mundo para encontrar meu irmão gêmeo. A senhora já tem filhos suficientes nas mãos, pelo que vejo.

— Que Deus o abençoe, pobrezinho! – disse a mãe. — Você é pequeno demais, isso é impossível.

Mas não adiantou. O pequenino pediu e implorou até receber uns trapos velhos e uma trouxa de comida, e assim saiu pelo mundo como homem, para encontrar o irmão gêmeo. Depois de caminhar por um tempo, o caçula viu o irmão muito à frente e gritou para que parasse.

— Olá! Pode parar um pouco? Ora, você corre como se estivesse numa competição. Mas também poderia ter ficado para ver seu irmão caçula antes de partir pelo mundo com tanta pressa.

O mais velho parou e olhou à sua volta. Quando o caçula o alcançou e contou toda a história, e que era seu irmão, ele disse:

— Pois vamos nos sentar aqui e ver o que nossa mãe nos deu para comer.

Assim, sentaram-se juntos e logo se tornaram grandes amigos.

Seguindo em frente, chegaram a um riacho que passava por uma campina verde, e o caçula disse que tinha chegado a hora de um dar nome ao outro:

— Já que partimos com tanta pressa que não tivemos tempo de fazer isso em casa, podemos fazê-lo aqui.

— E qual será seu nome?

— Ah! – respondeu o caçula. — Meu nome será Pernacurta. E o seu, qual será?

— Serei Rei Robusto – respondeu o mais velho.

Batizaram um ao outro no riacho e prosseguiram. Depois de andar por um tempo, chegaram a uma encruzilhada e concordaram em se separar, e cada um seguiu seu caminho. Não tinham percorrido nem um quilômetro quando seus caminhos voltaram a se cruzar. Então, separaram-se pela segunda vez e cada um seguiu por uma estrada; mas logo a mesma coisa aconteceu, e voltaram a se encontrar, nem sabiam como. E a mesma coisa aconteceu também uma terceira vez. Concordaram então que cada um deveria escolher um quarto do céu, e um iria para o leste e o outro para o oeste; mas, antes de se separarem, o mais velho disse:

— Se estiver em apuros, chame meu nome três vezes e virei ajudá-lo, mas lembre-se de não me chamar a não ser que sua vida esteja por um fio.

— Bom! – disse Pernacurta. — Se essa é a regra, acho que vamos demorar a nos encontrar de novo.

Depois disso, despediram-se e Pernacurta foi para o leste, e Rei Robusto para o oeste.

Agora, você deve saber que, depois de andar sozinho por um bom tempo, Pernacurta encontrou uma bruxa muito, muito velha e corcunda, que tinha um olho só, e Pernacurta o agarrou.

— Ah! Ah! — berrou a velha. — O que aconteceu com meu olho?

— O que você me dá — perguntou Pernacurta — se eu devolver seu olho?

— Dou uma espada, e que espada! Colocará um exército inteiro para correr, por maior que seja — respondeu a velha.

— Então, passe-a para cá!

Assim, a velha bruxa deu a espada e ele devolveu o olho. Depois disso, Pernacurta vagou por um tempo e encontrou mais uma bruxa muito, muito velha e corcunda com um olho só, que Pernacurta roubou antes que ela percebesse.

— Oh, oh! O que aconteceu com meu olho? — berrou a bruxa.

— O que você me dá para eu devolver seu olho? — perguntou Pernacurta.

— Dou um navio — disse a mulher — que pode navegar por água doce e salgada, e por altas colinas e vales profundos.

— Ora! Passe-o para cá — disse Pernacurta.

A velha deu a ele um navio tão pequeno que cabia no bolso, e ele devolveu o olho, e cada um seguiu seu caminho. Mas, depois de vagar por um longo tempo, Pernacurta encontrou uma terceira bruxa muito, muito velha, de um olho só. Este olho, Pernacurta roubou também; e quando a bruxa berrou e fez um grande escarcéu, perguntando o que havia acontecido com seu olho, ele disse:

— O que você me dá para eu devolver seu olho?

E ela respondeu:

— Dou a arte de preparar cem litros de cerveja de uma vez só.

Por ensinar essa arte, a velha bruxa recuperou o olho, e cada um seguiu seu caminho.

Depois de andar mais um pouco, Pernacurta achou que valeria a pena experimentar o navio. Tirou-o do bolso e colocou primeiro um pé nele, depois o outro. Assim que colocou o primeiro pé, o navio começou a crescer, ficando cada vez maior e, quando colocou o outro pé, já estava tão grande quanto os outros navios que navegam no mar. E Pernacurta disse:

— À frente e ao longe, por água doce e salgada, por altas colinas e vales profundos, e não pare até chegar ao palácio do rei.

E veja só! O navio seguiu tão rápido quanto um pássaro no ar, até chegar perto do palácio do rei, e ali pousou. Nas janelas do palácio, as pessoas se levantaram e viram Pernacurta chegar velejando, e ficaram tão impressionadas que correram para ver quem é que viajava num navio pelo ar. Mas, enquanto desciam as escadas, Pernacurta desembarcou e guardou o navio no bolso outra vez, pois, logo que saiu, o navio ficou tão pequeno quanto era quando o recebeu da velha. Assim, aqueles que vieram do palácio não viram ninguém além de um menininho maltrapilho parado ali, perto da praia.

O rei perguntou de onde ele vinha, mas o menino disse que não sabia, nem sabia dizer como chegara lá. Lá estava ele, e essa foi a única resposta que deu. Pediu por um trabalho no palácio, dizendo que, se não houvesse mais nada para fazer, poderia carregar madeira e água para a ajudante de cozinha; e o fez com tanta gentileza que tocou o coração das pessoas e recebeu permissão para ficar lá.

Quando Pernacurta chegou ao palácio, viu que estava todo coberto de preto, por fora e por dentro, paredes e telhados. Então, perguntou para a ajudante de cozinha o que significava todo aquele luto.

— Não sabe? — respondeu ela. — Pois vou contar: a filha do rei foi prometida há muito tempo para três trolls, e, na próxima quinta-feira à noite, um deles virá buscá-la. É verdade que Ruivo Ritter diz que é homem suficiente para libertá-la, mas só Deus sabe se ele consegue. Agora você sabe por que estamos todos tristes e de luto.

Quando chegou a noite de quinta-feira, Ruivo Ritter levou a princesa até a praia, pois era lá que ela deveria encontrar o troll, e ele deveria ficar ao lado dela e montar guarda. Mas acho que provavelmente não faria muito mal ao troll, pois, assim que a princesa se sentou na praia, Ruivo Ritter subiu numa grande árvore que havia lá e se escondeu como pôde entre os galhos. A princesa pediu e implorou que não a abandonasse, mas Ruivo Ritter se fez de surdo, e só o que disse foi:

— Melhor perder uma vida que perder duas.

Enquanto isso, Pernacurta foi falar com a ajudante de cozinha e perguntou com toda a gentileza se não poderia ir até a praia um pouquinho.

— E por que você quer ir até a praia? — perguntou ela. — Sabe que não tem nada para fazer lá.

— Ah, querida amiga — disse Pernacurta. — Deixe-me ir! Eu gostaria muito de ir até lá e brincar um pouco com as outras crianças, muito mesmo.

— Ora, ora! — respondeu a ajudante de cozinha. — Pois então vá; mas não passe nem um pouquinho da hora de pôr o mingau do jantar no fogo e o assado no espeto. E deixe-me ver... quando voltar, lembre-se de trazer uma boa braçada de lenha.

Sim! Pernacurta faria tudo isso; assim, correu para a praia.

Mas, logo que chegou ao ponto onde estava a princesa, veio o troll num navio tão veloz que o vento rugia e uivava atrás dele. O troll era tão alto e forte que era horrível de se ver, e tinha cinco cabeças.

— Fogo e chama! — gritou ele.

— Fogo e chama para você também! — disse Pernacurta.

— Sabe lutar? — rugiu o troll.

— Se não souber, aprendo — respondeu Pernacurta.

Então o troll o atacou com o bastão de ferro grande e grosso que empunhava, e o golpe fez a terra e as pedras voaram cinco metros no ar.

— Nossa! — disse Pernacurta. — Esse foi um belo golpe, mas agora você verá um dos meus.

Agarrou a espada que havia recebido da velha bruxa corcunda e atacou o troll, e lá se foram todas as cinco cabeças, voando pela areia.

Quando a princesa viu que estava salva, ficou tão feliz que mal sabia o que fazer, e pulou e dançou de alegria.

— Venha, deite-se e durma um pouco no meu colo — disse ela a Pernacurta e, enquanto o menino dormia, ela jogou sobre ele um manto de cobre.

Agora você deve saber que Ruivo Ritter não demorou muito a descer da árvore, assim que viu que não havia nada a temer, e foi até a princesa e a ameaçou até ela prometer dizer que fora ele quem salvara sua vida; se não, ele garantiu que a mataria no ato. Depois disso, cortou

R. & H. J. KNOWLES, 1910

os pulmões e a língua do troll, os embrulhou em seu lenço e levou a princesa de volta ao palácio, e quaisquer honras que já não tivesse antes, recebeu agora, pois o rei não sabia como agradá-lo ainda mais, e o fez sentar-se todos os dias à sua direita no jantar.

Quanto a Pernacurta, primeiro subiu a bordo do navio do troll e pegou uma porção de anéis de ouro e prata, grandes como os aros de um barril, e correu com eles o mais rápido que pôde até o palácio.

Quando a ajudante de cozinha viu todo aquele ouro e prata, ficou muito assustada e perguntou:

— Mas, meu bom e caro Pernacurta, de onde você tirou tudo isso? — Pois temia que ele tivesse roubado aquele tesouro.

— Ah! — respondeu Pernacurta. — Passei pela minha casa e lá encontrei estes aros, que haviam caído de nossos velhos baldes, então eu os trouxe para você, se insiste em saber.

Ora! Quando a ajudante de cozinha ouviu que eram para ela, não disse mais nada sobre o assunto, mas agradeceu a Pernacurta, e voltaram a ser bons amigos.

Na noite da quinta-feira seguinte, a história se repetiu; todos estavam tristonhos e de luto, mas Ruivo Ritter disse que, já que salvara a princesa de um troll, seria fácil salvá-la de outro, e a levou até a praia, valente como um leão. Mas também não fez muito mal a esse troll, pois, quando chegou a hora de procurá-lo, disse, como havia dito antes:

— É melhor perder uma vida a perder duas. — E subiu na árvore outra vez.

Mas Pernacurta implorou à ajudante de cozinha que o deixasse ir à praia.

— Ah! — disse ela. — E por que você quer ir para lá?

— Querida amiga — disse Pernacurta —, por favor, deixe-me ir. Quero tanto correr e brincar um pouco com as outras crianças.

A ajudante de cozinha deu ao menino permissão para ir, mas ele teve de prometer que estaria de volta na hora de virar o assado, e deveria trazer um grande feixe de lenha. Assim, Pernacurta mal tinha alcançado a praia quando o troll veio num navio tão veloz que o vento uivava e rugia ao seu redor. Era duas vezes maior do que o outro troll, e tinha dez cabeças sobre os ombros.

— Fogo e chama! — gritou ele.

— Fogo e chama para você também! — disse Pernacurta.

— Sabe lutar? — rugiu o troll.

— Se não souber, aprendo — respondeu Pernacurta.

Então o troll o atacou com seu bastão de ferro. Era ainda maior do que o do primeiro troll, e fez a terra e as pedras voarem dez metros no ar.

— Nossa! — disse Pernacurta. — Esse foi um belo golpe; agora você verá um dos meus.

Agarrou sua espada e cortou todas as dez cabeças do troll com um só golpe, esparramando-as pela areia.

A princesa disse outra vez:

— Deite-se e durma um pouco no meu colo.

Enquanto o menino dormia, ela jogou sobre ele um manto de prata. Mas, assim que Ruivo Ritter notou que não havia mais perigo, desceu da árvore e ameaçou a princesa até que ela foi obrigada a dar sua palavra de que diria que ele fora seu salvador. Depois, cortou os pulmões e a língua do troll, os embrulhou em seu lenço e levou a princesa de volta ao palácio. Você pode imaginar a alegria, e o rei não sabia mais como honrar e agradar Ruivo Ritter.

Desta vez, Pernacurta também pegou toda uma braçada de anéis de ouro e prata do navio do troll e, quando voltou ao palácio, a ajudante de cozinha bateu palmas, maravilhada, perguntando de onde havia tirado tanto ouro e tanta prata. Mas Pernacurta respondeu que tinha passado em casa, e que os aros haviam caído de uns baldes velhos, então ele os pegou para sua amiga, a ajudante de cozinha.

Quando chegou a noite da terceira quinta-feira, tudo foi como havia sido duas vezes antes — todo o palácio se cobriu de preto e todos lamentaram e choraram. Mas Ruivo Ritter disse que não via necessidade de tanto medo. Ele havia libertado a princesa de dois trolls e poderia muito bem libertá-la de um terceiro. Então ele a levou até a praia, mas, na hora de o troll chegar, subiu na mesma árvore e se escondeu. A princesa pediu e implorou, mas não adiantou, porque Ruivo Ritter repetiu:

— É melhor perder uma vida que perder duas.

Naquela noite, Pernacurta também implorou permissão para ir à praia.

— Ah! — disse a ajudante de cozinha. — O que você quer fazer lá?

Mas ele pediu e implorou tanto que, finalmente, conseguiu permissão para ir, mas teve de prometer que estaria de volta à cozinha na hora de virar o assado. Saiu, mas mal havia chegado à praia quando o troll veio com o vento uivando e rugindo atrás de si. Era muito, muito maior que os outros dois e tinha quinze cabeças sobre os ombros.

— Fogo e chama! — rugiu o troll.

— Fogo e chama para você também! — disse Pernacurta.

— Sabe lutar? — gritou ele.

— Se não souber, aprendo — respondeu Pernacurta.

— Já vou lhe ensinar — berrou o troll, e o atacou com seu bastão de ferro, fazendo a terra e as pedras voarem quinze metros no ar.

— Nossa! — disse Pernacurta. — Esse foi um belo golpe, mas agora você verá um dos meus.

Ao dizer isso, agarrou a espada e cortou todas as quinze cabeças do troll com um só golpe, esparramando-as pela areia.

Então a princesa ficou livre de todos os trolls, e abençoou e agradeceu a Pernacurta por salvar sua vida.

— Agora, durma um pouco no meu colo — disse ela.

O menino deitou a cabeça no colo dela e, enquanto ele dormia, ela jogou sobre ele um manto de ouro.

— Mas como podemos mostrar a todos que foi você quem me salvou? — perguntou a princesa quando ele acordou.

— Ah, já vou lhe dizer — respondeu Pernacurta. — Quando Ruivo Ritter a levar de volta e se anunciar como o homem que a salvou, você sabe que ele vai tomá-la como esposa, bem como metade do reino. Quando perguntarem a você, no dia do casamento, quem será seu copeiro, você deve dizer: 'Quero o menino maltrapilho que trabalha aqui, levando madeira e água para a ajudante de cozinha.' Então, quando eu estiver enchendo suas taças, vou derramar uma gota no prato dele, mas nenhuma no seu; então ele vai se enfurecer e me bater, e a mesma coisa acontecerá três vezes. Mas na terceira vez você deve dizer: 'Que vergonha! Bater no amado de meu coração; foi ele quem me libertou, e é com ele que vou me casar!'.

Depois disso, Pernacurta correu de volta ao palácio, como fizera antes. Mas primeiro foi a bordo do navio do troll e pegou um punhado de ouro, prata e pedras preciosas, e destes deu à ajudante de cozinha mais uma grande braçada de anéis.

Quanto a Ruivo Ritter, assim que viu que todo o perigo tinha acabado, desceu da árvore e ameaçou a princesa até ela prometer dizer que fora ele quem a salvara. Depois disso, ele a levou de volta ao palácio, e todas as honras que recebera antes não foram nada comparadas ao que tinha agora, pois o rei não pensava em nada além de como poderia honrar ainda mais o homem que salvara sua filha dos três trolls. Quanto a se casar com ela e ganhar metade do reino, nem precisavam discutir, disse o rei.

Quando chegou o dia do casamento, a princesa implorou que o menino maltrapilho que levava madeira e água para a cozinha fosse seu copeiro no banquete.

— Não consigo imaginar por que você ia querer trazer aquele mendigo imundo para cá — disse Ruivo Ritter.

Mas a princesa tinha vontade própria e respondeu que não aceitaria ninguém, a não ser ele, para servir o vinho.

Agora tudo corria como Pernacurta e a princesa haviam combinado. Ele derramou uma gota no prato de Ruivo Ritter, mas nenhuma no dela, e, cada vez que Ruivo Ritter se enfurecia, batia no menino. Ao primeiro tapa, caíram os trapos que Pernacurta usava na cozinha; ao segundo, caiu o manto de cobre; e, ao terceiro, o manto de prata; por fim, ele ficou com seu manto de ouro, todo brilhante e reluzente. Então a princesa disse:

— Que vergonha! Bater no amado de meu coração! Ele me salvou, e é com ele que vou me casar!

Ruivo Ritter xingou e jurou que era ele seu salvador, mas o rei interveio e disse:

— O homem que salvou minha filha deve ter alguma prova de que fez isso.

Sim! Ruivo Ritter tinha uma prova, e saiu na mesma hora atrás de seu lenço com os pulmões e as línguas, e Pernacurta trouxe todo o ouro, a prata e as preciosidades que havia tirado dos navios dos trolls. Cada um deixou suas provas diante do rei, e este disse:

— Um homem que tem reservas tão preciosas de ouro, prata e diamantes deve ter matado os trolls e saqueado seus bens, pois tais coisas não se encontram em outro lugar.

Então Ruivo Ritter foi jogado num fosso cheio de serpentes, e Pernacurta pôde ficar com a princesa e metade do reino.

Um dia, Pernacurta e o rei estavam caminhando, e Pernacurta perguntou ao rei se não tinha outros filhos.

— Sim — respondeu o rei. — Tive outra filha, mas um troll a levou embora, porque não havia ninguém para salvá-la. Agora você vai ficar com uma filha, mas se puder libertar a outra, também ficará com ela, com todas as minhas bênçãos e com a outra metade do meu reino.

— Bem – disse Pernacurta —, posso tentar, mas preciso de uma corrente de ferro, com quinhentas braças de comprimento, e quinhentos homens, e comida para eles por quinze semanas, pois tenho uma longa viagem à frente.

Sim! O rei disse que ele receberia tudo isso, mas temia que não houvesse em seu reino um navio grande o bastante para transportar tal carga.

— Ah! Se for esse o problema – disse Pernacurta —, tenho meu próprio navio.

Com isso, tirou do bolso o navio que recebera da velha bruxa.

O rei riu e achou que fosse piada, mas Pernacurta implorou que desse o que ele pedia, e logo veria se era mesmo piada. Assim, juntaram tudo o que era necessário. Pernacurta pediu que ele colocasse a corrente a bordo do navio antes de tudo, mas não havia um homem capaz de levantá-la e não havia espaço para mais de um por vez dentro do minúsculo navio. Então, Pernacurta segurou uma ponta da corrente e colocou um ou dois elos no navio; e, quando fez isso, o navio começou a crescer e ficar cada vez maior, até finalmente estar tão grande que havia espaço suficiente e de sobra para a corrente, os quinhentos homens, a comida, Pernacurta e tudo mais. Depois, ele disse ao navio:

— À frente e ao longe, por água doce e salgada, por altas colinas e vales profundos, e não pare até chegar onde está a filha do rei.

E o navio seguiu por terra e mar, fazendo o vento assobiar atrás dele.

Quando já haviam navegado por muito tempo, o navio parou de uma vez no meio do mar.

— Ah! – disse Pernacurta. — Agora chegamos bem longe, mas como voltaremos é outra história.

Pegou a corrente, amarrou uma das pontas ao redor da cintura e disse:

— Agora, preciso ir até o fundo, mas, quando der um bom puxão na corrente e quiser subir de novo, lembrem-se de que todos vocês devem puxar com vontade, ou suas vidas se perderão, assim como a minha. — E com essas palavras lançou-se ao mar, e mergulhou, fazendo as ondas amarelas se erguerem à sua volta num redemoinho.

Ele afundou e afundou, e finalmente chegou ao fundo, e lá viu uma grande rocha erguida com uma porta cravada nela. Abriu a porta e entrou. Lá dentro, viu outra princesa, que costurava sentada, mas, quando ela viu Pernacurta, juntou as mãos e gritou:

— Graças a Deus! Você é o primeiro cristão em quem ponho os olhos desde que vim para cá.

— Muito bom — disse Pernacurta. — Mas sabia que vim buscá-la?

— Ah! — gritou ela. — Você nunca vai conseguir; nunca terá essa sorte, pois, se o troll o vir, vai matá-lo imediatamente.

— Fico feliz que tenha falado do troll — disse Pernacurta. — Seria ótimo vê-lo; onde está?

A princesa contou que o troll estava à procura de alguém capaz de preparar cem litros de cerveja de uma só vez, pois daria um grande banquete, e quantidade menor não serviria.

— Ora! Eu posso fazer isso — garantiu Pernacurta.

— Ah! — disse a princesa. — Se ao menos o troll não fosse tão impaciente, eu poderia contar a ele sobre você. Mas ele é tão zangado, temo que o parta em pedaços assim que entrar, sem esperar para ouvir minha história. Deixe-me ver o que podemos fazer. Ah! Já sei; esconda-se na sala ao lado e vamos arriscar a sorte.

Pernacurta fez o que ela disse, e mal tinha se esgueirado para a outra sala quando o troll chegou.

— Huf! — disse o troll. — Que cheiro horrível de sangue cristão!

— Sim! — respondeu a princesa. — Sei disso, pois um pássaro sobrevoou a casa com o osso de um cristão no bico e o deixou cair pela chaminé. Fiz tudo o que pude para tirá-lo, mas creio que o cheiro vem de lá.

— Ah! — disse o troll. — É bem possível.

Então a princesa perguntou se o troll já sabia de alguém capaz de preparar cem litros de cerveja de uma só vez.

— Não — respondeu o troll. — Não ouvi falar de ninguém que possa fazer isso.

— Bom — disse ela —, um tempo atrás, esteve aqui um sujeito que disse ser capaz disso.

— É bem do seu feitio, com sua esperteza! — disse o troll. — Por que o deixou ir embora quando sabia que era o homem que eu procurava?

— Ora, não o deixei ir — explicou a princesa. — Mas você é um tanto temperamental, então eu o escondi acolá, na sala ao lado; mas, se você não encontrou ninguém, aqui está ele.

— Bom, faça-o entrar.

Pernacurta entrou, e o troll perguntou se era verdade que poderia preparar cem litros de cerveja de uma só vez.

— É, sim — respondeu Pernacurta.

— Então foi sorte pôr as mãos em você — disse o troll. — Vá trabalhar agora mesmo, mas que os céus o ajudem se não fizer a cerveja bem forte.

— Ah — disse Pernacurta —, não se preocupe, será a mais forte que já experimentou. — E com isso começou a trabalhar sem demora, mas de repente gritou:

— Preciso de mais trolls para ajudar no preparo, pois os que tenho aqui não são fortes o bastante.

Conseguiu mais trolls — tantos, que eram um verdadeiro bando, e o preparo continuou intrepidamente. Agora, quando o mosto estava pronto, você pode imaginar que todos estavam ansiosos para experimentá-lo. O primeiro foi o troll, e depois todos os amigos e parentes. Mas Pernacurta preparou um mosto tão forte que todos caíram mortos, um depois do outro, como moscas, assim que o provaram. Por fim, não restou nenhum deles vivo, a não ser uma velha vil, que estava acamada no canto da chaminé.

— Ah, sua pobre coitada — disse Pernacurta. — Pode muito bem fazer o mesmo que eles e beber o mosto.

Ele pegou um pouco do fundo da caldeira com uma colher, e deu um gole à velha, e assim se livrou do bando todo.

Olhou à sua volta e avistou um grande baú, que pegou e encheu de ouro e prata. Depois, amarrou a corrente em torno de si, da princesa e do baú, e deu um bom puxão, e seus homens os puxaram todos juntos

HENRY J. FORD

para cima, sãos e salvos. Assim que Pernacurta chegou ao convés, disse ao navio:

— À frente e ao longe, por água doce e salgada, por altas colinas e vales profundos, e não pare até chegar ao palácio do rei.

E na mesma hora o navio seguiu seu rumo, criando espuma nos vagalhões amarelos ao redor. Quando as pessoas no palácio viram o navio chegar, não demoraram a recebê-los com canções e música, dando boas-vindas a Pernacurta com grande alegria. Mas o mais feliz de todos era o rei, que agora tinha sua outra filha de volta.

Porém, Pernacurta estava um tanto desanimado, pois você deve saber que as duas princesas queriam se casar com ele, e este não queria outra senão aquela que havia salvado primeiro, a caçula. Assim, andava para lá e para cá, e pensava e pensava no que fazer para ficar com ela e, ainda assim, agradar a outra irmã. Bem, um dia, enquanto remoía o problema, pensou que, se ao menos tivesse consigo o irmão, Rei Robusto, tão parecido com ele que ninguém conseguiria distinguir um do outro, cederia a ele a outra princesa e metade do reino, pois achava que uma metade só bastava.

Assim que isso veio à sua mente, saiu do palácio e chamou Rei Robusto, mas ninguém apareceu. Então, chamou uma segunda vez, um pouco mais alto, mas ainda assim ninguém veio. Chamou pela terceira vez "Rei Robusto" com todas as suas forças, e lá estava o irmão diante dele.

— Eu não disse? — perguntou ele a Pernacurta. — Não disse que você não deveria me chamar, a não ser em caso de extrema necessidade? E aqui não há nem mesmo um mosquito fazendo mal a você.

E com isso deu um tabefe na orelha de Pernacurta que o virou de ponta-cabeça e o derrubou na grama.

— Mas que vergonha me bater com tanta força! — disse Pernacurta. — Em primeiro lugar, conquistei uma princesa e metade do reino, depois conquistei outra princesa e a outra metade do reino, e agora estou pensando em dar a você uma das princesas e uma das metades. Há alguma razão para me dar um tabefe na orelha?

Quando Rei Robusto ouviu isso, implorou ao irmão que o perdoasse, e logo voltaram a ser os bons amigos de sempre.

— Agora — disse Pernacurta —, sabe, somos tão parecidos, que ninguém consegue distinguir um do outro. Troque de roupa comigo e entre no palácio; as princesas pensarão que sou eu quem está entrando, e aquela que o beijar primeiro será sua esposa, e eu ficarei com a outra.

E disse isso porque sabia muito bem que a filha mais velha do rei era a mais forte, portanto, podia adivinhar o que viria a seguir. Quanto a Rei Robusto, concordou sem hesitar, trocou de roupa com o irmão e entrou no palácio. Quando chegou aos aposentos das princesas, as duas pensaram que fosse Pernacurta e correram até ele para beijá-lo; mas a mais velha, que era maior e mais forte, empurrou a irmã para o lado e jogou os braços em volta do pescoço de Rei Robusto, beijando-o. Então ele a tomou por esposa, e Pernacurta ficou com a princesa caçula.

Eles se prepararam para o casamento, e você pode imaginar como a festa foi grandiosa quando digo a você que sua fama se espalhou por sete reinos.

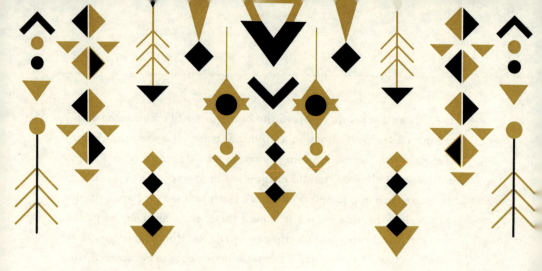

O MONTE ÉLFICO

Hans Christian Andersen

Sneemanden, Dinamarca, 1845

Em uma das primeiras aparições de elfos esbeltos e belos, o conto se trata de uma festa recepcionada em um monte élfico para o Velho Duende da Noruega e seus dois filhos, ambos esperando encontrar noivas élficas durante o banquete.

Alguns lagartos grandes estavam correndo com agilidade pelas fendas de uma árvore velha; eles entendiam muito bem um ao outro, pois compartilhavam da mesma linguagem. — Quanto zumbido e estrondo vem do monte élfico — disse um dos lagartos. — Não consigo fechar os olhos há duas noites por causa do barulho; parece até que estou com dor de dente, isso sempre me deixa acordado.

— Tem alguma coisa acontecendo por lá — disse o outro lagarto. — Eles colocaram quatro pilares vermelhos no topo do monte hoje de manhã, e as pequenas elfas aprenderam novas danças. Alguma coisa há.

— Falei sobre isso com uma minhoca conhecida minha — disse o terceiro lagarto. — A minhoca tinha acabado de vir do monte élfico, onde estava escavando a terra dia e noite. Ouviu muita coisa lá. Embora não consiga enxergar, pobre criatura miserável, ela entende muito bem como se retorcer e se esquivar. Eles esperam amigos no monte élfico, companhias importantes também; mas a minhoca não quis dizer quem são ou, talvez, realmente não soubesse. Todos os fogos-fátuos[12] receberam ordem para estar lá e fazer a dança da tocha, como é chamada. A prata e o ouro, tão abundantes no monte, serão polidos e colocados para fora à luz da lua.

— Quem podem ser os desconhecidos? — perguntaram os lagartos. — Qual será o motivo? De novo, quanto zumbido e sussurro!

Bem nesse momento, o monte élfico se abriu, e uma velha donzela élfica saiu tropeçando; era a governanta do velho rei dos elfos e parente distante da família. Usava um coração de âmbar no meio da testa. Seus pés se moviam com muita rapidez, topando e tropeçando. Misericórdia, como ela conseguiu tropeçar direto para o mar, até o corvo-noturno!

— Vocês estão convidados para ir ao monte élfico hoje à noite — disse ela —, mas podem me fazer um grande favor e entregar os convites? Vocês precisam fazer alguma coisa, pois não têm de cuidar da casa como

....
[12] Uma luz atmosférica e fantasmagórica que pode ser vista por viajantes à noite. É um fenômeno muito comum no folclore europeu. Hoje em dia, é conhecido que este fenômeno bioluminescente se atribui a oxidação de putrefação orgânica. [N.E.]

eu. Teremos pessoas muito importantes, feiticeiros, que sempre têm alguma coisa a dizer; e portanto o velho rei dos elfos deseja fazer uma grande demonstração.

— Quem deve ser convidado? — perguntou o corvo.

— O mundo todo pode ir ao grande baile, até mesmo seres humanos, se puderem falar dormindo, ou fazer alguma coisa nos nossos costumes. Mas, para o banquete, as companhias devem ser cuidadosamente selecionadas. Só podemos admitir pessoas de alto escalão. Eu mesma tive uma discussão com o rei dos elfos, pois ele achava que não poderíamos admitir fantasmas. O tritão e sua filha devem ser convidados primeiro. Embora não seja conveniente eles ficarem tanto tempo em terra seca, eles terão uma pedra molhada para sentar, ou talvez algo melhor, então acho que não vão recusar desta vez. Temos de convidar todos os velhos demônios de primeira classe, e os duendes e diabretes. Depois acho que não podemos deixar de fora o cavalo-da-morte nem o porco-fantasma nem o anão de igreja, embora eles não pertençam ao clero e não sejam contados como nosso povo. Mas isso é apenas o ofício deles, são quase nossos parentes e nos visitam com frequência.

— *Crá* — disse o corvo-noturno enquanto saía voando com os convites.

As donzelas élficas já estavam dançando no monte élfico e usavam xales tecidos com a luz da lua e a névoa, que são muito bonitos para quem gosta de coisas como essas. O grande salão no monte élfico estava com uma decoração esplêndida. O piso tinha sido lavado com a luz da lua, e as paredes tinham sido polidas com unguento mágico, reluzindo como folhas de tulipa sob a luz. Na cozinha havia sapos fazendo assados no espeto e preparando pratos com pele de lesma, com dedos de crianças dentro, salada de semente de cogumelos, cicuta, narizes e medula de ratos, além da famosa cerveja da mulher do pântano, e vinho espumante de salitre dos túmulos. Todas essas comidas eram substanciais. Unhas enferrujadas e vidro de igreja formavam a sobremesa. Nos quartos, cortinas foram penduradas e amarradas com a secreção das lesmas; havia, de fato, zumbido e sussurro por toda parte.

O velho rei dos elfos mandou polir sua coroa de ouro com giz em pó; era feito assim nos primórdios, e muito difícil para até mesmo um rei dos elfos obter.

— Pai, querido — disse a filha mais nova —, agora posso saber quem são nossos visitantes nobres?

— Ora, suponho que devo lhe contar agora — respondeu ele. — Duas das minhas filhas devem se preparar para casar, pois os casamentos certamente acontecerão. O Velho Duende da Noruega, um líder que mora nas antigas montanhas de Dovre e possui muitos castelos construídos com rochas e pedras, uma mina de ouro, está vindo com seus dois filhos — ambos à procura de uma esposa. O velho duende é um homem de meia-idade, decente e honesto, alegre e simples. Eu já o conheci, costumávamos beber juntos à nossa boa amizade. Ele veio aqui uma vez para buscar a esposa, que já faleceu. Vou ficar encantado de vê-lo outra vez. Dizem que os filhos são rapazes mal-educados e prepotentes, mas talvez isso não seja totalmente verdade e eles vão melhorar conforme envelhecem. Tenho certeza que vocês vão saber ensinar bons modos a eles.

— E quando eles vêm? — perguntou a filha.

— Isso depende do vento e do clima — respondeu o rei dos elfos. — Eles viajam com economia. Virão quando houver a oportunidade em um navio. Eu queria que eles viessem à Suécia, mas o velho não estava inclinado a aceitar o meu conselho. Ele não acompanha as mudanças, e eu não gosto disso.

Dois fogos-fátuos vieram saltando, um mais rápido que o outro, então é claro que um chegou primeiro.

— Eles estão chegando! Eles estão chegando! — gritou.

— Tragam a minha coroa — disse o rei dos elfos — e me deixem ficar sob a luz da lua.

As filhas se enrolaram nos xales e fizeram uma reverência até o chão. Lá estava o velho duende das montanhas de Dovre, com uma coroa de gelo endurecido e pinhas polidas. Além disso, usava uma pele de urso e botas grandes e quentes, enquanto os filhos estavam com o pescoço nu e não usavam suspensórios porque eram homens fortes.

— Aquilo é um monte? — indagou o filho mais novo, apontando para o monte élfico. — Chamaríamos de buraco, na Noruega.

— Meninos — disse o velho —, um buraco é virado para dentro, um monte é virado para fora; vocês não têm olhos na cabeça?

Outra coisa que os espantava era que eles conseguiam entender o idioma sem dificuldade.

— Tomem cuidado — disse o velho — ou as pessoas vão achar que vocês não foram bem criados.

E assim eles entraram no monte élfico, onde a companhia seleta e imponente estava reunida. Mas, para cada convidado, um arranjo mais caprichado e mais agradável tinha sido feito. O povo do mar se sentou a uma mesa em grandes banheiras com água, e eles disseram que era como estar em casa. Todos se comportaram bem, exceto os dois jovens duendes do norte. Eles colocaram as pernas sobre a mesa e acharam que isso era certo.

— Tirem os pés da toalha de mesa! — disse o velho duende.

Eles obedeceram, mas não imediatamente. Depois fizeram cócegas nas damas que serviam à mesa, com as pinhas que carregavam nos bolsos. Eles tiraram as botas para ficar mais à vontade e deram às moças para segurarem. Mas o pai deles, o velho duende, era muito diferente; falava de um jeito agradável sobre as grandiosas rochas norueguesas e contou ótimas histórias de cachoeiras que caíam sobre elas com um ruído estrondoso como trovão, espalhando a espuma branca para todo lado. Falou do salmão que salta nas águas correntes enquanto o deus das águas toca sua harpa dourada. Falou das claras noites de inverno, quando os sinos dos trenós tocam e os meninos correm com tochas acesas pelo gelo, que de tão transparente dá para ver os peixes nadando sob os pés. Ele descreveu tudo com tanta clareza que aqueles que o escutavam conseguiam ver tudo: desde as serrarias funcionando, até os criados e criadas cantando e fazendo uma dança agitada. De repente, o velho duende deu um beijo na velha donzela élfica — um beijo extraordinário, apesar de eles serem praticamente desconhecidos.

As meninas élficas tinham de dançar; primeiro do jeito comum, depois batendo os pés, e elas fizeram isso muito bem. Em seguida vieram a dança artística e a dança solo. Ora, como elas jogavam as pernas para todo lado! Ninguém conseguia identificar onde a dança começava ou terminava, nem onde estavam as pernas e quais eram os braços, pois todas estavam voando juntas, como lascas em uma serra! E então elas giraram tão rápido que o cavalo-da-morte e o porco-fantasma ficaram enjoados e foram obrigados a sair da mesa.

— Parem! — gritou o velho duende. — Esse é o único trabalho doméstico que elas sabem fazer? Elas conseguem fazer alguma coisa além de dançar e jogar as pernas para todo lado e fazer um redemoinho?

— Em breve você verá o que elas conseguem fazer — disse o rei dos elfos. E chamou a filha mais nova para si.

W. HEATH ROBINSON

Era esguia e branca como a lua, a mais graciosa de todas as irmãs. Ela colocou uma lasca branca na boca e desapareceu instantaneamente — esse era seu feito. Mas o velho duende disse que não gostaria que sua esposa tivesse essa capacidade, e achava que os filhos fariam a mesma objeção. A segunda filha conseguia criar uma figura igual a si mesma e fazer com que a seguisse tal qual uma sombra, algo que os duendes nunca tiveram. A terceira era de um tipo diferente; tinha aprendido, na cervejaria da bruxa do pântano, a entremear pudins élficos com vagalumes.

— Ela vai ser uma boa dona de casa — disse o velho duende e a cumprimentou com os olhos em vez de beber à sua saúde, já que ele não bebia muito.

E então veio a quarta filha, com uma grande harpa para tocar. E quando tocou o primeiro acorde, todos levantaram a perna esquerda (pois os duendes são canhotos) e, no segundo acorde, todos descobriram que deviam fazer o que ela queria que fizessem.

— Essa é uma mulher perigosa — disse o velho duende, e os dois filhos saíram do monte. Já estavam cheios daquilo. — E o que a próxima filha sabe fazer? — perguntou o velho duende.

— Aprendi tudo o que é norueguês — disse ela — e nunca vou me casar, a menos que eu possa ir para a Noruega.

Então a irmã mais nova sussurrou para o velho duende:

— Isso é só porque ela ouviu, em uma música norueguesa, que, quando o mundo acabar, os penhascos da Noruega vão continuar de pé como monumentos. E ela quer ir para lá para ficar em segurança, porque tem muito medo de se afogar.

— *Ho! Ho!* — disse o velho duende. — É isso que ela quer dizer? Bem, o que a sétima e última sabe fazer?

— A sexta vem antes da sétima — disse o rei dos elfos, porque ele sabia contar, mas a sexta não se apresentou.

— Só sei dizer a verdade às pessoas — disse ela. — Ninguém se importa comigo nem se preocupa comigo, e eu já tenho trabalho suficiente para costurar as roupas do meu enterro.

Então a sétima e última apareceu. E o que ela sabia fazer? Ora, sabia contar histórias, tantas quantas você quisesse, e sobre qualquer assunto.

— Aqui estão meus cinco dedos — disse o velho duende. — Agora me conte uma história para cada um.

Ela o pegou pelo pulso, e ele riu até quase sufocar. Quando ela chegou ao quarto dedo, havia nele um anel de ouro, como se ele soubesse que ia haver um noivado. E o velho duende disse:

— Segure rapidamente o que você tem: esta mão é sua, pois eu mesmo a tomarei como esposa.

A menina élfica disse que as histórias sobre o dedo do anel e do dedo mindinho ainda não tinham sido contadas.

— Vamos ouvi-las no inverno — disse o velho duende —, e também sobre os abetos e as bétulas, histórias de fantasmas e sobre a geada que faz formigar. Você vai contar suas histórias, pois ninguém lá consegue fazer isso tão bem. E vamos sentar nos cômodos de pedra, onde as lenhas de pinheiro estão queimando, e beber hidromel no copo de chifre dourado dos velhos reis noruegueses. O deus das águas me deu dois. E quando sentarmos lá, Nix vai nos visitar e cantará para você todas as canções das pastoras das montanhas. Seremos tão felizes! O salmão vai saltar das cachoeiras e se lançar contra as paredes de pedra, mas não vai ser capaz de entrar. É muito agradável morar na velha Noruega. Mas onde estão os rapazes?

De fato, onde estavam? Ora, correndo pelos campos e soprando os fogos-fátuos, que vieram tão afavelmente e trouxeram suas tochas.

— Que truques vocês estavam fazendo? — indagou o velho duende.

— Consegui uma mãe para vocês, e agora vocês podem tomar uma de suas tias.

Mas os jovens disseram que preferiam fazer um discurso e beber à boa amizade; não queriam se casar. Então fizeram discursos e brindes e bateram os copos para mostrar que estavam vazios. Depois, tiraram os casacos e se deitaram na mesa para dormir, pois estavam bem à vontade. Mas o velho duende dançou pelo salão com a jovem noiva e trocou as botas com ela — algo mais moderno do que trocar anéis.

— O galo está cantando — disse a velha donzela élfica que atuava como governanta —, agora devemos fechar as cortinas, para o sol não nos queimar.

E assim o monte se fechou. Mas os lagartos continuaram a correr para cima e para baixo na árvore cheia de fendas, dizendo uns para os outros:

— Ah, como eu gostei do velho duende!

— Gostei mais dos garotos — disse a minhoca. Mas a pobre criatura miserável não conseguia enxergar.

O VIZINHO SUBTERRÂNEO

Peter Christen Asbjørnsen e Jørgen Moe
En natt i Nordmarken, Noruega, 1845

Estilo popular de conto pelos países nórdicos, "O Vizinho Subterrâneo" se trata da gratidão e valorização que alguns seres mágicos podem demonstrar ao receber presentes e gentilezas; e a irritação que podem causar pela curiosidade bisbilhoteira.

Era uma vez um camponês que vivia em Telemarken e que era dono de uma grande fazenda, mas ele não tinha nada além de azar com seu gado, e perdera sua propriedade. Pouco restara a ele e, com aquele pouco, o camponês comprou um pedaço de terra que ficava distante da cidade, em uma floresta selvagem e inóspita. Certo dia, quando estava passando pelo terreno da fazenda, encontrou um homem.

— Bom dia, vizinho! – disse o homem.

— Bom dia – disse o camponês. — Achei que eu estivesse sozinho aqui. Você é meu vizinho?

— Dá para ver minha propriedade ali adiante – disse o homem. — Não é muito distante da sua. — E lá estava uma fazenda como o camponês nunca tinha visto, linda e próspera e em ótimas condições. Então ele soube muito bem que seu vizinho devia ser uma das pessoas subterrâneas; mas não teve medo, e convidou-o para beber com ele, e o vizinho pareceu gostar.

— Escute – disse o vizinho —, tem uma coisa que você precisa fazer para mim como um favor.

— Primeiro me diga o que é – disse o camponês.

— Você precisa mudar o estábulo das suas vacas, porque está no meu caminho – foi a resposta que ele deu ao camponês.

— Não, eu não vou fazer isso – disse o camponês. — Acabei de construí-lo, bem neste verão, e o inverno está se aproximando. O que devo fazer com meu gado?

— Bem, faça como quiser; mas, se não o derrubar, vai se arrepender – disse o vizinho. E, com isso, foi embora.

O camponês ficou surpreso, e não sabia o que fazer. Parecia muito tolo ele começar a derrubar o estábulo quando as longas noites de inverno estavam se aproximando e, além do mais, não podia contar com ajudantes.

Certo dia, quando estava no estábulo, ele foi sugado pelo chão. Lá embaixo, no local em que chegou, tudo era inacreditavelmente lindo. Não havia nada que não fosse de ouro ou de prata. Então o homem que se dissera seu vizinho se aproximou e pediu que ele se sentasse. Depois de um tempo, a comida foi trazida em uma bandeja de prata, o hidromel em uma jarra de prata, e o vizinho o convidou para cear. O camponês não ousou recusar e se sentou à mesa, mas, assim que estava prestes a mergulhar a colher no prato, alguma coisa vinda do alto caiu na comida, de modo que ele perdeu o apetite.

— Sim, sim — disse o homem —, agora você entende por que não gostamos do seu estábulo. Nunca podemos comer em paz, pois, assim que nos sentamos para fazer uma refeição, a terra e a palha caem e, não importa se estamos com muita fome, perdemos o apetite e não conseguimos comer. Mas, se você me fizer o favor de colocar o estábulo em outro lugar, nunca ficará sem pasto e boas colheitas, não importa a sua idade. Mas se não fizer isso, só vai ter anos magros por toda a vida.

Quando o camponês ouviu isso, foi direto derrubar o estábulo para colocá-lo em outro lugar. Mas ele não trabalhava sozinho, pois à noite, quando todos estavam dormindo, a construção do novo estábulo continuava como durante o dia, e ele sabia que era o vizinho que estava ajudando.

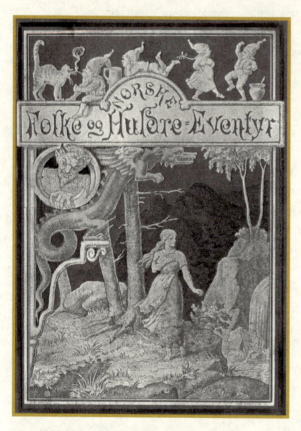

NORSKE FOLKE OG HULDRE-EVENTYR
livro de 1896 com diversos contos nórdicos selecionados por Peter Christen Asbjørnsen e Jørgen Moe

Ele não se arrependeu, já que teve pasto e milho suficientes e seu gado engordou. Certa vez, em um ano de escassez, o pasto estava tão ruim que ele pensou em vender ou matar metade do rebanho. Mas, numa manhã, quando a leiteira entrou no estábulo, o cachorro tinha ido embora e, com ele, todas as vacas e os bezerros. Ela começou a chorar e contou ao camponês. Mas ele pensou consigo mesmo que provavelmente era coisa do vizinho, que tinha levado o gado para outro pasto. E era mesmo verdade; pois, perto da primavera, quando a floresta ficou verde, ele viu o cachorro aparecer, latindo e pulando, na fronteira da floresta, e logo atrás vinham as vacas e os bezerros, e o rebanho todo estava tão gordo que era um prazer admirá-lo.

TEMPESTADE MÁGICA

Clara Stroebe

Makrelldorg, Alemanha/Noruega, 1922

Em uma aventura em alto mar, um mero ajudante escuta a conversa de três bruxas disfarçadas que pretendem afundar o navio na tempestade, e acaba se tornando o único capaz de salvar a embarcação de um terrível naufrágio. O conto foi narrado pelo marinheiro Rasmus Olsen a Asbjørnsen e então adaptado por Clara Stroebe.

O camareiro estava viajando com o capitão durante todo o verão, mas, quando eles começaram a se preparar para levantar as velas no outono, ele ficou inquieto e não quis ir junto. O capitão gostava dele porque, apesar de não passar de um menino, ficava bem à vontade no convés — era um rapaz grande e alto e não se importava de dar uma mão quando a necessidade surgia; também fazia todo o trabalho de um marinheiro capaz e era tão divertido que mantinha toda a tripulação de bom humor. Por isso, o capitão não gostou de perdê-lo. Mas o jovem repetia de maneira absoluta que não queria ir para a poça azul no outono, porém estava disposto a ficar a bordo até o navio ser carregado e estar pronto para navegar. Certo domingo, enquanto a tripulação estava desembarcada e o capitão tinha ido a uma fazenda perto da floresta para negociar um pouco de madeira e lenha — presumivelmente por conta própria — para o convés, o jovem foi deixado para cuidar do navio. Mas você deve saber que ele era um menino cheio de graça e tinha encontrado um trevo de quatro folhas, e era esse o motivo para ele ter a segunda visão. Ele conseguia ver aqueles que eram invisíveis, mas eles não conseguiam vê-lo.

E, enquanto estava sentado ali na cabine de proa, ele ouviu vozes dentro do navio. Espiou por uma fenda, e lá estavam três corvos pretos como carvão pousados nas vigas do convés, e estavam falando sobre seus maridos. Todas as três estavam cansadas deles e planejando sua morte. Dava para ver que eram bruxas que tinham assumido outra forma.

— Mas tem certeza de que não há ninguém aqui que possa nos escutar? — perguntou um dos corvos. E, pelo modo como falava, o camareiro reconheceu a esposa do capitão.

— Não, pode ver que não há — disseram as outras, as esposas do primeiro e do segundo intendentes. — Não há nenhuma alma a bordo.

— Bem, então não me importo de dizer que conheço uma boa maneira de me livrar deles — disse a esposa do capitão, e saltou para perto das outras duas. — Vamos nos transformar em vagalhões, jogá-los ao mar e afundar o navio com todos os homens a bordo.

Isso agradou às outras, e elas ficaram ali por muito tempo discutindo o dia e o momento.

— Mas tem certeza que não há ninguém aqui que possa nos escutar? — perguntou mais uma vez a esposa do capitão.

— Você sabe que sim — disseram as outras duas.

— Bem, existe um contrafeitiço para o que desejamos fazer e, se ele for usado, vai cair pesado sobre nós, pois vai nos custar nada menos que a vida!

— Qual é o contrafeitiço, irmã? — indagou a esposa de um dos intendentes.

— Tem certeza que ninguém está escutando? Parecia que havia alguém fumando na cabine de proa.

— Mas você sabe que olhamos em todos os cantos. Eles simplesmente se esqueceram de apagar o fogo na cozinha, por isso há fumaça — argumentou a esposa do intendente —, então fale logo.

— Se eles comprarem três feixes de madeira de bétula — disse a bruxa —, mas devem ter o comprimento total e eles não podem barganhar, e jogarem o primeiro feixe na água, tarugo por tarugo, quando o primeiro vagalhão estourar, e o segundo feixe, tarugo por tarugo,

quando o segundo vagalhão estourar, e o terceiro feixe, tarugo por tarugo, quando o terceiro vagalhão estourar, está tudo acabado para nós!

— Sim, isso é verdade, irmã, está tudo acabado para nós! Está tudo acabado para nós! — disseram as esposas dos intendentes. — Mas ninguém sabe disso — gritaram elas e riram alto e, com isso, voaram pela escotilha, berrando e grasnando como corvos.

Quando chegou a hora de navegar, o camareiro não quis ir junto por nada no mundo, e toda a persuasão do capitão e todas as suas promessas foram inúteis. Por fim, eles perguntaram se ele estava com medo, porque o outono estava se aproximando, e disseram que ele preferia se esconder atrás do fogão, pendurado nos cordões do avental da mãe. Não, respondeu o jovem, ele não estava com medo, e eles não podiam dizer que já o tinham visto demonstrar um sinal de algo tão de primeira viagem quanto o medo; e ele estava disposto a provar isso, pois agora ele ia junto, mas exigiu que comprassem três feixes de madeira de bétula, com comprimento total, e que, em determinado dia, ele pudesse comandar como se fosse o capitão. O capitão perguntou que tipo de bobagem era aquela e se ele já tinha ouvido falar de um camareiro receber a confiança do comando de um navio. Mas o rapaz respondeu que eles tinham de concordar; se não quisessem comprar os três feixes de madeira de bétula e obedecer a ele, como se fosse capitão por um único dia — o capitão e a tripulação saberiam antecipadamente que dia seria —, ele não colocaria mais os pés no navio e muito menos voltaria a sujar as mãos com piche e betume. A coisa toda pareceu estranha para o capitão, mas ele finalmente cedeu, porque queria ter o rapaz consigo e, sem dúvida, também achava que ele recuperaria o bom senso quando eles estivessem navegando. O intendente tinha a mesma opinião.

— Deixe que ele comande o quanto quiser e, se as coisas derem errado, nós ajudamos — disse. Então a madeira de bétula foi comprada, com comprimento total e sem barganha, e eles içaram as velas.

Quando chegou o dia de o camareiro assumir o comando, o clima estava calmo e tranquilo, mas ele recrutou toda a tripulação do navio e, com exceção de um pedacinho de lona, rizou todas as velas. O capitão e a tripulação riram dele e disseram:

— Isso mostra que tipo de capitão temos agora. Você não quer que aquele último pedacinho de vela seja rizado neste minuto?

— Ainda não — respondeu o camareiro —, mas daqui a pouco.

De repente, uma ventania os atingiu, golpeando com tanta força que eles acharam que iam emborcar e, se não tivessem rizado as velas, elas sem dúvida teriam soçobrado quando o primeiro vagalhão atingiu o navio.

O rapaz ordenou que eles jogassem o primeiro feixe de madeira de bétula ao mar, tarugo por tarugo, um de cada vez, e nunca dois, e não deixou que eles tocassem nos outros dois feixes. Agora eles obedeciam fielmente e não riam; apenas jogavam a madeira de bétula tarugo por tarugo. Quando o último tarugo caiu, eles ouviram um rugido, como se alguém estivesse lutando contra a morte, e a ventania tinha passado.

— Que os céus sejam louvados! — disse a tripulação, e o capitão acrescentou: — Vou avisar à companhia que você salvou o navio e a carga.

— Isso é ótimo, mas ainda não terminamos — disse o rapaz —, há coisa pior por vir. — E mandou que rizassem cada trapo, assim como o que tinha sobrado das velas de mezena. A segunda ventania os atingiu com mais força ainda do que a primeira, e era tão impiedosa e violenta que a tripulação toda ficou apavorada. Quando estava na pior parte, o rapaz lhes disse para jogar o segundo feixe ao mar; e eles o jogaram tarugo por tarugo e tomaram cuidado para não pegar nenhum do terceiro feixe. Quando o último tarugo caiu, mais uma vez eles escutaram um gemido profundo, e tudo ficou parado. — Agora vai haver mais uma ventania, e essa será a pior — disse o rapaz e mandou todos para os seus postos. Não havia um cabo solto no navio todo.

A última ventania os atingiu com mais força ainda do que as anteriores. O navio ficou de lado de modo que eles pensaram que nunca mais seria o mesmo, e o vagalhão varreu o convés.

Mas o rapaz lhes disse para jogar o último feixe de madeira ao mar, tarugo por tarugo, e não dois tarugos de uma vez. E, quando o último tarugo de madeira caiu, eles ouviram um gemido profundo, como se alguém estivesse morrendo, e quando tudo ficou calmo de novo, o mar todo estava da cor de sangue até onde os olhos alcançavam.

Quando chegaram à terra, o capitão e os intendentes falaram que iam escrever para as esposas.

— Isso é algo que vocês não precisam mais fazer — disse o camareiro —, já que não têm mais esposas.

— Que bobagem é essa, jovem sabe-tudo? Não temos mais esposas? — argumentou o capitão.

— Ou você por acaso acabou com elas? — perguntaram os intendentes.

— Não, todos nós juntos acabamos com elas — respondeu o rapaz e contou o que tinha ouvido e visto naquela tarde de domingo quando estava de vigia no navio, enquanto a tripulação estava em terra e o capitão estava comprando sua madeira.

E, quando navegaram para casa, eles descobriram que as esposas tinham desaparecido no dia da tempestade e que, desde aquele momento, ninguém mais tinha visto ou ouvido falar delas.

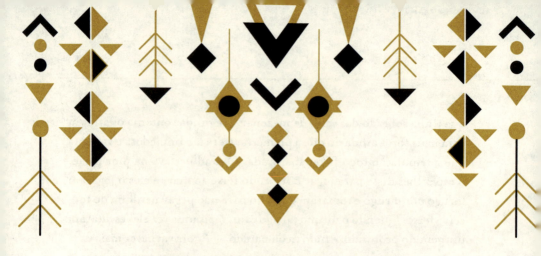

A ÚLTIMA MORADA DOS GIGANTES

Marie Jeserich Timme

(Villamaria)

Das letzte Riesenheim, Alemanha/Islândia, 1877

Membros de uma poderosa e pacífica raça de gigantes da Noruega desejam a mão de Guru. O preferido da giganta consegue se sobressair em força e velocidade, tornando-se seu noivo... Mas existem muitas outras aventuras para Guru e Andfind naquelas gélidas terras do passado.

O vale e a montanha se alternavam em bela sucessão sob o céu azul da Noruega de milhares de anos atrás, assim como o fazem hoje, e a Corrente do Golfo fluía então como agora, passando pelas costas escarpadas; mas era uma terra muito diferente. Nas florestas densas, nenhum machado tinha sido ouvido contra os fortes troncos que os rios noruegueses carregariam para o mar, para flutuarem até o futuro como nobres navios sobre o coração do oceano; nas baías protegidas, nenhuma casa aninhada com cercanias caprichosamente cuidadas com jardins e campinas; nenhum barco ainda singrava o mar com redes e equipamento de pesca. Os homens ainda não tinham pensado nesta bela terra ao norte como morada.

Uma raça de gigantes, de compleição alta e potente, residia ali. A duração da vida deles era medida em séculos, assim como a nossa é medida em anos. Eles rachavam rochas em pedaços com as mãos e deixavam os grandes rios serem um canal livre. Carregavam enormes blocos nos ombros até a orla e construíam castelos cujas torres se assomavam até as nuvens. Suas vozes afogavam o rugido do oceano e assustavam as águias nos ninhos. Mas essa poderosa raça, sob a qual o solo estremecia, tinha um caráter pacífico e inofensivo. Nenhuma querela os dividia e nenhuma inveja amargurava seus corações. Eles moravam juntos, como as crianças de uma grande família.

Seu chefe era Hrungnir. Seus companheiros se submetiam voluntariamente ao seu controle, pois ele se sobressaía a todos em idade, sabedoria e força, como um pai aos seus filhos.

Hrungnir morava em um esplêndido castelo junto ao mar. As montanhas da Noruega tiveram de ceder seus mais preciosos metais para adornar as paredes de sua gigantesca moradia por dentro e por fora. Os inúmeros rebanhos e manadas do chefe vagavam por quilômetros de terra, os ursos das florestas densas foram abatidos às centenas pelas suas mãos para que as peles pudessem cobrir almofadas para seus convidados, e as mesas e copos de chifre reluziam com pedras preciosas. Mas a propriedade mais valorizada por Hrungnir era Guru, sua única filha. Seu cabelo brilhava dourado como as estrelas da noite do norte, seus olhos eram azuis como o céu de sua terra nativa e sua pele era de uma brancura ofuscante.

Os gigantes mais poderosos de todo o país desejavam a mão de Guru, e Hrungnir prometeu a filha àquele que se sobressaísse em rapidez na corrida ou cujo braço fosse o mais forte para arremessar rochas enormes. Assim, os gigantes poderosos vieram de seus castelos nas montanhas, onde as tempestades de neve se estendiam pelos picos primitivos, e de fortalezas junto ao mar, de modo que o teto de Hrungnir mal conseguiu dar abrigo à multidão de pretendentes. As mesas fumegavam com inúmeros pratos, os chifres de hidromel eram enchidos várias vezes, e, pelas janelas, as canções dos gigantes soavam com tanta força que as ondas fugiam aterrorizadas de volta para o mar.

Depois do banquete, os gigantes saíram para a costa, partiram enormes massas das rochas e as arremessaram ao mar como crianças jogariam pedrinhas. As massas de pedras voaram bem distantes sobre o oceano, mas nenhuma foi tão longe quanto a jogada pela mão de Andfind, o jovem valente cujo castelo se erguia em meio às rochas de Dovrfjell, destruída por tempestades, cuja riqueza quase se igualava à de Hrungnir, cuja beleza era comparável a da própria Guru. Então, quando os pretendentes se organizaram na orla para a corrida, e as pedrinhas ressoaram sob suas sandálias douradas, Andfind deixou todos os rivais para trás, e seus longos cachos louros flutuavam como pendões dourados na rocha que era a meta da corrida, enquanto os outros pretendentes ainda estavam se arrastando pelo caminho.

Andfind foi vitorioso, e o coração de Guru cantou de alegria, pois ela o amava em segredo havia muito tempo, embora estivesse preparada para se submeter ao desejo do pai, mesmo que ele tivesse escolhido outro como genro.

Longe de invejá-lo e de se tornar rancorosos, os gigantes aplaudiram ruidosamente o vencedor, carregando-o nos ombros até o castelo de Hrungnir, onde o chefe lhe deu as boas-vindas e chamou a filha para conhecer o noivo escolhido.

A adorável Guru apareceu vestindo um roupão azul-céu, com barra bordada em prateado, que ela e suas criadas tinham tecido e decorado no recôndito do salão das mulheres. Ao redor do pescoço branco e dos braços roliços havia joias brilhosas, e seus cachos estavam presos com uma fita dourada. Assim ela veio encontrar os convidados. Hrungnir pegou a mão da filha, colocou-a sobre a mão direita de Andfind e, em seguida, como sacerdote da residência, o chefe os uniu pelos laços indissolúveis do casamento.

A noite caiu ao redor do Castelo de Hrungnir. O chefe e seus convidados estavam deitados em repouso profundo, preparando-se para a alegria de um novo dia. Mas a destruição se aproximou deles, enquanto dormiam, com passos furtivos; pois Odin, aquele rei ardiloso, cuja origem nenhum homem sabia explicar, desceu das montanhas com seus guerreiros confiáveis. Tinham ouvido falar da beleza da Noruega e desejavam conquistá-la para ser seu lar. Tinham ouvido que os mais corajosos da região estavam em um banquete no castelo de Hrungnir e esperaram até a hora do repouso, de modo a poderem atacar os inimigos inconscientes com quem não teriam coragem de lutar em termos de igualdade.

A luz da lua deslizava pelas janelas abertas e pousava sobre as formas dos adormecidos indefesos: a respiração profunda dos guerreiros e o murmúrio das ondas eram os únicos sons que o ouvido conseguia distinguir. Mas sombras escuras invadiram o salão iluminado pela lua, formas altas subiram pelas janelas e, sem fazer barulho, segurando as armas com cuidado para não baterem umas nas outras, eles se infiltraram nos quartos. Com uma mira certeira, eles banharam as espadas no sangue do coração dos adormecidos, de modo que, com um último gemido, cada guerreiro entregou seu espírito corajoso. O piso estava coberto de sangue, mas o bando de Odin passava de salão em salão sem escorregar no caminho sangrento.

O gemido da morte, apesar de curto, alcançou o ouvido de Guru. Ela se levantou e prestou atenção. Não, não era um sonho; e o som veio de novo, com uma nitidez apavorante. Ela se vestiu e correu até a janela e, quando abriu a cortina, viu formas desconhecidas no pátio, carregando com dificuldade um fardo pesado. Ela olhou com mais atenção e reconheceu, sob a clara luz da lua, o cadáver ensanguentado de seu nobre pai. Guru correu até o leito de Andfind e sussurrou:

— Acorde, acorde, meu marido, e vamos fugir, pois a traição e a morte entraram na nossa casa!

O trabalho sangrento parecia terminado nos outros quartos, e agora os passos temidos estavam se aproximando.

Guru levantou uma pedra do piso e revelou uma escadaria secreta. Ela fez sinal para Andfind descer e rapidamente o seguiu, fechando a abertura atrás de si.

Por uma passagem estreita que seguia por baixo do castelo e das rochas até a costa, eles alcançaram o mar. Lá, havia um barco balançando, que Guru e suas criadas usavam com frequência para passeios. Os dois subiram nele. Andfind estendeu a vela e assumiu o timão, e o barco flutuou para o mar aberto.

Odin tinha vencido. Os mais nobres da terra foram assassinados na vitória inglória daquela noite, e os fracos que restaram da raça dos gigantes foram obrigados a deixar o antigo lar e buscar refúgio em terras desconhecidas. Apesar desse começo desprezível, o reino de Odin foi de sabedoria, poder e benevolência.

Sobre Guru e seu marido nunca mais se soube nada. Se o mar havia engolido o barco em suas profundezas sedentas, ou se as ondas os tinham levado a costas mais felizes, ninguém jamais levou notícias para o antigo lar do casal. Mas, nas noites de inverno, quando as donzelas se sentavam ao redor da fogueira flamejante de pinho e, enquanto fiavam, conversavam sobre a época dos gigantes noruegueses, algumas damas mais idosas contavam às ouvintes trêmulas sobre aquela noite de morte e sobre o misterioso destino de Guru e seu nobre noivo.

O reino de Odin há muito tinha terminado. Sua sabedoria e seus crimes estavam quase esquecidos. Muitos anos antes, Olaf tinha trazido o conhecimento da nova religião cristã e erguido igrejas nos locais dos velhos altares; e, à antiga honestidade e força da nação, foi acrescentado o espírito moderado da religião da cruz.

No ponto em que o castelo de Hrungnir ficara, agora se erguia uma fortaleza quase tão poderosa quanto a do chefe dos gigantes; os rebanhos que a cercavam eram tão grandiosos quanto os dele, e o atual proprietário, Sämund, assim como Hrungnir, contava como seu tesouro mais precioso uma única filha.

Era quase como se os dias de Guru houvessem voltado, pois o cabelo dourado e a pele nevada de Aslog, bem como seus olhos azuis e a forma graciosa, atraíam a corte dos nobres mais ricos e mais poderosos daquela terra.

Quando cada pretendente era rejeitado, o coração de Sämund se enchia de orgulho e esperança. *Ela só vai aceitar o melhor e maior*, pensava ele. Mas, quando o príncipe mais poderoso da terra apareceu e os lábios da bela moça disseram "não" também para ele, Sämund não elogiou a prudência da filha. Com palavras amargas, ele a repreendeu pela sua tolice e ordenou que ela escolhesse, antes da Noite de Natal, alguém a quem ele pudesse conceder a mão dela.

Os dias iam e vinham, e o rosto de Aslog ficava mais pálido, e os olhos do pai ficavam mais soturnos, pois o coração dela tinha sido entregue a Orm, o jovem pobre e belo que o pai lhe concedera como pajem. O braço forte de Orm havia remado o barco até o mar repleto de dourado, nas agradáveis noites de verão; a mão de Orm guiara Aslog pelos amplos campos de neve, ambos usando sapatos especiais para a neve, com pontas finas e maleáveis como uma folha de faia, enquanto deslizavam rapidamente pelo ar revigorante; e, nas noites mais longas de inverno, enquanto os convidados estavam bebendo e cantando nos corredores da casa do pai, Orm costumava se sentar e lhe contar belas histórias, enquanto Aslog ficava sentada perto do fogo intenso.

Sämund adorava o jovem corajoso, mas, se alguém lhe dissesse que ele era o escolhido da filha, teria desafiado o informante para um combate.

Os amantes sabiam disso, e foi com tremor que eles aguardaram o dia decisivo.

— Se ela não escolher alguém antes de eu nomear — disse Sämund a Orm —, eu mesmo vou escolher um noivo, e você terá a honra de carregar a cauda do vestido.

Orm não respondeu, mas, com a mão trêmula, arrumou a mesa para os convidados, trincando os lábios para impedir as palavras sequiosas que seu amor despertava.

Era a noite antes da Noite de Natal — estrelada e fria. Uma porta secreta se abriu na lateral da montanha, e duas figuras disfarçadas saíram. Eram Orm e Aslog. Não tinham levado consigo nada além de uma pequena trouxa com as roupas de que precisariam, um tapete de pele quente e um arco com flechas que Orm pendurara atravessado no ombro.

Eles se apressaram sobre a planície gelada, rápidos e impulsionados pelo medo, como um par de pombos caçados. Chegaram à beira da ampla planície. Os sapatos especiais para neve não eram mais úteis, pois a estrada agora os conduzia para os desfiladeiros e penhascos rochosos das montanhas. Fazia um frio miserável, o vento assobiava pelas fendas da montanha, e seu sopro gelado fez a frágil Aslog tremer. O longo caminho se enroscava nas montanhas cobertas de neve; então, eles chegaram a um denso bosque de abetos, no meio do qual havia uma pequena cabana de eremita.

— Sou eu, Padre Jerome — disse Orm ao velho que veio recebê-los na porta.

— Seja bem-vindo, meu filho! — disse o velho, enquanto o jovem se inclinava para dar um beijo reverente na mão enrugada. — E a donzela ao vosso lado também é bem-vinda ao pobre quartinho do eremita.

O descanso e a refeição leve oferecidos foram aceitos com avidez pela donzela esgotada. Com olhos de piedade, o eremita encarou as feições dela, marcadas pela tristeza, e, quando Orm lhe implorou para unir os dois em matrimônio, o velho, depois de pensar um pouco, cedeu.

Esse momento foi tão diferente dos sonhos de Aslog! Não que ela pensasse muito no esplendor e na festividade que deveriam fazer jus ao seu casamento, mas ela sentia amargamente o desejo da bênção do pai.

Quando a cerimônia terminou, eles não podiam mais se demorar. Os viajantes seguiram pelo caminho exaustivo, até que Aslog teria caído, exausta, se não fosse pelo apoio do braço de Orm. Pelo denso bosque de abetos, sobre os caminhos difíceis das montanhas, os dois se apressaram até o primeiro raio da aurora brilhar no céu a leste. Então, Orm apontou para um monte de rochas escuras diante dos dois.

— Ali — disse ele, animado —, ali, minha Aslog, há descanso e segurança.

A coragem de Aslog aumentou. Com energia renovada, ela seguiu pelo solo interveniente até chegarem a uma rocha irregular e alta e entrarem em uma fenda lateral. Estavam em uma caverna, que, apesar de estreita na entrada, se tornava mais alta e mais larga conforme eles seguiam, até formar uma câmara espaçosa. Dessa residência sombria, o cuidado e a consideração de Orm fizeram um lar para sua amada no qual não faltava conforto e nem felicidade, e ali eles viveram em um refúgio seguro enquanto o inverno bloqueava as estradas da montanha. Mas, quando a primavera chegou e os caminhos se tornaram acessíveis, os espiões de Sämund conseguiram explorar mais minuciosamente, e Orm não podia mais sair e voltar livremente por entre as montanhas. Quando as provisões diminuíram, ele foi obrigado a se afastar do abraço choroso de Aslog e partir em uma expedição com seu arco e suas flechas. Por fim, quando, depois de semanas de clima suave, nenhuma viva alma tinha sido vista perto do refúgio, seus medos cederam, e Orm começou a deixar o cuidado de lado e a se aventurar mais longe da caverna. Talvez o pai de Aslog tivesse se cansado da busca infrutífera, ou talvez ele até estivesse nutrindo a intenção de perdoá-los. O coração de Aslog quis acreditar no que ela desejava tão ardentemente, e Orm começou a compartilhar de sua crença. Certa noite, quando a esposa estava dormindo, ele seguiu o caminho em direção ao vale, onde o quartinho do eremita se aninhava no meio do bosque. Seu peito batia forte com a esperança de que o velho pudesse lhe dar boas notícias para levar à sua amada Aslog, que, embora aceitasse suas privações com alguma alegria, estava cada dia mais pálida e frágil. Ele se aproximou de uma rocha destacada, atrás da qual ficava o caminho para a cabana do eremita. Em sua empolgação animada, tinha se esquecido de todo o medo. Seu arco estava nas costas, com a corda frouxa, e a mão segurava o cajado, mas de maneira descuidada. De repente, ele ouviu um farfalhar nos arbustos densos atrás de si, e duas mãos pesadas pousaram no seu ombro. Com grande esforço, Orm se soltou, deu alguns passos para trás e balançou o cajado de maneira ameaçadora.

— É ele quem procuramos — gritaram os agressores. — Lembrem-se da recompensa.

Em seguida, pareceu a Orm que todos os arbustos, e até mesmo a rocha marrom atrás dele, criaram vida, de modo que o farfalhar foi ouvido de todos os lados. Rápido como o pensamento, ele bateu com o cajado na cabeça dos dois que o agrediram inicialmente e, antes que os outros conseguissem sair de seus esconderijos, ele tinha se virado e fugido.

No início, houve gritos selvagens, e um som de pés ávidos batendo, mas ele não parou para olhar para trás e logo escapou da visão dos perseguidores. O caminho era longo e difícil, mas Orm era forte e tinha pés rápidos, e não demorou muito até ele retornar à caverna.

Como essa volta para casa tinha sido diferente de suas esperanças anteriores! Aslog estava mergulhada em um sono agradável, com um sorriso feliz nos lábios, como se sonhasse com amor e perdão; e Orm precisava acordá-la em breve e dizer que ela deveria seguir de novo como uma viajante sem lar.

— Acorde, acorde, minha amada — sussurrou, pegando a mão dela —, e vamos fugir, pois os homens de seu pai estão no nosso rastro e precisamos estar bem longe daqui antes da próxima aurora.

Aslog abriu os olhos e encarou, com espanto atônito, os lábios do marido, mas, quando não conseguiu mais duvidar do que ele dizia, levantou-se rapidamente e arrumou as roupas e as peles macias que formavam suas cobertas em uma trouxa organizada. Sem demora, eles saíram da caverna pela entrada estreita e seguiram, não como esperavam, para o castelo de Sämund, mas em direção a um futuro sombrio e desconhecido. A oeste, onde ficava o lar de Aslog, o perigo e a traição aguardavam por eles e, por isso, voltaram seus passos para o norte, para caminhos montanhosos desconhecidos. O ar era brando, a lua brilhava forte no caminho, e o musgo suave não deixava rastro dos passos que pudessem revelá-los a inimigos atentos. Eles caminharam para o norte durante horas. A caverna na rocha estava a quilômetros atrás, e eles estavam distantes do local onde Orm tinha sido visto pelos homens do sogro. Finalmente, Orm se arriscou a seguir para oeste, em direção ao mar. O caminho os conduzia às terras baixas. As névoas invernais ainda estavam suspensas sobre a planície. O olho aguçado de Orm mal atravessava o véu cinza, e Aslog tremeu quando sentiu o abraço gelado. Eles não conseguiam mais saber em que direção estavam indo, mas continuaram em frente, na esperança de chegar em breve a um mar favorável. O rosto pálido de Aslog finalmente apresentou um rubor de alegria quando ela ouviu o murmúrio distante da água. A música familiar soava cada vez mais perto, e os dois logo chegaram a um vale estreito, em cuja ponta se erguia um monte de rochas escuras.

— É a costa! — disse Aslog alegremente, enquanto quase corria pelo solo.

Em uma pequena baía, no pé das rochas, havia um barco de pesca. Orm carregou a esposa nos braços pela areia, pois nesse trecho aberto era necessário se apressar ainda mais, já que algum olho hostil poderia vê-los. Ele colocou Aslog no barco com delicadeza, entrou em seguida e, com as mãos trêmulas, estendeu a vela.

O vento parecia querer o bem dos fugitivos. Ele descia das montanhas e enchia a vela branca, de modo que o barquinho disparava pelo mar como um cisne de asas abertas. O sol estava cada vez mais alto, os penhascos da costa nativa agora pareciam apenas uma fileira de colinas baixas; navios orgulhosos singravam não muito longe deles e, no horizonte mais distante, apareceu um grupo de ilhas resplandecendo na névoa dourada. Quando o sol afundou lentamente no horizonte, os navios maiores passaram sem notar os viajantes, e as pequenas ilhas ainda estavam muito longínquas. O rosto de Aslog, que tinha reluzido de esperança, ficou pálido e abatido.

— O que há de errado, minha querida? — perguntou Orm, ansioso.
— Estou com fome — respondeu Aslog, muito fraca.

Orm suspirou profundamente. Eles tiveram de fugir sem esperar para obter provisões, e agora estavam havia vinte e quatro horas sem comida, e as ilhas seguiam longe.

O sol afundou no mar.

— Durma, minha Aslog, durma! — implorou Orm, sem parar. — Você não vai sentir fome enquanto estiver dormindo, e, quando acordar, talvez tenhamos alcançado uma das pequenas ilhas à nossa frente.

Aslog sorriu de um jeito submisso, tirando as peles da trouxa, e se deitou sob seu calor protetor no fundo do barco. As ondas balançavam a pequena embarcação com delicadeza, o remo batia na água em uma monotonia calculada, e os olhos de Aslog finalmente se fecharam e ela adormeceu.

Apenas Orm continuava desperto, vigiando o amplo oceano. A noite havia chegado, mas um sopro quente da primavera ainda pairava sobre o mar. A lua se ergueu lentamente sobre as distantes montanhas da Noruega e inundou o oceano com sua luz prateada. As ondas dançavam reluzentes em volta do barco, as velas e os mastros brilhavam muito, e o cabelo da bela e adormecida Aslog cintilava como ouro.

Cheios de amor e de tristeza, os olhos de Orm pousaram no rosto pálido de Aslog. Ele não se permitiu nada além de um descanso curto, e remou durante a noite toda. Quando a manhã chegou, uma grande ilha com árvores em flor, banhada em luz lilás, se estendia diante de seus olhos. O grito de alegria de Orm acordou Aslog, que se levantou e também avistou esse adorável refúgio paradisíaco, que parecia uma oferenda aos viajantes sem lar. Como se fosse guardiã da futura segurança dos dois, uma rocha cinza e alta se erguia na orla, em uma forma semelhante a de uma figura humana gigantesca.

Orm tentou contornar por entre as pequenas ilhas que havia ao redor desse local tentador; mas as ondas, que até então batiam muito delicadamente na costa, agora espumavam e rugiam em torno do barco, e o arrastavam de volta para o mar aberto. Apesar disso, Orm, destemido, se ocupava do timão e do remo, só para ser arrastado de volta, repetidas vezes.

A tarde chegou, e o esforço infrutífero ainda continuava; agora, o sol estava se inclinando em direção ao oeste. A força e a perseverança heroica de Orm finalmente começaram a falhar. Suas mãos sangravam, a fome e a exaustão quase o dominavam; enquanto Aslog, que havia passado de um estado da mais ávida esperança para o mais profundo desânimo, se agarrava, quase inconsciente, ao mastro. Orm pensou que ela estava morrendo. O desespero lhe deu uma força renovada.

— Deus Todo Poderoso, tenha piedade de nós! — gritou ele, em voz alta, para o céu. As ondas imediatamente se submeteram ao nome sagrado; os vagalhões espumantes deslizaram suavemente sob o barco; a embarcação disparou como uma flecha pelo meio das ilhas e se aproximou do paraíso onde a rocha gigantesca, com semblante sombrio, olhava para o barquinho que rumava até a costa suave. Orm saltou do barco, pegou a exausta Aslog nos braços e a carregou até a areia seca e macia. Olhou ao redor, procurando alguma coisa para comer. As árvores frutíferas balançavam as copas em flor à pouca distância, mas ainda não havia chegado a época das frutas. Orm vasculhou a praia com mais ansiedade ainda. E viu um mexilhão bem aos seus pés, depois outro e mais outro. Ele os pegou e ofereceu à esposa quase desmaiada; e ela se sentiu tão renovada pelo alimento leve que conseguiu andar até o centro da ilha, apoiada pelo braço de Orm, procurando um lugar que servisse de abrigo.

As árvores em flor pareciam evidência de mãos cuidadosas, mas nenhum rastro, nenhuma pegada revelava a presença animadora de outros seres humanos. Eles seguiram pela ilha verde, sobre a qual o sol estava lançando seus últimos raios dourados. Diante dos dois, havia um espaço aberto no meio da folhagem e, com os corações acelerados de esperança e medo, eles foram se aproximando. Encontraram-se diante de uma casa com arquitetura muito antiga. Suas paredes afundavam tanto na terra e se erguiam tão altas no ar que os abetos mal conseguiam estender seus galhos escuros sobre o telhado escondido. As janelas eram pequenas, e os painéis eram feitos de pele de peixes. A porta era feita de tábuas fortes, firmemente presas com ferro. A casa toda parecia anunciar um desafio às tempestades, e decerto fizera isso durante séculos.

Mas onde estavam seus construtores? Será que estavam dormindo nas profundezas do oceano? Será que o gramado alto das pequenas ilhas balançava sobre seu último local de descanso ou será que ainda estavam sentados, enfeitiçados, atrás da porta presa com ferro e das paredes cinzentas da moradia lúgubre? Com esses pensamentos causando-lhe um leve temor, Orm bateu à porta da casa misteriosa. Nenhum som, nenhum passo lhe revelou que ele fora ouvido lá dentro. Bateu de novo e, depois, uma terceira vez, mas ainda assim não houve movimento. Ele então colocou a mão na tranca pesada; a porta se abriu, e Orm e Aslog entraram em um vestíbulo com piso de pedras. Não havia ninguém para lhes dar as boas-vindas ou para impedir que seguissem em frente. Em uma lateral do vestíbulo havia outra porta. Orm bateu e, quando também não houve resposta, ele a abriu e adentrou em um aposento grande e imponente, com Aslog a seu lado. Não havia ninguém à vista, mas tudo apresentava sinais de mãos organizadas. Um fogo reluzente queimava na lareira e, sobre ele, havia um caldeirão com peixe, cujo aroma saudou os fugitivos famintos como um convite.

— Perdoe-nos, nobre senhor desta casa! — disse Orm, com a voz alta, mas em um tom respeitoso. — É a necessidade, não o abuso, que nos torna intrusos.

Ambos tentaram ouvir, ofegantes, mas continuaram sem resposta. Então, Orm serviu um pouco do conteúdo do caldeirão em dois pratos e os colocou sobre a mesa. A coragem e o conforto cresceu, apesar do temor inicial, e os viajantes apreciaram o alimento de que tanto necessitavam.

Quando a fome estava saciada e os ânimos tinham revivido, eles olharam ao redor. No lado mais distante do aposento, havia duas camas gigantescas, em formato antigo e esquecido havia muito. O fogo sob o caldeirão estava diminuindo, a luz do fim da tarde não entrava mais pelas janelas, e a escuridão só era interrompida pelo fraco brilho das brasas agonizantes.

A natureza finalmente reivindicava seus direitos. Os olhos dos viajantes estavam quase se fechando e, deixando de lado todo o medo, eles tomaram posse das camas em que formas certamente gigantescas teriam repousado antes.

Quando acordaram, o sol estava brilhando forte lá fora, mas os raios entravam fracos pelos painéis brutos das janelas. As portas estavam fechadas com firmeza e não havia rastros de passos humanos, mas o fogo voltara a queimar na lareira; do caldeirão borbulhante, subia uma fragrância tentadora, e a mesa estava posta para uma refeição.

— Está vendo, querido Orm? — gritou Aslog alegremente, apontando para o fogo e para a mesa. — Esta linguagem é fácil de entender, apesar de ser silenciosa. Os proprietários invisíveis desta residência conhecem as nossas necessidades e nos dão boas-vindas sob seu teto hospitaleiro.

Depois de, mais uma vez, compartilharem o conteúdo do caldeirão borbulhante, Orm e Aslog foram para o salão e encontraram uma escada que levava a um quarto pouco abaixo do telhado disfarçado. Este, e o salão onde tinham passado a noite, eram os únicos cômodos da casa, mas lá existia tudo que era necessário para uma vida de reclusão. Não havia nenhum sinal de habitantes, mas parecia que alguém tinha estado ali recentemente, e que suas mãos tinham arrumado tudo com amor para os pobres sem lar. Eles entenderam a linguagem silenciosa e permaneceram satisfeitos na casa dali em diante, aproveitando a doce sensação de que enfim tinham uma casa.

Orm nunca jogava a rede no mar sem arrastar um rico suprimento de peixes deliciosos; as armadilhas que ele colocava de manhã para os pássaros nunca estavam vazias à noite. As árvores frutíferas produziam em abundância, e Aslog se ocupava muito com a rica colheita e o armazenamento.

O verão terminou, e o curto outono estava quase acabando quando um adorável bebê veio alegrar os corações de Orm e Aslog durante o lúgubre inverno. A criança foi chamada de Sämund, e, aos pais, soava como uma promessa de futura reconciliação.

Certo dia, Orm estava com o filhinho no colo, observando com alegria os sorrisos do bebê, e Aslog estava à lareira, preparando a refeição do meio do dia, quando uma sombra alta passou pela janela, a pesada porta da casa se abriu e uma batida alta foi ouvida na porta do salão. Aslog deixou a colher cair, horrorizada, e até o corajoso Orm apertou o bebê junto ao coração quando o visitante apareceu.

Uma mulher gigantesca entrou no salão. Sua estatura era a maior que Orm e Aslog jamais tinham visto em sua poderosa nação. A mulher usava um roupão azul-céu com a barra bordada em prateado; uma fita dourada prendia seu longo cabelo branco-neve e, nas feições que um dia foram belas, séculos de alegria e tristeza pareciam ter deixado seus rastros.

— Não tenham medo — disse a visitante majestosa, com uma gravidade gentil. — Esta é a minha ilha, e esta é a minha casa, mas eu lhes dei tudo com alegria quando soube do seu tormento. Só peço uma coisa a vocês. A Noite de Natal está se aproximando. Nessa única noite, me deixem ocupar o salão por algumas horas, enquanto realizamos nossa festividade anual. Mas vocês precisam fazer duas promessas: não dizer uma palavra durante a comemoração e não fazer nenhuma tentativa de ver o que está acontecendo no cômodo abaixo. Se vocês garantirem isso, podem morar aqui sem serem incomodados, e podem aproveitar a minha proteção até desejarem ir embora da ilha.

Com os corações leves, Orm e Aslog fizeram as promessas, e a majestosa dama baixou a cabeça prateada em uma despedida graciosa e saiu pela porta.

Era Noite de Natal; Aslog tinha limpado e arrumado o salão com mais cuidado do que o costumeiro. As tábuas estavam branco-neve, e Orm espalhou sobre elas ramos de abeto delicadamente partidos. O fogo ardia cintilante na lareira varrida com capricho e, sobre ela, estava pendurado o caldeirão reluzente. Aslog enrolou o bebê na pele mais macia que cobria sua cama e foi com Orm para o quarto no andar de cima, onde ficaram sentados ao lado da chaminé aquecida que começava no andar de baixo e que, por necessidade, passava pelo segundo andar.

Durante muito tempo, tudo estava em silêncio. De repente, um som doce e suave foi ouvido; outros se seguiram, e logo a música cresceu em ondas melódicas pelo ar noturno. Aslog ouvia em transe, enquanto Orm foi até a cumeeira do telhado e, já que isso não era proibido, abriu a janela que, durante o dia, servia para deixar o ar e a luz entrarem.

Havia movimento em toda a ilha. Pequenas formas enrugadas, com rostos sérios e envelhecidos, estavam se movimentando com tochas acesas nas mãos. Corriam com sapatos secos por sobre as ondas e abriam caminho até a rocha que protegia a entrada da baía. Quando a alcançaram, formaram um círculo a seu redor e se sentaram no chão em uma humildade respeitosa. Em seguida, uma forma alta se aproximou, vinda do centro da ilha. Os anões abriram o círculo para admiti-la, e Orm reconheceu, na luz trêmula, a nobre dama que poucos dias antes lhes fizera uma visita inesperada. Seu roupão azul-céu e o dourado no cabelo reluziam com ainda mais brilho do que antes. Ela se aproximou da rocha, jogou os braços ao redor da pedra fria e ficou assim por um instante, em um abraço silencioso. De repente, a pedra adquiriu vida e movimento. Os membros gigantescos foram libertados da petrificação, os cabelos rolaram sobre os ombros, os olhos começaram a reluzir mais uma vez com vida. Como se despertasse do sono da morte, o gigante se ergueu, pegou a mão da dama majestosa, cujo abraço amoroso o trouxera de volta à vida, e ambos se viraram para a casa, enquanto os anões os acompanhavam com tochas acesas e uma melodia fascinante. O chão parecia tremer sob as pegadas dos gigantes. Eles logo chegaram à porta da casa. Orm fechou a janela e voltou para onde a esposa estava sentada ao lado da chaminé.

No andar de baixo havia pratos batendo e muitos pés tamborilando; o jovem casal ouvia todos os sons através da chaminé larga. A voz forte do gigante de pedra parecia um trovão aos ouvidos humanos, e a voz da dama, que Orm e Aslog tinham ouvido uma vez, era como as poderosas notas de um instrumento musical. Mesas e cadeiras foram afastadas, e ouvia-se o som de copos de chifre se encontrando;

o banquete estava começando, e o casal ouvia mais uma vez a música que tanto tinha deixado Aslog embevecida de encanto. Em seguida, um desejo irresistível de ver a companhia maravilhosa que Orm tinha descrito a tomou. Ela se levantou e tateou em busca de uma rachadura no chão, através da qual era possível ver o salão no andar de baixo. Em silêncio, Orm levantou a mão para deter sua precipitação fatal, mas o movimento acordou o bebê adormecido, que, apavorado pelos sons incomuns no andar de baixo, deu um grito que atingiu o coração da mãe. Esquecendo-se de tudo, exceto da agonia do filho, ela começou, como fazia sempre, a acalmá-lo com palavras carinhosas. De repente, um grito terrível e um tumulto bárbaro vieram do andar de baixo, a música parou e, do outro lado da porta, os anões dispararam em uma comoção desordenada. As tochas foram apagadas, o barulho da fuga soou por alguns instantes, e a noite e o silêncio reinaram no lugar que um minuto antes retumbava com uma alegria festiva.

Mortalmente aterrorizada, Aslog havia afundado de novo na poltrona, tremendo, esperando o destino que sua ousadia havia trazido para as pessoas que ela amava. Foram horas de ansiedade que eles passaram no quarto superior escuro, quase mais ansiosas do que as horas de sua fuga e daquela luta difícil contra as ondas. A manhã finalmente nasceu. Um raio de sol claro atravessou um buraco na janela e acordou o menino, que começou a chorar de frio e de fome. Seu amor pelo filho dominou o medo, e Aslog convenceu o marido a descer com ela e saber qual era seu destino. Eles desceram a escada, tremendo a cada degrau. Agora estavam na porta do salão e ouviam. Não havia nenhum som — tudo estava parado como a morte. Finalmente, eles levantaram a tranca; Aslog apertou o filho no peito e entrou no salão. Um grito alto escapou de seus lábios. Na ponta distante do salão, no assento de honra da mesa, estava sentado o poderoso gigante, cujo despertar Orm havia testemunhado; mas a vida mais uma vez escapara de suas veias, e ele estava sentado ali como uma massa fria e cinza de pedra. Parecia, para Aslog, que a mão de pedra que continuava segurando o copo de chifre ainda poderia se levantar para lançar a destruição sobre ela e as pessoas que amava. Ela observou com pavor atônito aquela figura, os olhos passando lentamente da cabeça imóvel para as dobras maciças da roupa de pedra. Aslog percebeu outra presença, esta no chão, sem movimento, como se estivesse em profunda angústia. O rosto estava encostado na pedra fria, mas o roupão azul com barra bordada em prateado e o cabelo branco espalhado revelaram a uma Aslog apavorada de quem se tratava.

— Andfind, meu Andfind! — gemia a dama gigante, finalmente levantando o rosto. — Nunca mais sorrireis para vossa fiel Guru nem vos regozijareis com ela em vosso curto espaço de vida e liberdade.

Aslog soltou um grito, mas não, como antes, de pavor pelo próprio destino, mas de angústia e remorso. O grito amargo fez até mesmo a giganta derrubada pela tristeza levantar a cabeça.

— Não chore — disse ela delicadamente — e não tenha medo; eu poderia matá-la com facilidade e destruir esta casa, que lhes dei como lar, feito um brinquedo de criança. É verdade que seu esquecimento provocou uma angústia incomensurável em mim, mas a vingança daqueles que detêm o poder deve ser o perdão! Portanto, não chore; não há nada a temer.

— Ah, não é só isso! — soluçou Aslog. — Os nomes que citou, nobre dama, partiram meu coração. Eles me lembram de uma lenda que eu sempre ouvia quando era criança, sobre Guru, a bela donzela gigante, que foi obrigada a fugir do cruel Odin com seu amado Andfind. A história do destino dos dois sempre me tocou profundamente e, quando escutei esses nomes, pensei que você talvez fosse aquela Guru, e esse pensamento renovou o meu remorso.

A giganta parecia afundada em uma meditação sonhadora.

— E eles ainda se lembram de nós na antiga terra natal? — disse ela, finalmente — E ainda resta algum salão no castelo de Hrungnir?

— Não, nobre dama — respondeu Aslog —, eles há muito viraram pó, pois inúmeros séculos se passaram na Noruega desde aqueles dias. É verdade que um castelo orgulhoso ainda se assoma sobre as ondas espumantes, mas é de propriedade de Sämund, de quem sou filha única.

— Nosso destino, ó, filha da minha antiga casa, é impressionantemente semelhante — disse Guru — Mas sua vida terá um final mais feliz do que a minha. Moramos aqui em felicidade e sem perturbações durante muitos séculos, pois foi para esta ilha que nosso barco confiável nos trouxe naquela noite de morte. Esta casa, que os braços fortes do meu marido construíram para ser o nosso lar, é pequena e pobre em comparação aos salões do meu pai, mas não sentimos falta do esplendor perdido. Os dias se passaram em uma felicidade tranquila, e não sentíamos mais saudade da terra que nos expulsou e aos nossos amigos. Os anões, que, como nós, também tinham dado as costas para um país inóspito, se estabeleceram ao redor nas pequenas ilhas e moraram aqui no coração da terra em paz e contentamento. Toda noite de Natal nós nos encontrávamos neste salão e fazíamos festa como nossos antepassados faziam antes mesmo de sua religião se espalhar para as terras ao norte. Séculos se passaram e, certa noite, eu estava com Andfind na orla da nossa ilha, olhando para o mar. No horizonte, ao norte, apareceu um barco majestoso, e Andfind, cujos olhos eram mais aguçados que os das águias, e que tinha o poder de ver o futuro, reconheceu que o homem na proa era um poderoso inimigo da liberdade da Noruega e da nossa autoridade. Era Olaf, que vocês chamam de santo, que, não muito tempo depois, dominou os príncipes da Noruega em uma noite e destruiu os últimos vestígios dos antigos ritos. A presciência prudente do meu marido viu tudo isso e, com um esforço tremendo, ele soprou as ondas furiosas, de modo que elas ameaçaram estraçalhar o barco de Olaf. Mas o invasor rezou, como vocês fizeram quando se aproximaram da nossa costa, e o mar furioso ficou calmo. Andfind estendeu a mão para empurrar a embarcação que se aproximava da costa, mas Olaf, levantando as mãos para o céu, disse, em um tom de inflexível condenação: "Transformai-vos em pedra de agora em diante!" Os olhos em que eu estava acostumada a ler todos os desejos do meu marido se fecharam imediatamente, a mão que segurava a minha se tornou fria e dura, a forma tão cheia de vida e beleza se transformou em pedra insensível, e meu amado Andfind virou uma rocha cinza e sem vida na orla. Os invasores continuaram navegando em direção à costa da Noruega, e eu permaneci desolada e solitária na ilha. Apenas uma vez por ano, na noite de Natal, gigantes petrificados recebem permissão para ter poucas horas de vida, contanto que alguém da raça deles os abrace. Mas cada abraço tira séculos da minha própria vida. Eu amava demais meu marido para não lhe oferecer esse sacrifício voluntariamente, para que nós dois pudéssemos aproveitar, uma vez por ano, algumas horas de interação. Nunca contei quantas vezes ele despertou para a vida com o meu abraço, quantos séculos da minha vida entreguei pelo bem dele; não desejo saber em que dia eu, quando abraçá-lo, também vou me transformar em pedra e ficar na orla dali em diante para sempre com meu Andfind. Mas, agora, tudo acabou — concluiu Guru. — Nunca mais poderei despertar meu amado, pois um olho humano, uma voz humana, perturbou o festival sagrado da nossa raça espiritual. Meu Andfind deve permanecer como pedra até o dia em que todas as rochas e montanhas da velha Noruega pereçam nas ruínas do mundo.

Ela jogou os braços mais uma vez ao redor da pedra fria, levantou sua harpa dourada do chão e se virou para Orm e Aslog, que tinham ouvido com uma tristeza silenciosa.

— Adeus! — disse ela. — Deixo para vocês minha proteção e minha bênção. De agora em diante, são seus os vasilhames caros que decorarão nosso painel festivo; não preciso mais deles. Vivam em paz e felicidade nesta casa até voltarem para receber o perdão de Sämund, e tenham uma vida de alegria no que um dia foi meu lar.

Ela saiu, e os convidados tristonhos a seguiram até a porta. Sem olhar para trás, Guru deslizou por entre as árvores sem folhas; seu roupão azul reluziu a uma grande distância na planície coberta de neve. Orm e Aslog a observaram atravessando as ondas, até as pequenas ilhas; depois, não a viram mais.

Será que ela havia descido com a música de sua harpa dourada para os vagalhões frios? Ou foi governar como rainha no reino dos anões? Orm e Aslog nunca souberam o destino dela, mas as profecias de Guru foram cumpridas em abundância.

A doença e a desgraça se mantiveram distantes da ilha. Orm e Aslog eram felizes no amor mútuo, fortes de corpo, alegres de espírito, satisfeitos até mesmo no isolamento. O filho crescia diariamente, bonito, forte e obediente; as árvores davam o dobro de frutas, o mar cedia sua dádiva mais livremente do que nunca, e as armadilhas de pássaros nunca ficavam vazias. A luz do sol e a fragrância das flores enchiam o ar, e eles bebiam da vida e da felicidade a cada respiração. E, quando o inverno chegava, e a tempestade se enfurecia ao redor da casa, os pesados flocos de neve descendo pelos galhos de abeto quebrados e batendo na janela, a pequena família se sentava, aconchegada, na casa protegida; a madeira seca queimava reluzente na lareira, e Aslog fazia redes enquanto Orm escavava um novo remo e a criança ouvia avidamente as histórias da Velha Noruega.

Anos e anos se passaram e não deixaram rastros de preocupação nos rostos dos exilados solitários, mas, quando Aslog pensava no pai, uma sombra cruzava sua testa branca, e a antiga nostalgia pelo amor e pelo perdão dele despertava.

Era o começo da primavera. As árvores frutíferas exibiam suas coroas de flores, e os raios de sol brincavam nos galhos escuros de abeto no telhado da casa solitária. A porta se abriu, e Orm, acompanhado de Aslog e do menino, saíram, carregando um dos vasilhames que Guru tinha deixado como presente de despedida para os hóspedes. Os utensílios que sua mão maternal tinha oferecido se tornaram gastos no decorrer dos anos, e Orm estava indo à costa da Noruega para vender a taça de ouro e, com seu lucro, comprar materiais de que precisavam. Ele havia adiado muito essa tarefa, pois ainda temia o olho aguçado da traição e da vingança; mas a necessidade deles era urgente, e não poderia haver mais demora.

A partida foi amarga. Aslog o abraçou várias vezes, e até as palavras proféticas de Guru perderam o poder de consolar. Mas Orm, apesar de seu coração estar longe de leve, acalmou-a com uma promessa de rápido retorno; depois, se afastou, entrou em um barco e o empurrou para longe da costa.

O barco voou como uma gaivota sobre as ondas, pelo círculo das pequenas ilhas, e seguiu para o mar aberto. Um vento tão fresco quanto o que favorecera a fuga deles agora soprava do norte para encher a vela branca. Orm guardou os remos e observou o barco disparar sobre as ondas cintilantes. Ele direcionou o curso para sudeste. Quando estava se aproximando da tarde, a orla de sua terra nativa apareceu no horizonte; e, muito antes do pôr do sol, o barco navegou pelas águas estreitas do fiorde Trondheim e parou no cais da velha cidade real. Orm seguiu pelas ruas com passos apressados e, com o vasilhame precioso embaixo do braço, entrou na loja de um ourives.

O homem pareceu maravilhado com o metal rico e o trabalho manual raro e elaborado, e pagou sem resistência o preço pedido. Orm correu feliz para outro prédio, para fazer suas compras. Havia uma grande multidão de compradores e, temendo que algum velho conhecido pudesse estar entre eles, Orm virou de lado e analisou as mercadorias em silêncio.

— Bem-vindo, amigo! Qual é a novidade nas suas montanhas? — disse o mercador, para um homem do campo que tinha acabado de entrar.

— Obrigado, senhor. Não muito boas — respondeu o recém-chegado.

— O que houve? — perguntou o mercador. — Seu mestre, o rico Sämund, não está bem? Ele ainda não se rendeu ao destino?

Orm ouvia com ansiedade.

— Logo tudo acabará — respondeu o homem do campo. — O luto pela filha está partindo seu coração. Ele está doente, solitário e triste. Proclamou por toda a terra que vai perdoar os fugitivos se eles retornarem; e prometeu uma grande recompensa a qualquer um que lhe traga a menor notícia dos dois. Mas eles parecem ter desaparecido, e é muito provável que o velho morra sem um parente para fechar seus olhos no último sono.

Orm não pensou mais nas compras; só pensou em Aslog e seu pai moribundo. Sem ser notado na multidão, ele saiu da loja. Mal tinha virado a primeira esquina e correu velozmente até o cais, desceu os degraus, soltou o barco e, com os últimos raios do sol se pondo, navegou com habilidade pelo fiorde estreito, por entre todas as embarcações maiores, remando em direção ao oceano. Seu coração batia com empolgação e com uma nostalgia ansiosa. Uma reconciliação com o pai de sua amada Aslog não era o desejo mais cultivado do seu coração e do dela, apesar de Orm ter se silenciado sobre o assunto, pelo bem de Aslog?

Era noite quando o barco saiu do fiorde e navegou para o mar. O vento, que tinha soprado em direção à terra o dia todo, tinha virado e, soprando agora das montanhas norueguesas, conduziu o barco de Orm com a rapidez de uma flecha sobre as águas. A lua nascia clara e cheia sobre sua terra nativa, e as ondas empurravam o borrifo prateado contra a quilha. Orm só conseguia pensar naquela noite em que Aslog estava deitada, faminta e exausta, aos seus pés — atrás deles, o terror e a traição —, diante de um futuro desconhecido. A radiação clara da lua e as ondas cintilantes eram as mesmas agora e então, mas em todo o resto a mudança era muito abençoada!

Assim a noite passou e, quando o leste começou a brilhar vermelho, o barco deslizou por entre as pequenas ilhas. Quando o primeiro raio caiu nas copas dos abetos, Orm desceu na costa de sua ilha familiar.

Ele mal gastou tempo amarrando o barco. Correu sob as árvores frutíferas em flor — com as mãos vazias, é verdade, mas com um presente mais rico do que Aslog teria ousado desejar.

Postou-se ao lado da cama dela.

— Acorde, acorde, amada! — sussurrou enquanto se dobrava sobre ela. — Trago notícias do seu pai, as melhores notícias que seu coração poderia desejar: amor e perdão!

Aslog acordou, e seus olhos iluminados e as lágrimas silenciosas que escorriam sobre as mãos entrelaçadas demonstravam uma alegria mais profunda do que Orm havia imaginado enquanto se apressava para casa.

Logo tudo virou uma confusão no salão tranquilo. Mais uma vez Aslog acendeu o fogo; mais uma vez o café da manhã borbulhava no caldeirão, enquanto ela enfeitava a si mesma e ao filho com ornamentos festivos, e Orm carregava os presentes de Guru, de ouro e pedras preciosas, até o barco. Mais uma vez eles se sentaram à mesa e desfrutaram as provisões do lar hospitaleiro de Guru. Eles contemplaram as paredes imponentes que lhes deram abrigo e olharam com tristeza para a forma empedrada de Andfind, que durante anos foi um membro silencioso do pequeno lar. Em seguida, Orm pegou a mão da esposa, e eles saíram da casa, fechando cuidadosamente a porta, e seguiram o menino, que tinha corrido na frente, ansioso, em direção à orla.

— Adeus, adorável ilha! — gritou Orm, enquanto soltava a corda. — Se algum dia fugitivos caçados pousarem em sua orla, seja para eles um lar tão doce quanto foi para nós.

A criança já estava sentada no barco, brincando com os belos vasilhames de ouro e pedras preciosas, e Aslog sentou-se ao lado dele para falar do novo lar e de seu querido avô, enquanto Orm mergulhava os remos e o barco deixava a costa da última morada dos gigantes.

O sol estava quase afundando no mar; seus raios lançavam um olhar de despedida sobre as janelas do castelo solitário, na rocha que, no passado, ressoara com risadas e comemorações. Agora, os salões esplêndidos estavam desolados. Os criados, servindo não por amor, mas por medo, obedeciam em silêncio triste aos comandos do mestre soturno. A filha, a única que seu coração frio já amara, estava perdida para ele. Sua idade avançada era solitária e desolada, e seu orgulho desmoronou.

— E daí se ela desgraçou a minha casa escolhendo o serviçal em vez do príncipe? Ela ainda é minha filha, minha única filha, e sempre foi querida e amada por mim! Ah, tragam de volta minha filha, minha Aslog, para que eu veja seu rosto antes de morrer!

Ricas eram as recompensas oferecidas pelo pai entristecido por qualquer notícia da filha, mas ele esperou dias e semanas em vão. Ela parecia perdida para sempre.

— Levem-me para fora, para que eu possa ver o sol enquanto ainda tenho visão! — disse para os criados, enquanto o sol da tarde entrava pelas janelas do castelo.

Os criados apoiaram seu corpo cambaleante até a beira da rocha. Sämund mandou que fossem embora e o deixassem com sua tristeza.

O sol afundava como uma bola de fogo no oceano, e o mar rolava as ondas roxas do horizonte mais distante e quebrava-as em um borrifo dourado aos pés da rocha do castelo.

— Que bom seria se minha idade avançada pudesse ser calma e clara como este doce fim de tarde, e que bom seria se minha vida pudesse afundar no esplendor como o sol no mar!

Em seguida, ele ouviu, ao longe, o barulho de remos batendo na água, e seu olho, gasto pela velhice, examinou ansioso o horizonte. Um barco, gentilmente conduzido pelo vento, vinha navegando do noroeste. Ele se aproximava cada vez mais, e parecia direcionar seu curso para a rocha onde o velho estava. No timão, havia uma forma masculina e, na proa, uma mulher graciosa, em pé, com um menino bem ao seu lado. Seu cabelo reluzia dourado, como o da filha de Sämund costumava fazer; e, agora, ela levantava a mão e acenava com um lenço branco, em um cumprimento ávido. O coração de Sämund bateu com um pressentimento feliz, e ele não sentiu mais fraqueza, mas se levantou sem ajuda do paredão de pedra e fixou o olhar no barco que se aproximava. A pequena embarcação tinha chegado ao pé da rocha. Ele ouviu a corrente chacoalhando ao redor de uma estaca, e o som de vozes familiares subiu até o ar do fim da tarde. Não era um sonho. Escutou passos leves ao seu lado e, quando se virou para olhar, Aslog, sua Aslog perdida, estava ajoelhada diante dele, os olhos cheios de uma penitência humilde; e, ao lado dela, havia um menino de cabelo louro, também ajoelhado, que estendeu as mãos para o velho e ecoou as palavras da mãe com um sotaque infantil:

— Ó, avô, nos perdoe e nos ame!

O velho abriu os braços, levando os suplicantes até o coração e, enquanto beijava o adorável neto, disse, em uma voz mais branda e suave do que costumava:

— Obrigado, Deus! Não vou morrer sozinho, no fim das contas!

E não morreu. Dia a dia ele sentia cada vez mais o antigo vigor e, quando viu como Aslog amava o marido com ternura, como Orm era um marido e pai fiel, e um filho obediente a ele, esqueceu-se de todas as suas decepções — até mesmo do diadema real que Aslog havia rejeitado. O amor da filha e do neto tornaram seus últimos dias os mais iluminados, e assim o desejo daquele fim de tarde de primavera foi realizado: sua velhice foi calma e clara, e sua vida mergulhou em esplendor como o sol no mar.

O RESGATE DOS LIVROS RAROS

A publicação de obras raras e inéditas pela Editora Wish acontece desde o nosso primeiro lançamento, com contos de fadas que nunca tinham sido traduzidos para a língua portuguesa. Acabamos, com o tempo, nos apaixonando cada vez mais pelo passado e seus tesouros escondidos. Enquanto clássicos criam gerações de leitores ao longo das décadas, os raros e inéditos mantém aceso o fogo da curiosidade sobre o que é diferente do comum. Afinal, quais livros eram lidos e apreciados pelos nossos antepassados? Quais tipos de obras deslumbrantes ou estranhas eles tinham em suas bibliotecas particulares?

A literatura rara e inédita leva a mente para fora do escopo do comum, e direciona nossas lunetas para estrelas nunca antes vistas... Ou quase esquecidas.

A Wish tem o prazer de publicar livros antigos de qualidade e com traduções realizadas pelos melhores profissionais, envelopados em projetos gráficos belos e atuais para agraciar as estantes dos leitores. São presentes para a imaginação repletos de entretenimento e recordações de épocas que não vivemos — mas que podemos frequentar através de incríveis personagens.

Equipe Wish

BIBLIOGRAFIA

BÄSTA, Diversos autores, Ahlen & Akerlund Forlag, ilustrações de John Bauer, 1932 (Acervo Wish)

FAIRY CIRCLES, TALES AND LEGENDS OF GIANTS, DWARFS, FAIRIES, WATER-SPRITES, AND HOBGOBLINS, Villamaria, Marcus Ward & Co, 1877 (Acervo Wish)

EAST OF THE SUN AND WEST OF THE MOON, Peter Christen Asbjørnsen, Jørgen Engebretsen Moe, George H. Doran Company, ilustrações de Kay Nielsen, 1922

STORIES FROM HANS ANDERSEN, Hans Christian Andersen, Hodder & Stoughton, ilustrações de Edmund Dulac, 1911

BLAND TOMTAR OCH TROLL, Vários Autores, ilustrações de John Bauer, 1914, Número 8

LÄNGE, LÄNGE, SEDAN... SAGOR, Anna Wahlenberg, Albert Bonniers Förlag, 1903

THE SWEDISH FAIRY BOOK, Clara Stroebe, Frederick A. Stokes, ilustrações de George W. Hood, 1921

MIGHTY MIKKO, A BOOK OF FINNISH FAIRY TALES AND FOLK TALES, Parker Fillmore, Harcourt, Brace and Company, ilustrações de Jay Van Everen, 1922

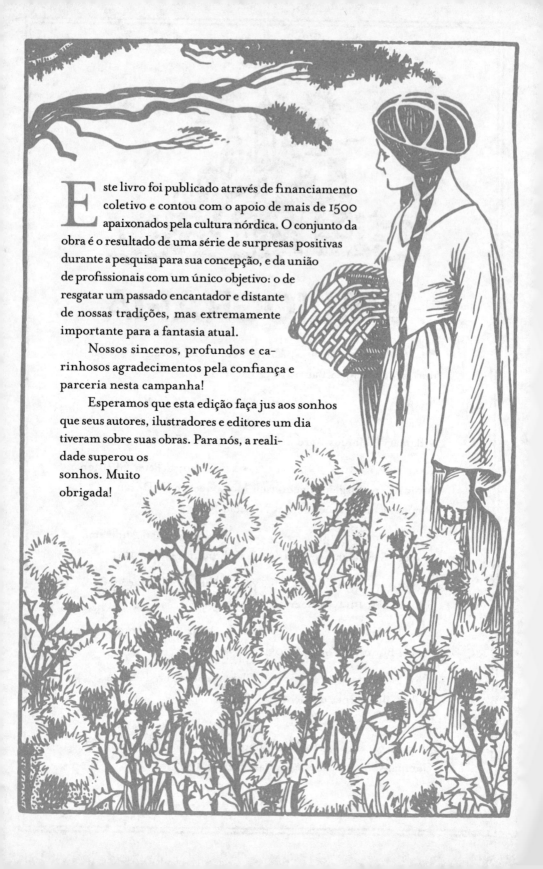

Este livro foi publicado através de financiamento coletivo e contou com o apoio de mais de 1500 apaixonados pela cultura nórdica. O conjunto da obra é o resultado de uma série de surpresas positivas durante a pesquisa para sua concepção, e da união de profissionais com um único objetivo: o de resgatar um passado encantador e distante de nossas tradições, mas extremamente importante para a fantasia atual.

Nossos sinceros, profundos e carinhosos agradecimentos pela confiança e parceria nesta campanha!

Esperamos que esta edição faça jus aos sonhos que seus autores, ilustradores e editores um dia tiveram sobre suas obras. Para nós, a realidade superou os sonhos. Muito obrigada!